Françoise Bourdin

Née à Paris en 1952, de parents chanteurs lyriques, Françoise Bourdin baigne dès son jeune âge dans un univers artistique et féerique, jusqu'au divorce de ses parents quand elle a dix ans. Passionnée d'équitation depuis l'adolescence, elle passe plus de temps à cheval que sur les bancs du lycée Victor-Duruy. Son autre passion est la littérature, et elle dévore les classiques des étés durant. À quinze ans, elle commence à écrire des nouvelles, puis un premier roman naît, *Les soleils mouillés* (1972), qu'elle publie chez Julliard alors qu'elle n'a que vingt ans. Depuis le succès des *Vendanges de juillet* jusqu'à celui de *L'héritage de Clara*, ses romans, tous publiés aux éditions Belfond, ont conquis de plus en plus de lecteurs. Parallèlement à son activité de romancière, Françoise Bourdin est également scénariste pour la télévision.

FRANÇOISE BOURDIN

Née à Paris en 1952, de parents chanteurs lyriques, Françoise Bourdin baigne dès son jeune âge dans un univers artistique et éclectique. Jusqu'au divorce de ses parents quand elle a dix ans. Passionnée d'équitation depuis l'adolescence, elle passe le plus de temps à cheval que sur les bancs du lycée Victor-Duruy. Son autre passion est la littérature, et elle dévore les classiques dès l'enfance. À quatorze ans, elle commence l'écriture de nouvelles, puis un premier roman dont *Les sœurs [illegible]* (1972), qu'elle publie chez Julliard alors qu'elle n'a que vingt ans. Depuis le succès des *Vendanges de Juillet* jusqu'à celui de *L'Héritage des Cénac*, ses romans, tous publiés aux éditions Belfond, ont conquis de plus en plus de lecteurs. Parallèlement à son activité de romancière, Françoise Bourdin est également scénariste pour la télévision.

L'HOMME DE LEUR VIE

FRANÇOISE BOURDIN

L'HOMME DE LEUR VIE

BELFOND

ISBN 2-266-11902-8

À ma fille Frédérique, cadette et complice,
Toujours première lectrice de mes histoires
d'amour. En souvenir d'un lapin
que nous avons beaucoup aimé,
parti pour l'Amérique, comme Louis.
Avec tout mon amour.

1

Derrière la vitre, le technicien fit un signe à
ouis, pouce levé. L'enregistrement était bon,
omme prévu, les musiciens ayant joué de façon
xemplaire après une répétition plutôt houleuse.
ouis baissa ses yeux sombres vers l'orchestre qui
estait figé dans un silence attentif.

— Merci, messieurs, c'était...

Une seconde, il chercha le mot juste pour traduire
a satisfaction.

— ... exactement ça, conclut-il en souriant.

Il posa sa baguette sur le bord du pupitre,
amassa la partition. La lourde porte insonorisée
'ouvrit pour livrer passage au réalisateur. Il
xultait.

— Superbe ! Tu sauves mon film, je te jure.
)'ailleurs, je vais en mettre partout, inutile de
n'échiner sur la post-synchro avec ces foutus
omédiens, ils me rendent fou ! Le second thème,
elui que j'adore, avec tous les violons, eh bien, je
e veux très présent, presque lancinant, tu vois ? Ah,
rois-moi, Louis, on va faire pleurer les cœurs sen-
ibles !

Dans le grand studio, les musiciens repoussaient
eurs chaises, commençaient à ranger leurs ins-
ruments. Certains d'entre eux avaient l'habitude
le travailler avec Louis qu'ils appréciaient sans
éserve. À condition de lui donner toute la virtuosité
ossible, c'était un chef agréable, pointilleux mais
atient, exigeant mais toujours courtois. Et qui pré-
érait enregistrer en France, chaque fois que le bud-

get de la production le permettait, ce qui lui attira
la sympathie des syndicats.

— C'est le souffle qui manquait, tu comprends
l'émotion, je n'en démords pas, il faut de l'émo
tion !

Louis hocha la tête sans répondre. Il pensait qu
l'autre n'avait aucun talent, de toute façon, et que so
film ne tiendrait pas l'affiche plus de huit jours. L
meilleure musique du monde n'en ferait jamais u
chef-d'œuvre.

— Je t'emmène boire un verre ? insistait l
cinéaste, pendu à son bras.

— Désolé, il faut que je rentre. J'ai promis cett
soirée à mon fils. Je te verrai lundi au mixage.

Ce n'était même pas une excuse, il avait effecti
vement besoin de parler à Frédéric qu'il avait tro
négligé ces derniers jours. Sans conviction, il se pri
à espérer que l'autoroute ne soit pas saturée, pou
une fois.

En émergeant des studios, devant le Palais de
Congrès, il constata qu'il faisait déjà nuit. Ce moi
de mars était frileux, maussade, et corresponda
parfaitement à son état d'esprit. La musique dont i
venait de diriger l'enregistrement avait été compo
sée en cinq jours. Elle était sirupeuse à souhai
mélodramatique et obsédante, telle que la désira
cet imbécile.

Il s'en voulut aussitôt. Mépriser les gens qui l
faisaient travailler ne revenait qu'à se dévaloriser
Bien sûr qu'ils voulaient tous la même chose – qu
les spectateurs sortent leurs mouchoirs –, mai
après tout, c'était précisément ce qu'il savait faire
On lui avait accordé un orchestre symphonique, c
qui devenait de plus en plus rare. De quoi se plai
gnait-il ?

Arrivé devant sa voiture, il chercha ses clefs
Elles avaient filé par le trou de sa poche et se trou
vaient coincées dans la doublure. Il prit son temp
pour les extraire de là, laissant errer son regard su
la ligne fuyante du coupé rouge. Bel objet, auss

élégant et agressif que l'affirmait le constructeur. En l'achetant, il avait réussi à rendre Alix folle de rage. Leur passion partagée pour les voitures de sport finirait sans doute par les ruiner s'ils continuaient à renchérir l'un sur l'autre comme des gamins. Vingt ans plus tôt, leur père avait commis l'erreur de leur offrir des cours de perfectionnement sur le circuit de Montlhéry, et ils y avaient découvert ensemble le goût de la vitesse. Depuis, ils avaient essuyé bon nombre d'amendes et de retraits de permis, sans parvenir à se calmer.

Après avoir jeté sa partition sur le siège passager, Louis se glissa derrière le volant. Avec un peu de chance, il pouvait arriver à Notre-Dame-de-la-Mer pour dîner. Frédéric devait déjà se creuser la tête devant les congélateurs.

Tandis qu'il manœuvrait, quelqu'un tapa contre sa vitre et il actionna la commande électrique.

— J'ai beaucoup apprécié la séance ! Ils ont toujours plus de talent avec toi...

— Où étais-tu cachée ? riposta Louis en dévisageant sa sœur.

— En cabine, derrière les consoles. Et tu sais quoi ? Tu t'en es tenu à la demi-seconde près, sans écouteur !

— Alix, rappela-t-il, tu ne connais rien à la musique.

— Peut-être, mais tout le monde était content. Tiens, tu avais oublié la copie de la bande. Tu pars toujours trop vite.

Appuyée au toit du coupé, elle le regardait avec une tendresse qu'elle ne cherchait pas à dissimuler.

— Frédéric m'attend, plaida Louis.

— Alors, file !

Comme elle s'écartait, à regret, il la retint une seconde.

— Tu viens, samedi ?

— Je serai là en fin de matinée. À condition que tu me prêtes ton nouveau jouet !

Il lui sourit, avant de démarrer, de ce sourire

incroyablement juvénile qui la bouleversait chaque fois. Leur ressemblance n'était plus très frappante. Enfants, on pouvait pourtant les confondre, en tout cas durant leurs premières années, jusqu'à ce qu'elle se mette à porter des robes à volants et lui des shorts. Après, bien sûr, les différences s'étaient accentuées. À présent, ils avaient encore le même regard sombre, le même nez droit, mais Alix avait éclairci ses cheveux bruns et elle accusait quelques kilos de trop, alors que Louis restait très mince – à force de manger d'insipides plats surgelés, sans doute – et paraissait presque maigre en raison de sa grande taille. Sa séduction, dont il n'avait pas conscience, tenait dans ses pommettes hautes, ses joues creuses, ses yeux noirs. Et son visage fin, dont l'expression un peu dure se diluait parfois dans une irrésistible gaieté de gamin.

La porte Maillot était dégagée, le boulevard périphérique roulait normalement et, quelques minutes plus tard, Louis émergea du tunnel de Saint-Cloud sur l'A13. Il glissa l'enregistrement dans le lecteur pour écouter le début, sourcils froncés. Infime décalage des seconds violons, ainsi qu'il l'avait perçu, mais personne n'y prêterait attention. L'ensemble était correct, presque brillant, et la bande originale du film allait sans doute bien se vendre.

Après la traversée de la forêt de Marly, quand l'autoroute repassa à trois voies, Louis s'offrit une pointe de vitesse. Le ronronnement du six cylindres était vraiment agréable, Alix allait l'apprécier à sa juste valeur lorsqu'elle l'essaierait. Au péage de Mantes, il expédia sa monnaie dans la corbeille et entendit aussitôt une voix nasillarde lui annoncer : « Pièce rejetée. » Il aurait mieux fait d'utiliser la file des cartes bancaires. Deux gendarmes lui lancèrent un coup d'œil tandis qu'il fouillait le vide-poches, mais c'était surtout le museau agressif de l'Alfa Romeo qui les intéressait.

Dix kilomètres plus loin, il quitta l'autoroute pour emprunter la nationale qui longeait les bords de Seine. D'abord un bras mort, puis toute la largeur du fleuve qui ne se distinguait, dans l'obscurité, que par des miroitements intermittents. La montre du tableau de bord indiquait vingt heures lorsqu'il tourna sur la gauche, après Port-Villez, en direction de Notre-Dame-de-la-Mer. Il s'engagea sur la route qui serpentait à flanc de colline, ses phares balayant les bois en friche, de part et d'autre, sans croiser personne jusqu'à l'entrée du hameau. Un endroit privilégié dont il ne se lasserait jamais, il en avait la certitude. S'il avait dû en partir, il l'aurait fait à l'époque de la mort de Marianne.

Devant le haut portail de bois plein, il actionna la télécommande. Quand les vantaux s'écartèrent, il constata que Frédéric avait tout allumé. Ou, plus probablement, oublié d'éteindre.

Dès qu'il pénétra dans le hall, le son du synthétiseur l'agressa violemment. Immobile, au pied de l'escalier, il subit deux minutes de vacarme avant de hausser les épaules. Rythme binaire, amplification exagérée de la basse qui martelait comme un tam-tam de brousse. Et, demain matin, contrôle de maths, si ses souvenirs étaient bons. Au lieu de torturer le clavier, Frédéric aurait dû réviser.

Résigné, Louis grimpa quatre à quatre et entra dans la chambre de son fils. Un adolescent inconnu essayait de détruire la batterie à grands coups de baguettes rageurs tandis que Frédéric se déchaînait sur ses touches. Le concert s'interrompit abruptement, mourant en cacophonie, quand les deux jeunes découvrirent sa présence.

— Magnifique, dit Louis d'une voix morne. On mange ?

— Salut, p'pa. Tu connais Richard ?

— Non. Bonsoir, Richard, vous dînez avec nous ?

— J'me sauve, balbutia le jeune homme.

Une seconde plus tard, il avait disparu.

— Il a un moyen de locomotion ? s'enquit Louis.

— Il a laissé son scooter dehors.

La chambre de Frédéric était dans un désordre indescriptible, comme d'habitude.

— On s'amusait, j'ai pas vu le temps passer. Mais j'ai mis un hachis parmentier dans le four !

Son plat favori, avec les spaghettis bolognaises. Louis s'approcha de lui, soucieux.

— Tu n'as pas travaillé du tout ?

— Oh, tu sais, les maths ! Ça peut tomber sur n'importe quoi, et de toute façon je n'y comprends rien.

— Tu ne fais rien pour comprendre, nuance !

— Papa...

Quelque chose dans la voix de son fils avertit Louis du danger. Depuis bientôt huit ans qu'il vivait seul avec Frédéric, il avait appris à le deviner. Ses crises de rébellion et ses élans de tendresse, ses coups de blues ou ses angoisses. Dont le lycée faisait partie, indéniablement.

— Je meurs de faim, se borna-t-il à dire.

Soulagé, l'adolescent le précéda sur le palier puis dans l'escalier qu'ils dévalèrent l'un derrière l'autre, par jeu. Sur la table de l'immense cuisine, deux assiettes avaient été disposées à la hâte, avec des serviettes en papier et des couverts en vrac.

— Je lui ai fait peur, à ton ami Richard ?

— Mais non ! À moins que... Bof, tu les épates un peu quand même !

De temps à autre, Louis voyait débarquer chez lui de prétendus copains de son fils qui se faisaient dédicacer des disques compacts. Histoire de vérifier que Frédéric avait dit vrai, que son père était bien *le* Louis Neuville, celui de *La Paix des braves* et du *Soleil couchant*, deux films-cultes pour leur génération. Frédéric leur faisait visiter l'auditorium du rez-de-chaussée, s'asseyait au piano de Louis pour esquisser quelques thèmes célèbres d'une main négligente. Il aurait été bien en peine de les jouer correctement, d'ailleurs, ayant lâché ses cours de solfège après deux ans de calvaire.

Louis ouvrit la porte du four et constata qu'une

montagne de fromage râpé était en train de transformer le hachis en fondue savoyarde.

— On va se faire une salade, proposa-t-il gaiement.

— Les deux sachets étaient périmés, je les ai jetés.

— Il faut qu'on mange des légumes, marmonna Louis. Ou n'importe quoi qui contienne des vitamines.

Docile, Frédéric alla chercher la corbeille de fruits tandis que son père débouchait une bouteille de chablis. Durant la semaine, ils s'organisaient tant bien que mal. Mais Louis avait beau dévaliser les supermarchés, liste en main, il manquait toujours quelque chose. En arrivant, le samedi, sa sœur cadette, Laura, inspectait le contenu du réfrigérateur et des placards, se lançait dans une litanie sur la diététique, puis partait faire de « vraies » courses. Indiscutablement, on mangeait mieux le week-end. La maison était pleine, la cuisine sentait bon, trois générations cohabitaient avec de grands éclats de rire et d'interminables parties de cartes.

— T'inquiète pas, Laura nous mitonnera un super truc demain midi ! affirma Frédéric en se laissant tomber sur l'un des bancs.

Il aimait bien sa tante Laura, tellement plus douce qu'Alix, son oncle, son grand-père et ses deux petits bouts de cousines. Et, en conséquence, il détestait le dimanche soir, quand tout le monde repartait pour Paris après le dîner. Ce rythme de semaines solitaires et week-ends familiaux avait été pris dès le début et perdurait depuis sept ans. Frédéric savait qu'il était gâté, choyé comme un bébé, parce que sa mère était morte. À son père revenait le mauvais rôle d'imposer un minimum de discipline dans l'éducation de ce fils unique. À lui de trouver, du lundi au vendredi, la disponibilité nécessaire, malgré un travail très prenant. Durant les années de collège, il s'était débrouillé pour être à l'heure, chaque soir, devant la grille. Pour assister aux réunions parents-professeurs, pour conduire Frédéric à ses cours d'escrime ou chez le dentiste, pour qu'il y ait du pain frais lors de ces dîners en tête à tête où, quotidiennement, il plaisantait, questionnait, tentait de remplacer l'absente.

— C'était bien, ton enregistrement ? s'enquit l'adolescent entre deux bouchées.

— Sans problème.

Mais Louis ne voulait pas se laisser distraire et il attaqua, courageusement :

— Ton dernier bulletin est catastrophique.

— Oui, admit Frédéric d'un ton boudeur.

— Tu as choisi une première littéraire, tu pourrais au moins te distinguer en français ! En histoire, il suffit d'apprendre, comment te débrouilles-tu pour avoir zéro ?

— Oh, ce prof est taré ! Il n'a pas voulu corriger, question de présentation. On n'est plus en primaire...

— Et deux en anglais, tu as aussi une explication ? Arrête de te foutre de moi ! Tu ne pourras jamais entrer en terminale avec ce niveau-là ! En tout cas, tu passeras l'été en Angleterre, je vais te trouver un séjour linguistique. Mais pas une franche rigolade, comme la dernière fois, non, quelque chose avec des cours sérieux tous les jours.

La tête baissée vers son assiette, l'adolescent ne répondit rien. Après quelques secondes de silence, Louis se leva pour aller prendre le plat dans le four. Frédéric restait muet, buté.

— Sers-toi...

Tout juste seize ans, un âge délicat pour un garçon. Quelques poils de barbe, une croissance épuisante, des allures de rebelle et très peu de jugeote.

— C'est à moi que tu fais la tête ? Tu devrais t'en prendre à toi.

— On parle toujours de la même chose, protesta Frédéric.

— Mais c'est mon rôle ! Qui d'autre le fera ?

— Je déteste les études, le lycée, les profs et

leurs notes ! Je ne serai jamais un bon élève, prends-en ton parti !

— *Mon* parti ? Tu crois que tu travailles pour moi ? Pour me flatter ? C'est ta vie, ton avenir, pas les miens !

— Papa... Ne crie pas...

Sur le point d'exploser, Louis se reprit juste à temps. Houspiller Frédéric n'avait jamais servi à rien. Il n'était réellement pas fait pour le système scolaire, même s'il valait mieux ne pas le reconnaître devant lui. Et voir son père en colère ne faisait que le terroriser.

— Désolé, Fred. Vas-y, ça refroidit.

Louis goûta le chablis pendant que son fils se servait. Peut-être Laura s'y prendrait-elle mieux pour lui parler de sa scolarité. Bien que, par déformation professionnelle, son langage soit celui d'une psychanalyste, obscur et abscons. Mais elle pouvait parfois se montrer ludique, ce que Louis ne savait pas faire, malgré tous ses efforts. Il prit deux cuillères de hachis qu'il considéra d'un œil morne.

— Tu aurais préféré autre chose ? lui demanda gentiment son fils.

Sûrement, mais quoi ? Qu'est-ce que Frédéric savait cuisiner ? Et, de façon plus générale, que savait-il faire ?

— Tu n'as pas une compétition d'escrime en vue ?

— Fin avril.

Louis s'en voulut d'avoir oublié la date. Il ne pouvait pas se permettre d'être comme ces parents qui semblent toujours débarquer d'une autre planète. Frédéric comptait vraiment sur lui.

— Je regarderais bien un film, ce soir, proposa-t-il. Après tout, il n'est pas tard...

Devant l'écran géant de la télé ultramoderne, épaule contre épaule, père et fils se vautraient souvent sur le canapé, riant aux mêmes endroits, vibrant pour les mêmes émotions.

Ils expédièrent la fin du hachis, remplirent le

lave-vaisselle et mirent le plat à tremper dans l'évier avant de gagner le petit salon. Frédéric n'était pas encore aussi grand que son père, mais il ne tarderait plus à le rattraper. Longiligne, élégant, ses cheveux bruns coupés au bol, il commençait à plaire aux filles.

Dans la pénombre, Louis l'observa quelques instants pendant qu'il chargeait le magnétoscope. Un bel adolescent, oui, mais fragile et vulnérable sous sa désinvolture.

— Écoute le générique, la musique est géniale, annonça Frédéric avec un clin d'œil.

Vaguement agacé par ce jugement catégorique, Louis prêta l'oreille puis profita d'un silence pour commenter :

— Sept notes. Le type a travaillé avec le même enchaînement de sept notes...

Pour le faire taire, Frédéric lui assena un coup de poing affectueux sur le genou.

Trois heures plus tard, alors que son fils était monté se coucher depuis longtemps, Louis traînait encore dans l'auditorium. C'était évidemment sa pièce préférée, et pas seulement parce qu'il y travaillait bien. Lorsqu'il avait décidé de racheter la maison, c'est-à-dire les parts d'Alix et de Laura, leur père s'était montré enthousiaste, prêt à aplanir toutes les difficultés, car Notre-Dame-de-la-Mer était une villégiature familiale plutôt ruineuse qu'il ne pouvait ni ne voulait plus entretenir. Il la tenait de sa femme qui elle-même l'avait héritée de ses parents, des Belges venus s'installer là avec un certain nombre de compatriotes au début du siècle. Le hameau témoignait de cette colonisation avec quelques superbes maisons toujours occupées par les descendants des pionniers.

Louis cherchait une propriété, proche de Paris, où vivre avec sa femme et son fils. Le genre d'endroit où il pourrait s'isoler pour composer sans déranger personne. C'était Alix qui, lassée de voir son frère se disperser en vaines recherches immobilières, lui avait fait remarquer qu'il se donnait beaucoup de mal pour trouver ce qu'il avait sous la main. Toute la famille avait jugé la solution avantageuse et, en deux séances chez le notaire, les papiers avaient été signés, les fonds répartis équitablement. En principe, Louis était chez lui. Pourtant, il s'aperçut vite qu'il ne pourrait pas interdire à Alix, à Laura ou à leur père, Grégoire, de venir y séjourner. Dans *leurs* chambres, auxquelles il était impensable de s'attaquer. Aussi, lorsqu'il commença à dessiner le plan des aménagements, il décida de convertir l'ancien jardin d'hiver en salle de musique. Une pièce gigantesque, un peu à l'abandon, qui occupait presque toute l'aile droite, et qu'il fit insonoriser avec du liège recouvert de boiseries avant d'y installer son Steinway. Le vieux piano droit sur lequel il avait peiné bien des dimanches de son enfance était resté dans le petit salon.

Marianne s'était tout de suite passionnée pour la restauration de la maison. À l'époque, Louis commençait à être célèbre, et il gagnait pas mal d'argent. Pour s'occuper de Frédéric, elle n'exerçait plus que de loin en loin son métier de styliste, et elle prit joyeusement en main le programme des travaux, surveillant les artisans, étudiant avec soin les moindres détails. La bâtisse, en forme de U, était longée sur sa façade sud par une double galerie ouverte, coiffée d'un auvent d'ardoise. Un poste d'observation idéal pour Frédéric qui épiait tout le monde à travers les fenêtres, ignorant que son père et ses tantes avaient pratiqué ce jeu bien avant lui.

Marianne fit rénover les salles de bains, abattre des cloisons, poser une épaisse moquette dans les longs couloirs, doubler les vitrages des chambres. Louis s'enfermait toute la journée dans son auditorium pour ne pas entendre les ouvriers et, le soir venu, il escaladait les gravats, baissait la tête sous les échafaudages, s'empêtrait dans les bâches en donnant son avis sur les progrès du chantier. Marianne avait bien compris qu'il ne tenait pas à modifier l'atmosphère générale d'une maison qu'il aimait, où enfant il avait passé presque toutes ses vacances. Les changements étaient discrets en apparence, le style respecté, mais la chaudière avait été remplacée et on n'entendait plus de coups de bélier dans la tuyauterie.

S'étant gardé le meilleur pour la fin, Marianne en était à réfléchir aux divers plans de la cuisine lorsqu'elle disparut brutalement. C'était un samedi soir, au retour de Londres où elle avait assisté au défilé de mode d'une de ses amies qui lançait sa première collection. Louis était parti la chercher sans le moindre pressentiment, le cœur léger, sifflotant un thème qui lui trottait dans la tête.

Une nuit de cauchemar à laquelle il ne songeait plus que très rarement. L'aéroport de Roissy, la réticence des autorités, cette salle où les familles des victimes étaient réunies. Chapelle ardente sans dépouilles. Et ensuite, il n'y avait jamais eu d'enterrement. L'appareil s'était abîmé en mer. Abîmé : un mot étrange dont la signification avait fini par provoquer des crises d'hystérie malgré le « soutien psychologique » prévu par la compagnie aérienne. La présence effective de Marianne Neuville avait été confirmée sur la liste des passagers. Dans un état second, Louis avait appelé Alix. C'est ce qu'ils avaient toujours fait, l'un comme l'autre, dans les moments durs de leur existence, se tourner vers le jumeau et s'accrocher à lui.

Tirée des bras de l'élu du moment, sa sœur était arrivée très vite. Après, les souvenirs devenaient plus flous. Le retour à Notre-Dame-de-la-Mer s'était effectué lentement. Alix conduisait d'une main, l'autre posée sur l'épaule de Louis, sans cesser de lui parler. Des phrases oubliées, prononcées d'une voix basse, lénifiante, coulant comme de l'eau sur une brûlure.

Grégoire gardait son petit-fils ce soir-là, en attendant le retour de papa-maman. Heureusement, Frédéric avait fini par s'endormir, vers minuit, et Grégoire somnolait dans le salon quand ils étaient arrivés. La nouvelle l'avait cloué sur son fauteuil. La répétition de sa propre histoire – il était veuf lui aussi – lui avait paru atroce. Ils avaient bu en silence un certain nombre de cognacs avant qu'Alix n'oblige Louis à monter dans sa chambre. Là, une fois la porte refermée, Louis s'était effondré sans pudeur. Ce qu'il avait épargné à leur père, il l'avait infligé à sa jumelle. Durant des heures, il s'était débattu en vain contre la souffrance aiguë qui l'asphyxiait, et un terrible sentiment d'injustice. La colère, le désespoir, l'amertume, Alix avait tout écouté sans se laisser troubler, sans lâcher son jumeau d'une semelle, le soutenant pendant qu'il vomissait au-dessus des toilettes, marchant de long en large à ses côtés, acquiesçant à ses jurons, pleurant avec lui. Une nuit d'horreur, à peine suffisante pour accepter. À l'aube, ils étaient sortis ensemble. Louis à bout de larmes, hébété de fatigue, Alix parlant toujours. Ils avaient arpenté la campagne en se demandant comment apprendre la nouvelle à Frédéric. Qu'est-ce qu'on pouvait raconter à un enfant de huit ans ? Trop petit pour la vérité, et trop grand pour qu'on lui mente.

Louis avait aimé Marianne. Pas d'une violente passion, mais aimée d'amour. Avec une reconnaissance infinie pour ce fils qu'elle lui avait donné, pour leur complicité, depuis le conservatoire, dès qu'il était question de musique, pour son enthousiasme à restaurer la maison des Neuville, et pour l'avenir de bonheur qu'ils s'étaient imaginé. Tout ça réduit à rien. Louis était veuf, Frédéric n'avait plus de mère.

Lorsqu'ils avaient enfin regagné la maison, le bras d'Alix toujours autour de Louis, Grégoire les attendait sur le pas de la porte. Il avait respecté leur intimité jusque-là, sachant à quel point l'un était indispensable à l'autre, depuis toujours, et seul capable de le consoler, mais Frédéric était réveillé, à présent. Et le pauvre grand-père renonçait d'avance, ne voulait même pas assister à ce qui allait suivre.

Sans la présence de sa sœur, Louis n'aurait jamais pu affronter décemment ces instants. Il prit son fils sur ses genoux, ouvrit la bouche, mais il n'avait plus de salive. Plus de larmes non plus, heureusement.

Après, cahin-caha, la vie s'était organisée. Laura s'était montrée à la hauteur de sa tâche, repoussant de quelques mois son mariage avec Hugues pour se consacrer à son neveu. Alix avait réintégré son ancienne chambre durant cinq semaines, faisant chaque jour l'aller-retour à Paris, et elle n'était rentrée chez elle que lorsque son frère s'était remis au piano. Le rituel des week-ends s'était instauré tout naturellement par la suite. Pas question d'abandonner Louis et Frédéric, ne serait-ce qu'un seul dimanche. Omniprésente, la famille s'était resserrée autour d'eux, sans même penser à les consulter.

Chaque samedi matin, ils arrivaient ponctuellement, Grégoire le premier, puis Laura avec mari et enfants, Alix enfin, qui détestait se lever tôt. La femme de ménage, qui n'était pas de service ce jour-là, montait tout de même à Notre-Dame-de-la-Mer pour se plaindre à Laura et lui faire un compte rendu détaillé. Elle prétendait que Louis n'écoutait jamais rien, qu'il la regardait sans l'entendre quand elle lui réclamait des produits d'entretien. Revêche, elle concevait difficilement cette maison d'homme, pourtant elle aurait été scandalisée par la présence d'une femme étrangère. Heureusement, Louis n'en ramenait jamais. Ou alors il se relevait en pleine nuit pour les raccompagner chez elles. Par délicatesse vis-à-vis de son fils, à cause du souvenir de Marianne, ou peut-être seulement parce qu'il n'éprouvait pas le désir de se réveiller à deux. Il lui était arrivé, lorsqu'il était en voyage, de ressentir des coups de cœur qui résistaient rarement au petit déjeuner en commun. C'était le grand amour qu'il cherchait, sans se l'avouer, et pour le moment il ne l'avait pas rencontré. Il était obnubilé par sa terrible responsabilité de père et la crainte de ne pas être à la hauteur ; sa carrière à mener, des milliers de notes à trouver. Et, dans le peu de temps qui lui restait, il s'était lancé en grand secret dans l'élaboration d'un opéra. Drame en quatre actes dont il n'avait écrit que l'ouverture et un premier duo. Sa récréation, comme il cherchait à s'en convaincre, même s'il savait que ce travail titanesque n'avait aucune chance d'aboutir un jour sur une scène. N'est pas Verdi qui veut, lui avaient rabâché tous ses professeurs au conservatoire.

Incapable d'endiguer le flot de paroles de son interlocuteur, Alix avait branché le haut-parleur et posé le combiné. Elle étudiait son planning, sur lequel elle ajoutait quelques précisions de son écriture nerveuse, tout en observant Tom qui faisait les cent pas dans le bureau.

— Non, dit-elle enfin aux petits trous du micro, je n'ai aucun tuyau sur cette production...

Décidée à écourter la conversation, elle conseilla à son poulain un peu de patience, promit de le rappeler le lendemain et raccrocha. Tous ces comédiens avaient un ego monstrueux, les réalisateurs bien davantage. Les moins insupportables étaient encore les chanteurs, on pouvait les envoyer galérer en province, du moment que le cachet était correct, ils étaient toujours d'accord. Les scénaristes, eux, passaient leur temps à se battre sur leurs pourcentages de droits d'auteur. Si Alix n'avait pas été elle-même une assez bonne juriste, elle aurait dû engager un avocat à plein temps rien que pour ça ! Quant aux rares compositeurs que comptait son écurie, ils étaient tous dans une bulle musicale inaccessible, Louis le premier.

— Est-ce qu'on va pouvoir aller dîner, oui ou non ? demanda Tom d'une voix lasse.

Interrompant son va-et-vient, il s'était planté devant le bureau et considérait Alix sans indulgence.

— Tu avais promis, rappela-t-il.

C'était vrai, aussi elle se résigna à brancher le répondeur de l'agence et à éteindre l'écran de l'ordinateur. Elle pouvait être un bourreau de travail, certains jours, mais comme c'était le secret de sa réussite, elle n'avait aucune envie de changer ses habitudes.

— Je suis à toi, dit-elle en se levant.

Une formule suffisamment absurde pour leur donner envie de rire à tous les deux. Elle n'appartiendrait jamais à personne, Tom le savait très bien. Avec sa gentillesse coutumière, il l'aida à enfiler son imperméable, et il en profita pour la serrer contre lui une seconde.

— Tu as changé de parfum ? chuchota-t-il avant de la libérer.

Il remarquait toujours les moindres détails la concernant, et ce depuis des années qu'ils sortaient ensemble. D'un geste machinal, elle fourra son agenda dans son sac à main, tout en adressant un sourire distrait à Tom, puis elle le précéda vers la sortie. Les deux autres bureaux étaient obscurs. Sur les murs du vestibule, on distinguait à peine les grands portraits d'acteurs célèbres. Alix avait délibérément décoré l'agence de façon ultramoderne, avec des couleurs vives, des meubles de stylistes en vogue, des affiches de films constamment renouvelées. Elle connaissait toutes les ficelles du métier et, même si sa réputation n'était plus à faire, elle ne négligeait rien de ce qui pouvait l'accroître encore. Un percolateur italien, une fontaine d'eau fraîche, des corbeilles de fruits et des journaux professionnels sur les tables basses rendaient l'atmosphère conviviale. Ni interdiction de fumer ni musique d'ambiance. Tous les gens qui se rencontraient ici evaient se sentir bien. Leur agent veillait sur eux, éfendait leurs intérêts, dénichait les contrats. Contentez-vous d'avoir du talent, je ferai le res- : », leur disait Alix en riant. Et, talent ou pas, elle isait vraiment le maximum.

Tom avait réservé une table dans leur restaurant ıvori, qu'ils gagnèrent à pied tandis qu'elle lui par- .it de l'enregistrement de la veille.

— Bien entendu, il n'est pas satisfait, tu le onnais, pour lui c'est de la musique facile, seule- ıent ça fera monter les larmes aux yeux du plus lasé des spectateurs. Il a composé les thèmes en... ıoi ? Même pas deux week-ends ! Il a un sacré .lent, je t'assure...

Dès qu'elle parlait de Louis, le ton de sa voix ıangeait, Tom le constata une nouvelle fois. uelques années plus tôt, il avait trouvé attendris- ınt l'amour démesuré qu'elle portait à son jumeau , quand il avait fait la connaissance de Louis, ils vaient sympathisé d'emblée. Pourtant, petit à petit, avait fini par ressentir un certain agacement, puis ı vague malaise. Louis avait du talent, oui, nul ne ongeait à le nier, et Tom moins que tout autre car il : connaissait pas grand-chose à la musique. Louis ussissait sans être comblé pour autant, ce qui le ndait sympathique, mais même s'il était gentil, ıaleureux et drôle, les sentiments d'Alix avaient ıelque chose d'excessif. Au début, Tom avait cru ı'elle s'apitoyait sur le deuil de son frère. C'était fectivement assez triste de voir cet homme élever ul son petit garçon, de l'imaginer errant la nuit ıns cette immense maison vide dont les travaux étaient même pas achevés, et de savoir que ses ıccès ne suffisaient pas à lui faire oublier qu'il avait pas pu enterrer sa femme. Alix et Laura res- ient donc très présentes à ses côtés, chacune dans n domaine. Laura maternait, Alix régentait ; Tom comprenait très bien et se pliait volontiers à la adition des dimanches en famille. Il ne pouvait pas absenter du club le samedi soir, mais il arrivait

ponctuellement pour le déjeuner dominical, chaqu
fois qu'Alix l'y invitait. Deux ans plus tard,
constata que la situation restait inchangée. Lou
avait surmonté son chagrin, néanmoins Alix garda
l'attitude exclusive qu'elle avait toujours eue enve
son jumeau. Louis par-ci, Louis par-là, Louis a to
jours raison, pauvre et merveilleux Louis. À
demander si pour elle ce n'était pas Louis l'homn
de sa vie, question que Tom avait eu le mauva
goût de poser, déclenchant une mémorable dispu
suivie de trois mois de mise à l'écart. Tom ava
souffert en silence avant de rendre les armes. Il éta
assez intelligent pour comprendre que c'était
prendre ou à laisser : il choisit de prendre.

— La plupart des musiciens mettent huit minut
en boîte par service d'orchestre, au grand max
mum. Alors que, avec Louis, les producteurs save
qu'ils font des économies et ils finissent toujou
par lui accorder ce qu'il veut ! Hier, c'était flagra
Répétition, engueulade, exécution sans une faus
note, c'est le cas de le dire !

Elle riait en s'installant à table, et Tom vit l
regards qui convergeaient vers elle. À quarante ar
elle était pleinement épanouie, malgré quelqu
signes de fatigue. C'était son allure conquérante q
avait plu à Tom et qui continuait de le subjuguer.
côtoyait trop de nymphettes, fanées après vingt ar
pour y être encore sensible. Alix représentait s
idéal, une femme froide et racée, belle et intel
gente, capable de lui tenir tête ou d'époustoufl
n'importe qui, menant ses affaires de main
maître et n'attendant rien de personne. Sauf de Lou
bien entendu.

— Qu'est-ce que tu penses de ça ? demand
t-elle en posant une photo près de l'assiette de To

Un visage crispé en un sourire niais s'étalait s
le papier glacé.

— Belle tête de con... Il n'a pas fait une p
pour du café ou quelque chose de ce genre ?

— Si. Et un film médiocre que j'ai visionné t

à l'heure. Ce sera peut-être le jeune premier de demain, en tout cas ce n'est pas un mauvais comédien. Tu lui trouves l'air bête ? La photo n'est pas top, on va en refaire. S'il se présente chez toi, laisse-le entrer, je lui ai recommandé de beaucoup sortir, de se montrer...

Le club très fermé de Tom était un endroit à la mode, presque un passage obligé de la nuit parisienne.

— Tu viens déjeuner, dimanche ?

Il s'était promis de refuser mais il s'entendit accepter parce qu'elle l'avait demandé avec une certaine douceur. Dès qu'elle manifestait tant soit peu un vague besoin de lui, il était prêt à accourir. Sans regret, il renonça à l'après-midi de repos sous la couette qu'il avait projeté. De toute façon, il aimait bien l'atmosphère de Notre-Dame-de-la-Mer et la cuisine de Laura.

Une sonnerie étouffée mais distincte fit soupirer Alix. Elle fouilla dans son sac afin d'y pêcher son téléphone tandis que Tom, résigné, passait la commande. La soirée commençait à peine pour les gens du show-business qui trouvaient normal de joindre leur agent à toute heure. Tom attendit qu'elle termine sa conversation avant d'exiger, d'un ton sans réplique :

— Coupe-le, maintenant.

Ses mouvements d'humeur étaient rares et Alix n'eut qu'une infime hésitation avant d'appuyer sur la touche « Filtre ».

— Merci...

Il savait qu'elle profiterait de l'autoroute, un peu plus tard, pour écouter ses messages. Elle avait décidé de partir le soir même, afin de se réveiller à la campagne avec le chant des oiseaux. Cela lui offrirait aussi la possibilité de prendre son petit déjeuner avec Louis, de lui soumettre un projet de contrat, enfin de lui emprunter sa nouvelle voiture, tout ça avant l'arrivée de Laura et du reste de la famille. Elle passait presque tous ses week-ends là-bas, à moins d'un impératif professionnel, et à une certaine époque Tom avait trouvé rassurant de savoir où elle était. Après tout, il n'était jamais disponible le vendredi et le samedi, veillant personnellement sur sa discothèque ces nuits-là. Il s'y rendait vers onze heures du soir et n'en ressortait qu'à l'aube, épuisé d'avoir trop parlé, trinqué avec ses bons clients, surveillé les nouvelles têtes, réconcilié les couples, tout ça dans une musique d'apocalypse et des effets de lumière hallucinants. Alix venait parfois boire un verre, dans la salle plus calme du premier étage, avec quelques acteurs qu'elle sortait après une première. Si elle s'attardait, ce qui était rare, il lui arrivait même de danser.

— Tu as l'air soucieux, Tom...

Il supposa qu'elle se moquait de ses états d'âme mais qu'elle n'avait pas apprécié l'injonction d'éteindre son portable.

— Non. Je suis content d'être avec toi, essayons de passer une bonne soirée.

Le regard d'Alix le scrutait, insistant. Elle était trop subtile pour ne pas saisir sa lassitude. Ils arrivaient aux sept ans fatidiques, un moment délicat pour les couples. Ils avaient vieilli, ils en avaient une conscience aiguë tous les deux, et il était presque trop tard pour les projets désormais.

— À nous, dit-il gravement.

Assis de biais sur le tabouret, Louis laissa errer son regard sur les touches du Steinway. Un merveilleux piano de concert, encombrant à souhait, qui occupait le mur du fond de l'auditorium, et sur lequel il était interdit de poser quoi que ce soit d'autre qu'une partition.

Avec un soupir, il ôta ses mains du clavier. L'inspiration lui faisait défaut et il était fatigué de tâtonner. À force de composer des inepties sur commande, il avait du mal à trouver le souffle épique nécessaire. Il leva les yeux sur le portrait de Puccini qui trônait entre deux fenêtres, avec son chapeau de paille, son fume-cigarette et son col relevé.

— « Sans une mélodie fraîche et poignante, il n'est pas de musique... », cita Louis à mi-voix, de mémoire.

Jamais il n'arriverait à écrire cet opéra et, même s'il y parvenait, qu'en ferait-il ? Par quel besoin de revanche s'était-il donc mis cette idée stupide en tête ? Au moins, il était le seul à le savoir. Personne ne prendrait au sérieux un opéra signé Louis Neuville ! Signé n'importe qui, d'ailleurs, puisqu'il s'agissait d'un genre révolu. Mort. Les quelques contemporains qui s'y étaient essayé avaient produit des choses inaudibles, certainement très modernes, très élaborées, mais aussi très désagréables pour l'oreille.

Louis aurait pu – aurait dû – abandonner ce projet inepte qui ne pouvait que le ridiculiser à ses propres yeux. Quatre actes *à la manière de*, il était assez bon professionnel pour le faire, néanmoins ce n'était pas le but recherché. Ce qu'il voulait, désespérément, c'était composer trois heures de musique lyrique originale, dans la plus pure tradition classique des maîtres italiens. Et il n'était vraiment pas certain d'en avoir le talent. En deux ans, il n'avait guère progressé au-delà de l'ouverture qui durait neuf minutes. Tous les thèmes y étaient, pourtant, à ce rythme-là, il serait mort avant d'avoir fini de les développer. D'autant plus qu'il travaillait à l'aveuglette, avec une idée directrice mais toujours pas de livret, et qu'il s'était attaqué à un duo sans raison, juste pour le plaisir d'utiliser la tonalité sombre du *si* mineur.

Une lueur de phares, au-dehors, l'arracha à la contemplation mélancolique de Puccini. Jamais son père ni Laura n'auraient débarqué à minuit sans prévenir, il ne pouvait s'agir que d'Alix. Elle allait et venait à Notre-Dame-de-la-Mer comme chez elle, aussi attendit-il qu'elle le rejoigne, guettant les bruits familiers de la lourde porte d'entrée, des talons qui claquaient sur le dallage du hall.

— Tu travailles encore ? Je pensais trouver la maison endormie !

De sa démarche énergique, elle traversa la longue pièce pour venir embrasser son frère. Il lui passa un bras autour de la taille, tout en repoussant les feuilles sur lesquelles il avait griffonné quelques mesures. Pas question qu'elle jette un œil là-dessus, même si elle ne savait pas déchiffrer une partition.

— À quoi rêvais-tu ? murmura-t-elle d'une voix câline.

Curieuse de tout ce qu'il faisait, comme toujours, elle attendit en vain une réponse. Louis n'était pas décidé à se trahir. La seule fois où il avait évoqué la possibilité de composer quelque chose de plus sérieux, de se lancer dans une *œuvre*, elle lui avait ri au nez. Il gagnait trop bien sa vie – et elle aussi, par conséquent – pour se saborder lui-même. Son nom était trop connu et ses musiques trop populaires pour qu'il vise autre chose, à quarante ans, que la confortable réussite où elle l'avait installé. Car c'était bien elle qui lui avait ouvert cette voie, qui avait négocié ses premiers contrats et lui avait présenté tous ces réalisateurs qui, aujourd'hui, ne juraient plus que par lui. Alors, s'il y tenait vraiment, qu'il écrive donc une comédie musicale bien commerciale, pourquoi pas, quelque chose comme *Starmania* ou *Notre-Dame-de-Paris,* là elle serait d'accord et lui obtiendrait n'importe quelle grande scène parisienne. Il avait dû se fâcher pour de bon avant qu'elle abandonne cette idée, à regret, et il n'avait plus jamais abordé le sujet.

— Je t'ai apporté les scénarios du feuilleton dont nous avions parlé, annonça-t-elle en se redressant.

Il leva la tête vers elle, sur le point de protester mais elle lui mit un doigt sur la bouche.

— Attends ! Lis d'abord, on en discutera après Et ne me dis pas que tu méprises la télévision

C'est un gros budget, ils veulent ce qui se fait de mieux et ils sont prêts à payer pour ça...

Étouffant un soupir agacé, il quitta son tabouret.

— Oh, ne me fais pas le coup de l'artiste incompris ! s'écria-t-elle gaiement.

— Tu l'entends, cette hyène ? demanda-t-il au portrait de Puccini.

— Il n'était pas sourd, lui ?

— Non, c'était Beethoven, ne te fais pas plus bête que tu n'es. Je vais me coucher, pas toi ?

— Si, si...

Pour accompagner sa sœur, il négligea l'escalier à vis qui partait de l'auditorium et conduisait directement chez lui. Côte à côte, ils longèrent les grands couloirs desservant les pièces de réception, s'engagèrent ensemble dans l'escalier d'honneur. Marianne l'avait fait recouvrir d'une moquette rouge, tendue par des barres de cuivre, pour amortir les chutes de Frédéric. Mais il y avait bien longtemps, à présent, que le jeune homme ne descendait plus sur la rampe et ne ratait plus aucune marche. Les travaux n'ayant jamais été tout à fait finis, quelques détails restaient çà et là en attente, depuis huit ans, en particulier les interrupteurs de porcelaine qui dataient d'une autre époque.

— Bonne nuit, Louis, chuchota Alix quand elle fut devant sa porte.

Il lui effleura la joue d'un geste tendre avant de s'éloigner vers l'autre bout de la maison. Ce qui avait été autrefois une vaste salle de jeux, au-dessus de l'ancien jardin d'hiver, était devenu sa chambre. Celle qu'il avait occupée, enfant, était désormais dévolue aux deux filles de Laura, Sabine et Tiphaine, mais ni ses sœurs ni son père n'avaient changé leurs habitudes. Frédéric, lui, avait essayé successivement toutes les chambres disponibles lorsqu'il s'était considéré assez grand pour s'éloigner de papa. Depuis quelques mois, il s'était enfin fixé au bout de la galerie, face à ses tantes, dans une drôle de pièce en forme de trapèze qui disposait de sa propre salle de bains. Père et fils ne risquaient pas de se gêner durant la semaine, ne se croisant même pas dans les couloirs. Un jour ou l'autre, Frédéric ramènerait des filles. Il avait commencé à poser quelques questions, l'air ingénu et le regard fuyant. Louis s'était lancé dans des explications trop détaillées, puis il avait rempli de préservatifs toutes les armoires à pharmacie de la maison. Son petit garçon, son gros bébé, n'allait pas tarder à se poser en rival, et il avait du mal à l'admettre. Déjà, il n'arrivait plus à remporter une seule passe d'armes quand ils se mesuraient au fleuret, ni à suivre le rythme de l'adolescent les rares fois où ils couraient ensemble dans la campagne. Combien de temps leur restait-il à partager avant que Frédéric ne rejoigne une faculté parisienne ? Et, après...

Louis demeura immobile quelques instants près de son lit, perdu dans ses pensées. Était-ce la disparition dramatique de Marianne qui l'avait empêché d'aimer, depuis huit ans ? La crainte de heurter Frédéric ? Ou la désapprobation systématique de sa famille, Alix en tête, à chacune de ses velléités d'aventure ? Non, c'était plutôt la musique qui le maintenait en marge du monde, qui l'enfermait dans la solitude, qui l'empêchait de regarder autour de lui. Du moins il préférait le croire.

Il laissa tomber un à un ses vêtements sur le sol, soudain très fatigué. La vie ne lui avait pas donné ce qu'il en attendait. Ni ce dont il avait rêvé, enfant, ni ce qu'il avait espéré par la suite. Lors des projections privées, dans les salles de cinéma, il recevait souvent son lot de louanges quand on félicitait les acteurs et le metteur en scène. Eux d'abord. Le film, il n'y prenait qu'une part relative, un rôle de soutien, de faire-valoir. Rien à voir avec les salles de concert où il s'était imaginé dirigeant une de ses créations. Ce qu'il aurait pu composer si on avait bien voulu le payer pour ça. Ou seulement reconnaître son talent. L'échec subi à Londres, cinq ans plus tôt, restait cuisant. Public poli et clairsemé, critiques boudeurs pour cette symphonie qui lui avait demandé onze mois de travail et qu'il avait cru magistrale. D'autant plus que le Philharmonique s'était montré à la hauteur en se laissant conduire exactement comme il le voulait. Un moment fabuleux, tant qu'il avait duré, atroce après le dernier accord. En tout cas une expérience qu'il n'était pas près de renouveler. Le seul article paru en France, dans une revue spécialisée, laissait entendre avec cynisme que Louis Neuville avait tout intérêt à retourner au monde de l'image, où il pourrait sans doute se rendre plus utile. Louis connaissait le signataire et il était déterminé à aller lui mettre son papier sous le nez et son poing dans la figure. Il avait fallu toute l'énergie d'Alix pour l'en empêcher.

Alix... Son bon ange et son démon, veillant sur la carrière qu'elle avait choisie pour lui. Il s'était incliné, avait abandonné ses chimères, au moins en apparence, afin de ne pas se ridiculiser dans un monde qui ne voulait pas de lui. Ses droits d'auteur prouvaient assez qu'il était doué pour susciter l'émotion et pour vivre de sa musique, quelle qu'elle soit. Pourquoi ne s'en contentait-il pas ?

Il s'assit sur son oreiller, attentif au silence quasi parfait de la maison autour de lui. Frédéric dormait sûrement, Alix aussi. Demain, presque toutes les chambres seraient occupées : il n'était pas seul au monde. Un nouveau week-end venait de commencer, et il n'y avait aucune raison de ne pas s'en réjouir.

2

Une fois les grilles franchies, Louis se sentit désorienté, sa convocation à la main, incapable de différencier les hauts bâtiments de verre et de béton qui s'alignaient devant lui sur les cinq hectares du lycée. Il jeta un coup d'œil agacé sur la fiche, signée du professeur principal de Frédéric, et qui précisait : « Pavillon H4, salle 2011, 9 h 50. » Heureusement qu'il avait pensé à ouvrir tout son courrier en retard, en buvant sa première tasse de café. Il avait laissé un mot sur la table de la cuisine, à l'intention d'Alix, puis s'était dépêché de prendre une douche car il ne savait pas commencer une journée sans passer d'abord cinq minutes sous l'eau. Il avait ensuite enfilé à la hâte un jean et un pull noirs, saisi un blazer gris à la dernière seconde, se souvenant de son rôle sérieux de parent d'élève. Qu'est-ce que Frédéric avait bien pu inventer pour que sa présence soit requise d'urgence ? Un problème de discipline ? À moins qu'il ne s'agisse de drogue, de racket, ou pis encore ? Les adolescents étaient capables de tout !

— Non, pas lui..., marmonna-t-il pour se donner du courage.

Les larges allées étaient jonchées de mégots et de papiers, les pelouses étaient pelées, jaunies, et toute l'enceinte de l'établissement scolaire avait une allure dévastée. En grimpant l'escalier de béton du bâtiment H4, Louis se demanda avec angoisse comment son fils pouvait être heureux dans un pareil environnement. Le couloir dans lequel il déboucha enfin était peint en rose fuchsia, et quelques élèves, assis à même le sol, semblaient porter tout l'ennui du monde sur leurs épaules fatiguées.

Devant la porte 2011, Louis hésita, finit par frapper et entendit aussitôt une voix claire qui l'invitait à entrer. Il s'agissait d'une banale salle de classe, comme il en avait lui-même connu vingt-cinq ans plus tôt. Une femme blonde, assez jeune, était assise au bout d'une rangée, des dossiers ouverts devant elle. Elle tourna la tête dans sa direction, le dévisagea une seconde avec étonnement avant d'esquisser un sourire contraint.

— Monsieur Neuville ? Bonjour, je suis France Capelan, le professeur de français de votre fils...

Sans la quitter des yeux, il serra la main qu'elle lui tendait et resta debout, indécis. Il y eut un petit silence, puis elle se racla la gorge et lui proposa de s'asseoir. Tirant une chaise, il s'y installa en croisant les jambes, nerveux à l'idée de ce qu'il allait entendre.

— Je vous remercie d'avoir pu vous libérer, j'ai pensé que ce serait plus facile pour vous un samedi matin..., dit-elle en feuilletant un registre de toile.

— Il s'agit de quelque chose de grave ? demanda-t-il sans pouvoir dominer son impatience.

Mais il regretta tout de suite d'avoir posé la question. Pour un problème sérieux, il aurait été convoqué par le proviseur, il s'en rendit compte trop tard.

— Vous avez reçu le dernier bulletin de Frédéric, je suppose, et vous avez pu constater que ses résultats sont catastrophiques, déclara-t-elle sur un ton de reproche.

Comme il ne répondait rien, elle leva les yeux sur lui, un peu étonnée.

— Oui, j'ai vu, s'empressa-t-il de déclarer. J'en ai parlé avec lui. C'est... Je crois qu'il s'ennuie en classe, qu'il n'est pas fait pour...

— Monsieur Neuville, coupa-t-elle sèchement,

personne n'aime ça ! Il n'y a pas un seul lycéen qui ne préférerait pas être au café, ou à un concert rock ! Mais c'est l'année du bac de français pour les élèves de première ; Rousseau et Hugo sont au programme, même si Frédéric s'en moque.

— S'en moque ? répéta-t-il, vaguement choqué par l'agressivité qu'elle manifestait.

— Il n'a pas ouvert une seule des œuvres que nous étudions. Ce n'est pas moi qui l'affirme, c'est lui ! Et je voulais savoir si vous cautionnez son attitude.

Le silence retomba entre eux et, au bout de quelques instants, Louis s'excusa.

— Désolé. Je n'étais pas au courant.

— Vraiment ? Alors vous ne vous demandez jamais pourquoi ses notes sont lamentables ? C'est lui qui a choisi une section littéraire et...

— Pas choisi, oh non ! Il a seulement fui les maths, c'était pire pour lui. Depuis la rentrée, je pensais qu'il travaillait mal, pas qu'il méprisait les cours... et les professeurs. Merci de m'en avoir informé. Je dois vous paraître très... inconséquent ?

Elle eut un sourire inattendu, qui éclaira un moment son visage mais qui disparut aussitôt.

— Ce n'est pas facile de les raisonner, n'est-ce pas ? dit-elle d'un ton ironique. J'ai un fils de l'âge du vôtre, je sais comment ils sont à la maison !

— Pour être franc, avoua-t-il avec un soulagement trop évident, j'ai eu peur que vous n'ayez quelque chose de bien pire à m'apprendre.

— Pire que quoi ? s'indigna-t-elle. En tant que professeur, j'imagine mal de plus mauvais résultats que ceux qu'il a obtenus jusqu'ici. D'autant plus inacceptables qu'il est intelligent, qu'il ne vient pas d'un milieu défavorisé, et qu'il prétend même aimer la lecture, à condition qu'on ne la lui impose pas !

Reprenant son souffle, elle regarda Louis avec une attention accrue puis, au bout d'un instant, baissa les yeux, gênée. Elle parlait rarement avec autant de virulence aux parents d'élèves, mais celui-là la mettait mal à l'aise. Il décroisa les jambes, appuya ses coudes sur ses genoux et son menton dans ses mains, toujours attentif. La plupart des gens préféraient accuser d'incompétence les enseignants qu'admettre la paresse de leurs enfants auxquels ils cherchaient toujours des excuses. A priori, Louis Neuville n'entrait pas dans cette catégorie.

— Quelles sont ses occupations, en dehors de la scolarité ? reprit-elle plus calmement.

— Escrime, un peu de tennis, musique...

— Ah oui, je vois que vous êtes compositeur ?

Elle désignait une ligne, sur son registre, mais il secoua la tête.

— Ma profession ne l'influence en rien, il se contente d'*écouter* de la musique avec ses copains. Pour l'escrime, il s'entraîne régulièrement, sans plus.

— Donc, rien ne le détourne vraiment de ses études ? Je crois que vous devriez avoir une conversation avec lui.

— Oui, et ce ne sera pas la première. Mais je ne suis pas certain de savoir le motiver.

— Il le faudra ! Il ne fait aucun effort, dans aucune matière.

Son doigt pointait des chiffres, que Louis voyait à l'envers.

— Est-ce que vous envisagez son redoublement ? demanda-t-il en fronçant les sourcils.

— Nous ne sommes qu'au mois de mars et... Eh bien, je pense que, dans son cas, stagner en première ne lui serait pas profitable. Le conseil de classe vous le proposera peut-être mais ce n'est pas toujours une bonne chose. Frédéric se réveillera sans doute en terminale, quand l'échéance du bac lui fera enfin peur. Seulement, d'ici là, il y aura les notes de l'épreuve de français et il faudra qu'il les garde. Or s'il part avec un handicap, c'est fichu, le coefficient est trop lourd.

— Alors, où est la solution, d'après vous ?

— Je n'ai pas de baguette magique, monsieur

Neuville ! s'indigna-t-elle de nouveau. La solution, c'est toujours le travail, je pensais que vous le saviez.

Décidément, il la rendait nerveuse et maladroite, elle ne comprenait pas pourquoi. En général, les adultes ne la déstabilisaient pas davantage que les adolescents. Elle croisa son regard et ne parvint pas à le soutenir, malgré sa bonne volonté.

— Est-ce qu'on ne pourrait pas envisager une aide pour ce dernier trimestre ? suggéra-t-il. Des cours particuliers ? Si vous-même, ou un de vos collègues...

Combien de béquilles de ce genre avait-il fournies à Frédéric depuis l'école primaire ? Des professeurs, des étudiants, des séjours linguistiques et des leçons de morale, sans grand profit jusqu'ici. Il avait dû s'y prendre mal, en tout cas manquer de rigueur. Et, Frédéric ne lui ayant pas avoué l'étendue de ses difficultés, il tombait des nues devant cette petite femme blonde qui semblait le juger.

— Il faut que votre fils soit d'accord, et surtout qu'il se sente concerné, dit-elle doucement.

Une bouffée de compassion venait de la faire faiblir. Cet homme assumait seul l'éducation de son fils depuis longtemps, c'était écrit dans le dossier scolaire, et il semblait assez conscient de ses responsabilités de père pour n'avoir pas besoin d'être rappelé à l'ordre.

— Parlez-en avec lui, proposa-t-elle. Il peut acquérir un minimum de méthode, au moins pour les commentaires de texte... S'il se décide, il n'aura qu'à me le faire savoir, je trouverai quelqu'un.

— Merci.

Pressé d'en finir, il s'était déjà levé et elle se sentit déçue, sans raison. Ne trouvant rien à ajouter, elle l'accompagna jusqu'à la porte de la salle.

— Je ferai de mon mieux, déclara-t-il avec beaucoup de sérieux.

Cette fois, elle lui sourit franchement, puis le suivit des yeux tandis qu'il longeait le couloir rose.

Laura écarta la main qu'Alix avançait vers la casserole.

— Tu y goûteras à table, comme tout le monde !

La délicieuse odeur de curry qui flottait dans la cuisine donnait à Alix une faim de loup. Un bruit de cavalcade, puis un claquement de porte suivi de lointains éclats de rire leur fit tourner la tête ensemble.

— C'est Fred qui chahute avec tes filles, estima Alix.

Elle alla jeter un coup d'œil par la fenêtre et vit ses deux nièces juchées sur le scooter de Frédéric.

— Oui, c'est ça, confirma-t-elle. Il devient mignon comme un cœur, ce gamin !

L'adolescent lui évoquait Louis au même âge et la faisait fondre. Penser à son frère lui rappela qu'elle attendait en vain, depuis qu'elle était réveillée.

— Mais qu'est-ce qu'il fait, bon sang ? Il avait promis de me prêter son coupé ce matin, et maintenant c'est râpé ! Ce sera pour cet après-midi...

— Essaie le nôtre, si ça t'amuse, persifla Laura.

Sa sœur lui jeta un coup d'œil agacé. Le vieux break dans lequel Laura et Hugues trimballaient leurs filles ne méritait même pas le nom de voiture. Revenant vers les fourneaux, Alix réussit à être assez rapide pour plonger son doigt dans la casserole et le lécher goulûment.

— Tu n'avais pas commencé un régime, toi ? ironisa Laura.

Alix haussa les épaules, vexée. Elle avait trois ou quatre kilos de trop, indiscutablement – des kilos que Tom était le seul à apprécier. En revanche, Laura était très mince, comme Louis, mais là s'arrêtait la ressemblance. Contrairement aux jumeaux, bruns à peau mate et au regard sombre, Laura tenait de leur mère un teint pâle et des yeux clairs, ce qui lui donnait l'air de ne pas appartenir à la même famille. Mais c'était précisément cette allure nordique qui avait séduit Hugues lorsqu'ils s'étaient rencontrés à l'université, en dernière année de psycho.

— Ah ! s'exclama soudain Alix d'une voix extasiée. Écoute ça...

Ouvrant la fenêtre, elle se pencha pour mieux entendre le ronflement du moteur de l'Alfa Romeo qui remontait l'allée.

— J'ai le temps de faire un petit tour avant le déjeuner ? lança-t-elle à Laura.

Puis, sans attendre la réponse, elle escalada la rambarde et sauta dehors. Louis était en train de récupérer des cartons de pâtisserie dans le coffre quand elle surgit derrière lui.

— Donne-moi tes clefs, tu avais promis ! Tu as vu l'heure ? Qu'est-ce que tu trafiquais ?

Il sentit la main d'Alix dans la poche de son jean, où elle récupéra le trousseau. Avant qu'il ait pu réagir, elle s'était glissée au volant et démarrait. Elle fit demi-tour dans une giclée de graviers, lui passa au ras des pieds en filant vers le portail ouvert.

— Je t'aide ? demanda gentiment Frédéric qui s'était approché.

Sans un mot, son père lui tendit les cartons et ils se dirigèrent ensemble vers la maison.

— J'ai à te parler, dit enfin Louis de manière laconique. Je t'attends ici.

Rares étaient les occasions où il employait un ton aussi froid. Interloqué, Frédéric se dépêcha d'aller déposer les gâteaux à la cuisine et revint quelques secondes plus tard. Son père fumait, adossé à un des piliers de la galerie extérieure.

— Il y a un problème, papa ?

— À toi de me le dire ! Je viens d'avoir une discussion édifiante avec ton prof principal...

— Capelan ? Pourquoi ?

— Parce qu'elle m'a convoqué ! explosa Louis.

Aussitôt braqué, Frédéric croisa les bras dans une attitude de défense qui exaspéra Louis.

— J'en ai marre d'être gentil, d'être compréhensif, d'être faible ! Tu en profites pour te foutre de moi !

— Papa...

— Tu n'as pas ouvert tes bouquins, paraît-il, et tu as la sottise de t'en vanter ! Il n'y a rien de plus bête que l'insolence. C'est pour te faire mousser aux yeux des copains ? Comment appelez-vous ça, déjà ? Ah oui, les gros rebelles ! Mais c'est pathétique, tu sais ! L'année prochaine, quand tu auras trente points de retard à rattraper, tu feras quoi ? Trois échecs au bac, après ils finissent par le donner, seulement ça fait quand même trois ans de perdus ! C'est ça ton ambition, être le vétéran du lycée ?

La tête baissée, Frédéric marmonna d'une voix rageuse :

— Quelle sale conne...

— Pourquoi ? C'est sa faute ? Tu vas m'expliquer qu'elle te déteste, toi en particulier, que ses notes sont injustes et que tu te donnes un mal de chien ? Ne me prends pas pour un demeuré, ça me met hors de moi !

Et c'était vrai, il ressentait une authentique colère contre son fils dont il s'était cru complice jusque-là.

— C'est quoi, ces cris, Louis ? demanda Grégoire qui venait d'ouvrir la fenêtre de sa chambre et qui se penchait sur la galerie, juste au-dessus de leurs têtes.

— Papa..., protesta Louis en utilisant le même ton que Frédéric quelques instants plus tôt.

Grégoire adressa un clin d'œil à son petit-fils avant de poursuivre, imperturbable :

— Arrête de l'engueuler, ça ne sert à rien. On mange bientôt ?

Il referma bruyamment la croisée tandis que Frédéric faisait un pas vers son père.

— Je vais m'y mettre, je te le promets.

— Des cours particuliers, tu serais d'accord ? Il faut remonter la pente, Fred.

— Oui, si tu veux...

— Je veux que tu te sortes de là ! Je veux que tu me parles quand ça ne va pas. Je veux que tu travailles, mais nous ne sommes pas ennemis pour autant.

— Non, papa. J'irai voir Capelan lundi matin.

— *Madame* Capelan.

Soulagé, Frédéric prit son père par le bras. Il avait peur de ses colères parce que Louis s'était toujours montré très doux avec lui, très tendre.

— Tu ne m'avais pas dit que tu allais au lycée, ce matin.

— Je l'ai appris en ouvrant mon courrier, reconnut Louis. Cette femme m'a vraiment traité comme un père démissionnaire, c'est très désagréable.

— Ne t'en fais pas, elle regarde tout le monde d'un peu haut. Mais ce n'est pas un mauvais prof...

— Et toi, tu es un mauvais élève ?

— Oui. Sûrement.

Sa franchise effaça ce qui restait de fureur chez Louis. Il passa son bras autour des épaules de Frédéric, éprouvant soudain le besoin de le protéger. De quoi ou de qui ? Son fils n'était pas en danger, hormis sur le plan scolaire, et il n'y avait pas de quoi en faire un drame, Grégoire avait raison.

— Il n'y a vraiment que toi pour ne pas le connaître ! s'esclaffa Romain. Je dois même avoir un ou deux trucs à te faire écouter, si ça t'amuse...

La naïveté de sa mère l'amusait beaucoup. Elle avait rencontré « un certain » Louis Neuville, qui d'ailleurs semblait lui avoir tapé dans l'œil, et elle s'était demandé si par hasard son fils, fanatique de musiques en tous genres, n'aurait pas entendu parler de ce type-là.

Il se dirigea vers la chaîne, mit en place un disque compact.

— C'est la B.O. de *Soleil couchant.* Orchestration démente, non ?

Après quelques minutes, il sauta deux plages pour passer à un morceau de bravoure.

— C'est très technique, ça, très sophistiqué. Et ça a marqué le film. Pour la plupart des trucs à grand spectacle, tu ne peux pas dissocier la mélodie de l'histoire. Suffit de siffler les premières mesures, tout le monde sait de quoi il est question... Neuville, c'est un musicien assez inventif, la pub pour Chanel, c'était lui. Tu t'en souviens ?

Elle se contenta de hocher la tête, conquise par ce qu'elle écoutait.

— Si tu dois le revoir, dit Romain en lui mettant l'étui du CD dans la main, prends ça et fais-le-lui signer, ça me fera plaisir d'avoir un autographe.

Malgré tous ses efforts, elle avait repensé vingt fois à Louis durant la fin de la matinée, stupéfaite d'avoir noté tant de détails. Le regard sombre et brillant, un vrai sourire de gamin avec de jolies petites dents, des cheveux bruns coupés très courts, des mains expressives... bref, séduisant des pieds à la tête.

— Eh bien, dis-moi, il t'a fait un sacré effet !

Prise en flagrant délit de rêverie, elle voulut se redresser dans son siège mais Romain avait fondu sur elle et la décoiffait d'un geste affectueux.

— Les parents d'élèves, c'est pas interdit ça, m'man ?

Par jeu, ils luttèrent un moment jusqu'à ce qu'elle s'avoue vaincue. Il était dix fois plus fort qu'elle, depuis longtemps.

— J'ai rendez-vous dans une demi-heure, annonça-t-il. Je refais du café ?

Parfois il semblait veiller sur elle, du haut de ses seize ans, depuis qu'ils vivaient seuls tous les deux dans ce petit appartement qui aurait pu être sinistre mais qu'ils avaient su rendre gai.

— Tu dors chez ton père, ce soir ?

— Oui, confirma-t-il sans intonation particulière.

Je serai là demain matin. Tu as quelque chose de prévu, toi ?

— Rien, peut-être un ciné... mais j'ai des montagnes de copies à corriger. Si tu veux, on ira chez le chinois, demain.

— Plutôt à la pizzeria ? suggéra-t-il en saisissant sa guitare.

Elle n'avait pas besoin de lui demander où il allait. Tous les samedis, il répétait durant des heures avec les copains de son groupe, dans une cave prêtée par des parents compatissants. Et la dernière fois qu'elle avait eu l'occasion de les entendre jouer, elle avait pu constater qu'il s'agissait de quelque chose de sérieux, rien à voir avec un simple passe-temps, ils étaient tous doués et mordus.

— À quoi il ressemble ? demanda Romain avec curiosité.

— Qui ?

— Louis Neuville.

— Oh... à rien de particulier. Il est plutôt... beau mec. C'est ça que tu voulais que je dise ?

Elle riait, et elle avait un charme fou dès qu'elle s'animait. Il la précéda vers la minuscule cuisine tout en expliquant :

— Son fils, ton cancre, c'est un frimeur.

— Tu le connais ?

Romain était dans une section scientifique et n'avait aucune raison de rencontrer les littéraires.

— On avait des vues sur la même fille, dans une soirée, juste avant Noël. Un peu plus, on se rentrait dedans.

— Et finalement, lequel de vous deux a-t-elle choisi ?

— Moi.

— C'est Élise ?

— Oui. Il louchait dessus, il a fait tout un numéro mais je l'ai descendu à fond et il s'est calmé.

France savait ce que ça signifiait. Les garçons étaient impitoyables entre eux. Presque autant que les filles. Elle regarda son fils qui sortait leurs deux tasses du micro-ondes. Il avait l'âge des conquêtes amoureuses, elle se demanda s'il avait déjà franchi le pas.

— Bon courage pour tes corrections, dit-il en l'embrassant dans le cou.

Deux secondes plus tard, la porte d'entrée claquait. France étouffa un soupir et but son café sans plaisir. L'après-midi serait interminable. Sans parler de la soirée. Elle pouvait toujours téléphoner à une amie, ou même aller faire un peu de shopping en remettant sa corvée de copies au lendemain, mais elle ne se sentait aucun entrain. Pourtant, depuis qu'elle avait quitté son mari, elle savourait chaque jour de liberté. Les derniers temps, la vie avec Antoine ressemblait à une traversée du désert, morne et sans fin. De déception en déception, il l'avait poussée à bout. Jogging matinal pour rester jeune, bières du soir qui le faisaient tomber comme une masse, délégué au syndicat des enseignants, récriminations contre l'Éducation nationale, habitudes bien établies, petite vie répétitive, peu de fantaisie et pas d'ambition, hormis cette maison de pêcheur achetée en Bretagne pour leurs « vieux jours ». Tout pour la décourager, elle qui n'avait aucune envie de penser à sa retraite, persuadée qu'elle n'avait même pas commencé à vivre. Elle s'était affreusement trompée sur son mari et elle ne se le pardonnait pas. Ni d'avoir tant attendu avant d'accepter l'échec de leur couple. Pour ménager Romain, vraiment, ou juste par orgueil ? Antoine, elle l'avait épousé contre l'avis de tout le monde et s'était brouillée avec sa propre famille. À l'époque, elle avait vingt ans et lui trente, elle était encore étudiante alors qu'il avait déjà le prestige d'un poste titularisé, mais surtout il avait été son premier véritable amant. Pas une histoire à la sauvette, lumière éteinte et gestes maladroits comme tout ce qu'elle avait connu jusque-là, non, une leçon d'amour, à sa manière à lui, docte et appliquée, une révélation pour elle. Dans sa naïveté, elle avait cru que ça durerait toujours, mais là aussi ils avaient fini par prendre des habitudes. Dans tous les domaines, celui-ci compris, elle avait des aspirations qu'il ne comprenait pas. Qu'il n'avait même pas soupçonnées, au début. Elle voulait l'agrégation, qu'elle avait fini par obtenir à force d'acharnement, alors qu'elle enseignait déjà. Ensuite elle avait rêvé de se retrouver en faculté, à faire son cours sur l'estrade d'un amphithéâtre, ou bien de devenir un jour proviseur, recteur même, pourquoi pas, rien n'était inaccessible quand on le voulait vraiment ! Impitoyable, il lui avait enlevé ses illusions, l'avait sermonnée, s'était refusé à bouger. Le jour où elle s'était sentie trop misérable, malgré toute la gentillesse dont il faisait preuve, elle avait commencé à penser au divorce.

Elle rinça les tasses, retourna dans le salon et remit le disque sur la platine. Louis Neuville... Qu'est-ce qu'elle pourrait bien inventer pour qu'un homme comme ça la remarque, elle ? Des tas de femmes devaient se pâmer devant lui, et peut-être pas uniquement pour son charme. À plusieurs reprises, depuis la rentrée de septembre, elle l'avait aperçu sur le parking du lycée, debout à côté de sa voiture, sans se douter qu'il était le père d'un de ses élèves. Or il représentait exactement le genre d'homme qui la faisait craquer. La quarantaine élégante, une silhouette racée comme elle les aimait, un visage finement dessiné. En y réfléchissant, elle constata que Frédéric lui ressemblait, pourtant elle n'avait jamais fait le rapprochement jusqu'à ce matin, quand Louis était entré dans sa classe, l'air angoissé et coupable. Beau brun outré qu'on l'accuse d'indifférence, alors qu'au contraire il devait trop aimer son fils pour être en mesure de sévir. Et, par chance, il lui avait offert sur un plateau un prétexte pour le revoir. Des cours particuliers ? Bien sûr qu'elle était prête à en donner ! D'abord c'était indispensable pour Frédéric, elle n'avait pas menti, il fallait organiser d'urgence le sauvetage de cet élève en perdition. Ensuite, elle en avait besoin financièrement, et les heures supplémentaires ne l'avaient jamais effrayée. Et surtout, elle pourrait approcher Louis, tenter sa chance... ou s'imaginer qu'elle en avait une.

Elle se laissa envelopper par la musique, romantique à souhait. Quel genre de vie avait-il donc pour composer des choses aussi tristes ? Un leitmotiv revenait, insistant jusqu'à l'obsession. Romain s'était montré élogieux, lui toujours si mesuré dans ses jugements, et c'était comme s'il lui avait donné son assentiment pour ce qu'elle s'apprêtait à faire. Qui ne tente rien n'a rien. C'était valable aussi pour un obscur petit prof de province, une vérité qu'Antoine n'avait jamais voulu admettre.

Louis se fendit et son fleuret moucheté toucha enfin le plastron de Frédéric. À bout de souffle, il recula et enleva son masque. Depuis vingt minutes, son fils ne l'avait pas ménagé, l'avait même mis en danger, comme s'il voulait prendre sa revanche sur le sermon de la veille. « Faisons-nous un vrai duel de cape et d'épée ! » avait-il demandé en riant, pendant le petit déjeuner, et Louis avait accepté sans hésiter. Ensuite, il avait dû battre en retraite sous les assauts de son adversaire déchaîné, jusqu'au bout de la galerie. À présent, des gouttes de sueur coulaient le long de ses tempes, dans sa nuque, et plaquaient sa chemise sur son dos. Il se débarrassa de son gant, s'ébrouant pour oublier sa défaite.

— Je ne suis plus de taille, constata-t-il.

— Mais non, tu fais un partenaire très acceptable ! ironisa l'adolescent.

Trop de piano et pas assez de sport, mais de toute façon les vingt-cinq ans d'écart pesaient lourd. Louis jeta un coup d'œil à Frédéric qui respirait normalement et dont les cheveux n'étaient même pas en désordre. Partagé entre l'admiration et la rancune, il finit par hausser les épaules. Le jeune mâle avait eu envie de se mesurer, c'était normal ; dans le règne animal, Louis aurait dû céder sa place. Cette idée le fit sourire mais aussitôt il retrouva son rôle de père.

— Tu devrais t'entraîner davantage, tu es très doué. Si tu ne faisais pas tout en dilettante, ce serait bien.

À l'âge de Frédéric, Louis avait déjà remporté un certain nombre de compétitions. L'escrime lui avait permis de donner libre cours à son agressivité, de se libérer de ses obsessions musicales quand elles l'étouffaient trop. Mais tous ses professeurs du conservatoire s'étaient donné le mot pour le décourager, lui conseillant de mettre sa combativité au service de l'harmonie et du contrepoint au lieu d'abîmer ses doigts sur la garde d'une épée.

— Vous avez dix minutes pour prendre une douche ! leur lança Alix qui était restée à les observer, depuis le début de leur passe d'armes.

Assise au soleil, sur le vieux banc de fonte mille fois repeint, elle sourit à son frère lorsqu'il passa à côté d'elle.

— On ne rajeunit pas, ma vieille, murmura-t-il entre ses dents.

Une façon comme une autre d'associer Alix à son échec, de lui rappeler qu'elle était son double. Il s'éloigna tandis que Frédéric s'écroulait à côté d'elle.

— Tu voulais tuer ton père, mon chéri ? Ou seulement le vexer ?

— Il adore être bousculé, répliqua-t-il avec beaucoup de sérieux. Et je crois qu'il a besoin de se défouler.

Elle lui jeta un petit regard en coin, étonnée de se sentir attendrie. Frédéric était à la fois très mûr et très gamin. Très mignon, aussi, comme Louis à quinze ans, crinière comprise.

— Tu vas les laisser pousser jusqu'où, tes cheveux ?

— Mais ils ne sont pas longs, ils sont coupés au bol ! C'est la mode. Je ne peux quand même pas avoir le côté... militaire de papa ?

Avant qu'elle ait pu répondre, ils virent la voiture de Tom qui remontait l'allée et venait s'arrêter devant eux. Elle se leva sans hâte pour l'accueillir.

— Tu es pile à l'heure ! Cinq minutes de plus et Laura t'arrachait les yeux.

— Un monde fou sur l'autoroute, marmonna-t-il en se penchant vers elle.

— Ah oui, dès qu'il fait beau, le dimanche...

Ces reparties mille fois usées leur permettaient de reprendre contact l'un avec l'autre, attentifs à ne pas se comporter en faux couple.

— J'ai l'impression que tu grandis d'une semaine sur l'autre, en ce moment, dit Tom à Frédéric.

Ils gagnèrent la maison à regret, navrés d'abandonner une si belle matinée de printemps. Hugues et Grégoire servaient déjà l'apéritif dans le salon dont toutes les fenêtres étaient ouvertes. Des petits boudins antillais, délicieusement pimentés, furent engloutis en quelques instants.

— Ne vous goinfrez pas comme ça ! protesta Laura qui entrait avec un plat de petites gougères que Frédéric lui prit des mains.

— Si tu savais ce qu'on mange dans la semaine, tu aurais pitié de nous, soupira Louis.

Il sortait de sa douche et sentait le savon, les cheveux encore mouillés, l'air fatigué. Sa chemise et son jean noirs accentuaient sa maigreur.

— Tu soignes ton look de musicien maudit ? s'esclaffa Tom.

Louis vint lui serrer la main puis s'installa sur l'accoudoir du canapé.

— Maudit par qui ? demandait Alix. Il a tous les producteurs à ses pieds !

Un peu inquiète parce qu'il refusait de signer le contrat qu'elle lui avait remis, la veille, elle ajouta :

— Je finirai par faire de toi le compositeur le mieux payé de Paris.

— Formidable..., dit-il d'une voix traînante.

— Tu me remercieras !

— Je n'y manquerai pas, compte sur moi.

Elle faillit se mettre en colère mais fut arrêtée juste à temps par le regard de Louis. Il la toisait comme quelqu'un qui cherche la bagarre, elle préféra ne pas insister. Quand il était désabusé, prêt à se renier lui-même, il l'exaspérait.

— L'argent a tout de même une certaine importance, non ? fit remarquer Tom sans s'adresser à personne en particulier, avec un geste désinvolte de la main, qui englobait tout le salon.

Alix le connaissait suffisamment pour comprendre qu'il ne voulait pas l'aider mais, bien au contraire, provoquer Louis.

— On passe à table, Laura nous attend, intervint Grégoire.

Il se comportait toujours en hôte, persuadé qu'il était encore chez lui. Cette maison avait été trop longtemps la sienne et il était trop souvent intervenu dans les dissensions de ses enfants pour changer d'attitude. Il précéda les autres vers la salle à manger, prit sa place habituelle au bout de la longue table et fit signe à ses deux petites-filles de venir s'asseoir à ses côtés. C'était un merveilleux grand-père, il leur parlait comme à des adultes et elles adoraient ça.

Aidée par Frédéric, Laura arrivait de la cuisine avec les croustades au crabe. Louis s'installa au hasard et se retrouva à côté d'Hugues qu'il aimait beaucoup, et dont l'humour, très décalé, le faisait facilement hurler de rire. Son beau-frère s'était parfaitement intégré à la famille, dès son mariage avec Laura. Il avait compris qu'elle faisait partie d'un clan et n'avait pas cherché à l'en éloigner. Bon père, il partageait toutes les responsabilités ou corvées concernant Sabine et Tiphaine, et trouvait normal que Laura puisse exercer son métier librement.

Quand ils discutaient ensemble de psychologie, c'était toujours d'égal à égal, avec une considération réciproque évidente. Que Laura soit excellente cuisinière lui donnait aux yeux d'Hugues un prestige supplémentaire.

— Je vous ai entendus ferrailler, tout à l'heure, dit-il, ça produisait un très joli bruit ! Dommage que vous y ayez mis tant de méchanceté...

— Un juge nous aurait disqualifiés, admit Louis. D'ailleurs, on aurait fait sauter le compte-touches, ce matin ! Je suis très fier de Fred.

— Plus que pour ses résultats scolaires, hein ? plaisanta Hugues en baissant la voix.

— Si tu as un conseil à me donner, je suis preneur, répondit Louis sur le même ton discret.

Ils en avaient souvent discuté mais Hugues se refusait à tout jugement négatif et trouvait toujours des excuses à la jeunesse.

— Mange, dit Alix en ajoutant d'autorité deux cuillères de sauce sur la croustade de Louis.

Elle avait pris la chaise libre, à sa gauche, et Tom alla s'installer de l'autre côté de la table. Il s'était couché à cinq heures du matin et regrettait d'être venu, malgré le soleil, malgré l'odeur merveilleuse qui montait de son assiette. Ce soir, il aurait gagné le droit de dormir avec Alix, mais d'ici là il devrait supporter tout le reste. L'insistance qu'elle allait déployer pour faire signer à Louis ce fichu contrat, la discussion interminable sur les performances routières de l'Alfa, les dix personnes au moins à rappeler d'urgence après avoir interrogé ses messageries, et tous les gestes de tendresse qu'elle avait pour son frère mais jamais pour lui. À cet instant, elle releva la tête, croisa son regard. Le gentil sourire qu'elle lui adressa acheva de le démoraliser.

— Qu'est-ce que tu nous écris de beau, en ce moment ? lança-t-il à Louis.

— Pour vous, rien. C'est pour moi que je compose, ces jours-ci !

La réponse avait fusé d'un ton si tranchant que Louis ajouta, précipitamment :

— Petit problème d'inspiration. Le printemps, j'imagine...

Il avait de la sympathie pour Tom, presque de l'affection depuis le temps, et aucune raison de se montrer désagréable.

— Eh bien, tu vas pouvoir faire une parenthèse avec ce feuilleton, enchaîna Alix, ravie. Tu leur trouves un truc populaire, facile à retenir et bien ronflant, ça ne te demandera aucun effort.

— Tu crois vraiment ?

— Bon sang, lâchez-le un peu ! protesta Grégoire. Pourquoi parlez-vous de vos affaires à table ?

C'était plus fort que lui, il prenait toujours la défense de celui qui se trouvait attaqué.

— Si on doit faire une pause, poursuivit-il, au moins que ce soit un trou normand ! Où caches-tu le calvados, Louis ?

— J'apporte la suite, décida Laura en se levant. Venez m'aider, les filles, rendez-vous utiles.

Sabine fonça la première vers la cuisine, suivie de sa cadette, tandis que Tom adressait à Louis une mimique d'excuse. Ils se comprirent fort bien, l'espace d'un instant, et Louis se détendit un peu. Les premiers beaux jours le rendaient toujours mélancolique, il n'y pouvait rien. Il pensa qu'il aurait donné n'importe quoi pour être amoureux mais qu'il n'était sans doute plus capable d'y parvenir. Après tout, il y avait de jolies femmes partout, il en rencontrait souvent, et le souvenir de Marianne n'avait rien de sacré, inutile de se raconter des histoires. S'il continuait à rêver coup de foudre et grande passion, il risquait d'être gâteux avant d'avoir trouvé. Il y avait tout de même quelque chose de très médiocre à se réveiller déçu, chaque fois, et à fuir plus ou moins dignement.

— Je ferais bien une grande balade, cet après-midi, proposa Hugues. Qui voudra m'accompagner ?

— Pas moi, j'ai un rencard, prévint Frédéric d'un ton guilleret. Avec une fille...

Louis regarda son fils, esquissa un sourire, puis se tourna vers son beau-frère.

— J'irai avec toi.

— Non ! protesta Alix. Il faut qu'on parle, toi et moi.

— Pas question. Je veux marcher. Tu te joins à nous, Tom ?

De temps à autre, ils éprouvaient le besoin de s'éloigner, entre hommes, de parcourir la campagne en lâchant quelques confidences. Cette habitude-là datait d'avant le décès de Marianne, et la seule différence était que désormais Grégoire ne les escortait plus, à cause de ses rhumatismes.

— D'accord, dit Tom sans quitter Alix des yeux.

Si elle avait manifesté la plus légère contrariété, il se serait désisté aussitôt, hélas elle se contenta de déclarer :

— Bon, je vais en profiter pour passer quelques coups de fil, allez vous raconter vos histoires de mecs, ça n'intéresse que vous.

Il se promit qu'elle lui paierait cette réflexion acerbe. Ce soir, cette nuit quand il lui ferait l'amour – car ici elle ne pouvait pas s'échapper vers un rendez-vous, ni prétexter la fatigue pour rentrer chez elle –, ils allaient pouvoir régler leurs comptes.

— Qui coupe le gigot ? demanda Laura en revenant, déroutée par le silence qui régnait.

— J'ai horreur de ça mais je vais me dévouer, déclara Grégoire d'un air réjoui.

— Il va le massacrer, soupira Louis.

Il avait parlé doucement, mais son père lui jeta un coup d'œil amusé.

— Je ne suis pas sourd, mon grand !

La gentillesse du dernier mot rendit Louis encore plus triste. Il se demanda s'il n'avait pas besoin de vacances, tout seul, loin de sa famille et même de Frédéric. Loin du Steinway, aussi. Il eut beaucoup de mal à participer à la conversation qui s'était mise à languir, comme toujours à la fin de ces copieux repas. Après le café, qu'il avala brûlant, il fut le premier à se lever, pressé de se retrouver dehors. Hugues et Tom le rattrapèrent, au bout de l'allée, et lui emboîtèrent le pas en silence. À cette heure-ci, il n'y avait personne dans les rues du hameau et seul un chien, derrière son grillage, aboya sur leur passage. Par habitude, Louis prit la direction de la chapelle du belvédère qui était toujours la première halte de toutes leurs promenades. L'un derrière l'autre, ils gravirent les marches de pierre du promontoire pour aller admirer la vue sur la vallée de la Seine, tout en bas. Quand Louis sortit une cigarette de son paquet, Tom lui offrit du feu.

— Tu n'as pas l'air en forme, se borna-t-il à constater en rempochant son briquet.

— Je suis comme tout le monde, il y a des jours où j'en ai marre, mais ne me demande surtout pas pourquoi.

Il l'avait dit d'une voix assez lasse pour convaincre les deux autres. Il n'était pas en forme et ne s'en cachait pas. Au bout d'une longue minute, Hugues suggéra :

— On continue ?

Ils étaient bien ensemble, malgré tout, et ils prirent le chemin du bois. Hugues ne s'inquiétait pas outre mesure pour son beau-frère, persuadé depuis longtemps que la mélancolie était nécessaire à sa créativité.

— Alix me saoule, avec ce contrat, dit brusquement Louis.

— Que tu vas signer ? s'enquit Hugues.

Petite question insidieuse, c'était le psy qui avait parlé. Après tout, si c'était pour en arriver là, à quoi bon gâcher le week-end ?

— Évidemment ! Avec quoi crois-tu que j'entretiens cette baraque ?

Cette phrase-là pouvait être mal interprétée, or Louis n'avait aucun reproche à adresser aux deux autres et il se hâta de préciser :

— Je me suis embarqué tout seul dans cette galère, d'ailleurs j'y arrive très bien et je n'ai pas de regret, j'adore la maison. Surtout quand vous êtes là. Je ferai ce feuilleton. Peut-être même avec plaisir...

Le coup de pied rageur qu'il envoya dans un caillou démentait ces dernières paroles. Hugues sourit tandis que Tom demandait :

— Pourquoi ne viendrais-tu pas te taper une cuite chez moi, un de ces soirs ? Il y a toujours de très belles filles au bar, elles te sauteront dessus. Je suppose que ton fils peut rester seul une nuit ? En tout cas, à toi, ça ne te réussit pas.

Avec désinvolture, mais délibérément trop fort, Louis envoya un coup de poing dans l'estomac de Tom qui se retrouva plié en deux, cherchant son souffle.

— Tu crois que tout s'arrange comme ça, toi ? Avec des verres ? lui demanda gaiement Louis.

Hugues se glissa entre eux pour poser sa main sur l'épaule de Tom qui se redressait en grognant :

— Toujours très joueur, hein ?

Louis n'était ni son rival ni son ennemi, ce qui aurait rendu les choses beaucoup plus simples car alors il en aurait profité pour lui sauter dessus, et au moins il aurait su à qui en vouloir. Ils se remirent en marche et s'enfoncèrent davantage dans le sous-bois, là où la terre était encore humide de l'hiver. Louis sifflait doucement, imitant à la perfection les oiseaux, rajoutant une note ou deux en espérant qu'ils reprendraient les mêmes trilles. Perplexe, Hugues l'observait. Il lui paraissait un peu imprévisible, ces derniers temps, mais Tom s'était montré maladroit en lui parlant de sa solitude avec une telle dérision. Ce soir ou demain matin, ils allaient rentrer à Paris les uns après les autres, et Louis se retrouverait comme chaque début de semaine, coincé entre son piano qui était parfois une torture, et son fils qui n'en finissait pas de grandir.

— Vraiment, Hugues, déclara Louis en s'arrêtant net, je crois que tu regrettes qu'il n'y ait pas dans cette forêt un divan sur lequel me faire allonger ! Je me trompe ?

Troublé par une attaque aussi directe, Hugues voulut protester mais ne trouva rien à dire.

— Chacun son tour, mon vieux, railla Tom. Et Dieu te préserve de l'avoir comme patient !

Contre toute attente, Louis se mit à rire, brusquement rajeuni par une franche gaieté. Pour gagner sa vie, il n'avait pas besoin d'écouter les délires schizophréniques dont Hugues et Laura faisaient leur quotidien ; ni de servir du whisky à des snobs souffrant d'alcoolisme mondain, comme Tom y était contraint chaque nuit. Non, il lui suffisait de prendre une page blanche, d'y tracer des portées et des barres de mesure, pour poser ensuite sur les lignes les notes qu'il entendait dans sa tête. Rien de difficile pour lui, rien d'accablant, vraiment pas de quoi se sentir damné.

3

Les deux premières fois, France ne fit qu'apercevoir Louis, mais sa déception fut tempérée par la découverte de la maison. Frédéric avait d'abord choisi sa chambre pour les cours, avant d'opter pour le petit salon, et il l'avait ainsi promenée à travers les escaliers ou les couloirs sans qu'elle proteste.

Tandis qu'il essayait de trouver des axes de travail sur les extraits de texte qu'elle lui avait proposés, elle en profitait pour examiner le décor autour d'elle. D'une pièce à l'autre, l'ambiance différait sensiblement, mais partout régnait le même gentil désordre. Des journaux froissés, des blousons abandonnés sur les dossiers des fauteuils, des livres ouverts et des fleurs fanées dans les vases. Une atmosphère très masculine, presque émouvante.

Elle dut attendre la troisième semaine pour que Louis vienne la trouver, à la fin de l'heure, souriant mais pressé, son chéquier à la main, gêné d'avoir à parler d'argent. Le temps qu'ils se mettent d'accord, Frédéric s'était éclipsé et il la reconduisit lui-même à la porte. Au moment de partir, elle se souvint du disque qui était toujours dans son sac. Avec un sourire embarrassé, elle lui demanda un autographe pour son fils.

— Votre fils ? répéta-t-il d'un air amusé. Il aime la musique ?

— Beaucoup.

— Quel genre ?

— Aucune idée, avoua-t-elle. Mais il a deux

bandes originales de vos films. Il trouve ça très... Je ne sais plus exactement... technique ?

Le sourire de Louis s'accentua et il referma la porte sous le nez de France.

— Venez avec moi. Vous avez une seconde ?

Il la précéda jusqu'à l'auditorium, à l'autre bout du rez-de-chaussée. Tandis qu'il fouillait dans un placard, elle jeta d'abord un coup d'œil vers le Steinway, puis découvrit le synthétiseur, les magnétophones, des câbles emmêlés qui couraient dans la pièce, deux pupitres sur trépied, des haut-parleurs et des micros, un écran de télévision géant. Elle en était arrivée au portrait de Puccini quand il revint vers elle, une pile de disques compacts dans la main.

— Séduisant, non ? dit-il en désignant le compositeur italien qui semblait les toiser du haut de son cadre.

— Je ne suis pas sensible à la moustache, répondit France en riant.

— Tenez, j'ai signé le sien, et donnez-lui les autres de ma part, peut-être que ça lui plaira ?

— C'est très gentil.

— Très prétentieux, plutôt ! Vous pouvez sortir par là, c'est plus court. Votre voiture est dans l'allée ?

Il se dirigeait vers l'une des portes-fenêtres ouvertes sur le jardin et elle fut obligée de le suivre, à regret, tout en rangeant les CD dans son sac.

— Est-ce que Frédéric fait des progrès ? demanda-t-il d'un ton léger.

— Il est trop tôt pour en juger, mais au moins il écoute ce que je lui dis, il en restera forcément quelque chose. Bonsoir, monsieur Neuville.

Elle serra la main qu'il lui tendait, un peu émue par ce contact trop bref. Une fois au volant, elle se dépêcha de démarrer, fila vers le portail sans tourner la tête et ne s'autorisa à sourire que lorsqu'elle eut gagné la route. En principe, elle n'allait pas chez ses élèves et donnait tous ses cours particuliers chez elle, même si elle avait fait croire le contraire à Frédéric. Mais s'il y avait bien une chose qu'elle ne regrettait pas, c'était les douze kilomètres qu'elle devait effectuer depuis Vernon pour monter à Notre-Dame-de-la-Mer ! Décidément, Louis l'avait conquise, elle était sous le charme. Hélas, lui ne verrait jamais en elle autre chose qu'un gentil petit prof si elle ne tentait rien de plus intelligent que le coup de l'autographe. Seulement quoi ?

— Trouve et trouve vite, idiote, marmonna-t-elle en se lançant un rapide coup d'œil dans le rétroviseur.

Stupide, oh oui ! elle l'était, de fantasmer comme une gamine sur un quasi-inconnu. Depuis trois semaines, elle avait échafaudé tous les scénarios possibles, sans le moindre réalisme. La chasse à l'homme n'était pas son fort, elle n'avait rien d'une femme fatale. En revanche, son obstination pouvait être sans limites, Antoine l'avait appris à ses dépens.

Sur le parking de son immeuble, elle coupa le contact, chercha les disques dans son sac. Comme elle l'avait espéré, il y avait des photos de Louis au dos des fascicules, dans les boîtiers de plastique. Elle se contenta de les regarder, sans déchirer l'emballage transparent pour laisser ce plaisir à Romain. Un cadeau inattendu qui constituait un tout petit premier pas. Les yeux rivés sur le visage de Louis, elle murmura d'une voix ferme :

— Je veux ce type.

Louis avait patienté une demi-heure, jusqu'à ce que la porte du bureau d'Alix s'ouvre sur une jeune comédienne qui lui lança un regard haineux avant de remettre ses lunettes noires et de se précipiter vers la sortie.

— Je ne sais pas ce que tu lui as fait, mais ça ne lui a pas plu, dit-il en embrassant sa sœur.

— Claudia ? Oh, elles sont toutes pareilles, elles

me fatiguent ! Et celle-là plus que les autres. Elle va pouvoir se mettre en quête d'un autre agent si elle continue comme ça. Un petit rôle, ça n'a rien de déshonorant, il faut bien commencer par quelque chose...

— Tiens, dit-il en sortant une enveloppe de sa poche, moi je suis un poulain docile.

Sans manifester aucun triomphalisme mal venu, Alix sortit les feuillets et se contenta de vérifier qu'il les avait bien tous paraphés.

— Parfait, approuva-t-elle avant de ranger le contrat dans un tiroir. Et ne me dis pas que tu n'es pas content ! Tu as vu les chiffres ? Au début, ils ont un peu renâclé. Seulement voilà, la réalisatrice ne jurait que par toi, c'était ça ou rien, on a emporté le morceau, elle et moi. Elle t'a appelé ? Elle va te faire envoyer des rushes, le tournage est commencé. Si tu as ton agenda sur toi, bloquons une date pour un déjeuner, elle est pressée de te rencontrer.

— Alix ! soupira-t-il.

— Lou-is ! protesta-t-elle en détachant les deux syllabes. Descends de ton nuage, tu veux ? Je sais que je te saoule, Tom prétend que c'est l'expression que tu utilises, mais je n'ai pas de temps à perdre, personne n'en a dans ce métier de fou ! À propos, j'ai tanné la maison de disques, ils vont m'envoyer le relevé annuel. Ils nous truandent, évidemment, nous le savons tous... Enfin, tu vas quand même recevoir un chèque substantiel. Tu veux un café ?

— Tu bois trop de café, tu es survoltée. Reste assise, je vais le chercher. Avec ou sans sucre ?

Le regard de reproche d'Alix lui rappela qu'il était censé tout connaître d'elle.

— Pourquoi n'épouses-tu pas Tom ? demanda-t-il de façon abrupte.

D'abord interloquée, Alix finit par hausser les épaules.

— Je n'ai aucune envie de me marier. D'ailleurs, je travaille le jour, et lui la nuit. Et puis, je l'adore, mais bon... De toute façon, il ne me l'a pas demandé !

L'idée ne lui plaisait pas, c'était manifeste, et Tom avait sûrement raison de ne pas soulever la question. Louis sortit s'occuper des espressos tandis qu'elle en profitait pour saisir son téléphone. Dans le vestibule, il aperçut un réalisateur qu'il connaissait, en grande conversation avec la secrétaire de l'agence. Il s'arrangea pour ne pas se faire voir et regagna le bureau d'Alix en rasant les murs.

— Marc est ici, annonça-t-il en posant un gobelet devant elle.

— Tu devrais aller lui parler. Il est sur un projet intéressant. Une histoire de...

— Arrête, Alix ! Tu m'as fait accepter du travail pour six mois, laisse-moi souffler.

Toujours rebuté par les contacts mondains, les relations professionnelles, les louanges hypocrites et les fausses promesses, Louis abandonnait volontiers à sa sœur cet aspect de sa carrière. Qu'elle se débrouille avec tout ça, il ne voulait pas être impliqué outre mesure dans ce monde du show-business qu'il méprisait.

— Bon Dieu, marmonna-t-elle, descends un peu de ton rocher ! Tu composes comme tu respires, profites-en pour engranger du fric, parce que tu peux passer de mode du jour au lendemain.

Comme d'habitude, elle avait parlé trop vite, lui assenant son couplet préféré, celui qu'elle débitait à tous ceux qu'elle avait pris dans son écurie.

— Passé de mode ? dit-il avec brusquerie. Tu crois que je cherche à être à la mode ? C'est ce que tu penses de ce que je fais ? De ce que *tu* me fais faire ? Mais je m'en fous, Alix !

La sincérité de sa colère rendit Alix prudente. Il avait toujours été un peu difficile à manœuvrer, elle le tenait pour un insatisfait chronique. Non seulement sa réussite ne l'étonnait pas, mais il n'en était même pas heureux. Il avait rêvé d'écrire autre chose, soit. Elle connaissait ses fantasmes de composition classique, elle l'avait patiemment écouté jouer des trucs déchirants sur son piano, peut-être superbes mais invendables aujourd'hui, et qui nécessitaient sans aucun doute un orchestre de cent cinquante musiciens, pas moins ! Qu'est-ce qu'il pouvait faire avec ça ? Strictement rien. Il n'était pas né en Italie un siècle plus tôt, autant qu'il s'y résigne et qu'il laisse tomber ses chimères. Sa frustration éclatait d'ailleurs avec profit dans tout ce qu'il composait, et c'était ce qui pouvait lui arriver de mieux, ce style qui n'appartenait désormais qu'à lui et que tout le monde s'arrachait. Elle l'admirait, elle avait une confiance absolue dans sa capacité de travail, toutefois elle devait rester attentive à ce qu'il ne disjoncte pas. Le moment le pire avait été le décès de Marianne ; heureusement, toute la famille s'était relayée pour lui tenir la tête hors de l'eau, et il s'en était sorti. En tout cas, sa faculté de créer était indemne, même si sa musique était devenue plus sombre. Depuis, Alix veillait sur lui. Un peu trop jalousement, peut-être, mais elle montait la garde. Avec une vigilance particulière à l'égard des femmes qui mouraient d'envie de consoler ce grand romantique.

— Tu m'entends ? demanda-t-il d'une voix froide.

Penché au-dessus du bureau, il avait posé ses mains bien à plat, elle regardait les doigts nerveux, les lignes bleues des veines.

— Je ne dois pas être la seule à t'entendre ! Calme-toi, je ne t'ai pas injurié. Qu'est-ce que tu as, ce matin ?

Avant qu'il ait pu répondre, un coup léger fut frappé à la porte et Marc Valet entra aussitôt.

— Salut, toi ! lança-t-il à Louis. J'espère qu'elle est en train de te passer un savon. Tu peux me dire pourquoi tu n'étais pas à la première de *La Règle d'or*, hier soir ? Le film est lamentable mais ta musique est géniale. Tout ce que ce con ne sait pas exprimer, tu l'as fait pour lui. Et tout le monde te cherchait. On devait être une demi-douzaine à vouloir te mettre la main dessus.

— Quelle horreur, riposta Louis avec un sourire ironique.

— Ah, tu trouves ? Tu ne diras peut-être pas toujours ça. Où te cachais-tu ? Chez toi, dans ta cambrousse ?

— J'ai un fils, Marc. Je ne suis pas un pilier de cocktail.

— Quel âge, ton héritier ?

— Quinze ans.

— Alors ce n'est pas une excuse. Peut-être qu'il aimerait bien accompagner papa aux premières et voir le tout-Paris ?

— Va te faire foutre.

La porte aurait dû claquer bruyamment sur Louis mais, par bonheur, elle était capitonnée. Abasourdi, Marc se tourna vers Alix.

— Qu'est-ce qu'il a ? Il a décidé de se fâcher avec toute la profession ou quoi ? C'est le succès qui lui monte à la tête ? Remets-le dans le rang vite fait, ton frangin ! Je voulais lui proposer du boulot mais, merci bien, je ne bosse pas avec les caractériels.

Furieuse, Alix s'était levée. S'attaquer à Louis était le meilleur moyen de la mettre hors d'elle.

— On avait rendez-vous, Marc ? Parce que je suis pressée, là...

Contournant son bureau, elle le poussa fermement dehors.

Au prix d'un gros effort, Frédéric parvint à conserver son sérieux. Observateur, il avait fini par remarquer ce que France dissimulait si mal, et il en tirait profit sans scrupule. Il suffisait qu'il parle de son père – peu importait la manière d'y venir, elle était toujours intéressée – et il échappait à toute une partie du cours. Si elle entendait un bruit de voiture, elle ne pouvait pas s'empêcher de regarder vers la fenêtre dix fois de suite. Et quand Louis surgissait, à la fin de l'heure, elle changeait de couleur.

Il venait juste d'entrer dans le petit salon, une enveloppe à la main, l'avait saluée avec un sourire absent, et elle ne savait que faire pour retenir son attention, perdant tous ses moyens. Les adultes se comportaient comme ça aussi ? Il n'y avait donc pas un âge où on était délivré de sa timidité ?

— Tu raccompagnes Mme Capelan, p'pa ? Il faut absolument que j'appelle Richard avant qu'il parte au tennis...

Magnanime, Frédéric lui offrait sa chance. Après tout, elle était assez jolie pour une femme de sa génération, certains de ses copains n'hésitaient d'ailleurs pas à la siffler quand elle arrivait en jupe au lycée. Il s'éclipsa aussitôt, fila jusqu'à sa chambre dont la fenêtre était ouverte, et se glissa à pas de loup sur la galerie. Son père ne lui était pas apparu jusqu'ici sous les traits d'un séducteur, mais il s'apercevait que, en fait, il n'en savait rien. Il lui était juste arrivé de surprendre quelques bribes de conversation, des mises en garde d'Alix, par exemple, au sujet de mystérieuses femmes qu'on ne voyait jamais à Notre-Dame-de-la-Mer. Avec France Capelan, au moins, il serait aux premières loges.

Sans avoir besoin de se pencher, il entendait leurs voix au-dessous et il fut déçu par l'affligeante banalité des propos qu'ils échangeaient. Même lorsqu'elle essaya une réflexion enthousiaste sur la maison, la réponse de son père fut aussi laconique qu'insignifiante. Quand ils avancèrent dans l'allée, Frédéric dut reculer pour ne pas se faire voir.

— À bientôt, j'espère, je suis toujours très heureuse de vous rencontrer...

Au moins, elle faisait un effort, il aurait pu se montrer un peu plus entreprenant ! Prodigieusement intéressé, Frédéric aperçut la main qu'elle posait sur le bras de son père, juste deux secondes de trop. Elle était mignonne dans son numéro de charme, pas très à l'aise mais émouvante, il fallait être aveugle pour ne rien remarquer.

La voiture ayant enfin démarré, il se pencha au-dessus de la rambarde.

— Papa ! Tu as fait vœu de chasteté ?

Il riait aux éclats, et Louis leva la tête, surpris.

— Tu ne t'aperçois vraiment de rien ou bien c'est elle qui ne te branche pas ?

Son père lui fit signe de descendre et il empoigna l'un des piliers de bois, se laissant glisser comme d'un arbre.

— Par l'escalier, j'aimerais autant, tu vas te casser quelque chose un de ces jours. Tu m'espionnais ? Tu veux que je la drague pour qu'elle te donne des notes acceptables ?

— Mais c'est *elle* qui te drague !

— Mme Capelan ?

— Appelez-moi France, dit Frédéric en imitant la voix de son professeur. Elle est sur le gril dès que tu es dans les parages, c'en est comique ! La semaine dernière, j'avais laissé la porte ouverte exprès mais tu n'es pas passé par là. En revanche, on t'entendait jouer, et Rousseau s'est retrouvé aux oubliettes. D'enfer !

— Tu parles sérieusement ? Je n'ai rien remarqué.

— Tu attends qu'elle te fasse la danse des sept voiles ?

L'adolescent recula, toisa son père de la tête aux pieds.

— Tu sais que tu es drôlement bien ? J'ai des tas de copains qui ont des pères bedonnants, chauves, à lunettes, avec de belles têtes d'abrutis, mais toi...

Partout où il allait, les maisons lui semblaient exiguës, les gens ternes. Pour un garçon de son âge, Louis était très valorisant. Non seulement par son métier – il devait toujours répéter plusieurs fois quand on lui demandait la profession de ses parents –, mais aussi par son allure. Qui semblait produire un effet certain sur les femmes, l'attitude de France le prouvait.

— Depuis... enfin je veux dire, après que maman... tu n'as pas... parce que tu sais, si c'est pour moi...

Pourquoi parlait-il de ça maintenant, sans avoir rien préparé ? Il s'était promis d'aborder le sujet un jour, Laura le lui avait d'ailleurs conseillé à plusieurs reprises, mais il avait toujours reculé, au dernier moment.

— Oh, dit doucement Louis, ne sois pas inquiet pour ça.

À lui aussi, cette discussion faisait peur. Quel souvenir Frédéric gardait-il de sa mère, hormis quelques photos ? Des images sur lesquelles le sourire de Marianne lui donnait l'air d'une jeune fille.

— Tu n'as aimé personne d'autre, papa ? Tu n'as rencontré aucune femme qui te donne envie de recommencer ta vie ?

Son fils formulait ses questions d'une façon si laborieuse que Louis se sentit ému.

— Non, pas encore. Mais je ne t'ai rien sacrifié, Fred ! Je n'avais pas envie, c'est tout.

— Quand même... Il y a eu des, euh... des filles ?

— Bien sûr. Des filles, comme tu dis. Rien d'important.

— Et ça te fait toujours de la peine, quand tu penses à maman ?

Décidément, il voulait savoir ce qui se passait dans la tête de son père. Prudent, Louis essaya de se remémorer les discussions qu'il avait eues avec Hugues à ce sujet, et les erreurs à ne pas commettre.

— C'est quelque chose de plus... endolori que vraiment douloureux. J'ai aimé ta mère, et nous nous entendions bien. Il y a eu des moments très durs après sa disparition. Seulement, le temps estompe les choses, c'est indiscutable et c'est heureux. Si un jour je me sens amoureux, je n'aurai pas peur de te le montrer. Ça te suffit, comme réponse ?

Frédéric acquiesça en silence, sans le quitter des

yeux. Il essaya de l'imaginer serrant une femme dans ses bras. Drôle de vision, qui ne lui plaisait pas. Pourquoi ?

— Maintenant, en ce qui concerne ton prof de français, ajouta Louis, je ne sais même pas de quelle couleur sont ses yeux.

— Bleu.

— Ah bon ?

— Tu te fous de moi, papa ?

— Oui. Bleu clair.

Prenant son fils par l'épaule, il le poussa vers la maison en demandant, désinvolte :

— Qu'est-ce que tu veux manger, ce soir ?

— Des pâtes. On pourrait dîner sur la terrasse, il fait doux.

— Je te rappelle que Laura a rangé nos blousons de ski dans la naphtaline, et on va claquer des dents dès qu'il fera nuit. Les chaises de jardin sont dégueulasses, et...

— Tu fais chauffer l'eau, je m'occupe du reste !

Échappant à la main de son père, Frédéric s'élança en direction de la cuisine.

Grégoire enleva son casque avec un gros soupir de regret. Il s'était accordé une heure, pas davantage, parce qu'il devait aussi faire sa promenade habituelle, dans les jardins du Luxembourg. Pourtant, il serait bien resté là, assis devant la fenêtre de sa chambre, à écouter la musique. Les mélodies de Louis, dont il connaissait chaque rythme et chaque respiration, le faisaient voyager dans son fauteuil, lui tiraient les larmes, invariablement. Et il voulait les entendre à pleine puissance, avec les cuivres qui sonnaient et les violons qui gémissaient, avec toute la rage et la force que son fils y avait mises. D'où l'achat de ce gros casque, afin que Laura ne l'imagine pas gâteux, ni sourd.

Laura ! Gentille petite fille têtue et serviable, qui n'avait rien trouvé de mieux qu'investir l'appartement avec mari et enfants, sous prétexte de ne pas laisser son père tout seul. Qu'est-ce que la solitude avait de si redoutable ? Et, malgré tous ses discours de psychanalyste savante, posée, elle était revenue habiter chez papa, elle passait ses week-ends chez son frère, elle s'abritait dans sa famille comme un fœtus.

Non, c'était une pensée méchante. Le jour où il serait vieux pour de bon, ce ne serait pas d'Alix qu'il lui faudrait espérer du secours. D'ailleurs, dans cet immense appartement, Laura avait sa place, mari et enfants compris. Jamais Grégoire n'aurait pu continuer à payer seul le loyer, or il n'imaginait pas non plus vivre ailleurs. Donc elle l'aidait, ils s'entraidaient tous, c'était très bien comme ça. En plus, elle faisait bien la cuisine, beaucoup trop bien, ses artères finiraient complètement bouchées alors que, si on l'avait laissé tranquille, il se serait contenté d'une tranche de jambon ou d'un œuf à la coque.

Il sortit le disque du baladeur qu'il s'était offert, tout seul comme un grand, sauf qu'il en avait acheté trois, offrant les deux autres à ses petites-filles. Une manière efficace et élégante pour réduire la cacophonie qui régnait là certains jours. Mais comme disait la gardienne de l'immeuble, avec un air d'envie, ça faisait de la jeunesse autour de lui.

Abandonnant son fauteuil, il fit quelques flexions pour se dérouiller les genoux. Soixante-huit ans, aucun problème de santé hormis d'insignifiants rhumatismes... il espérait que ça durerait longtemps encore. Les enfants, on n'avait jamais fini de les élever, il se sentait de taille à leur rendre encore de nombreux services. À condition qu'on ne lui demande plus jamais de consoler un petit garçon qui pleure la mort de sa mère. Cet épisode-là, il ne l'avait pas digéré, et Frédéric était devenu son préféré sur-le-champ. Enfin, à part Louis, naturellement. Parce que Louis, c'était quand même son fils aîné, avec une ou deux minutes d'avance sur Alix, et il avait du génie, une sensibilité exacerbée que personne ne comprenait, en plus il s'était retrouvé veuf à trente ans, une véritable horreur, et il avait bien été obligé de rejeter dans la musique une partie de sa douleur.

— Nous ne sommes que jeudi, bougonna Grégoire en enfilant son imperméable.

Encore quarante-huit heures avant de se retrouver à Notre-Dame-de-la-Mer, comme chaque fin de semaine, avec sa tribu autour de lui. Et le parc qui devenait magnifique à cette saison, même si personne ne s'en occupait vraiment, mais la nature sauvage a aussi un certain charme. Toutefois, il avait été bien inspiré, trente ans plus tôt, de planter des lilas, des cerisiers et des magnolias, ça donnait de la couleur à toute cette verdure.

Il fit un crochet par la cuisine, déserte à cette heure, pour prendre un peu de pain sec à distribuer aux oiseaux du Luxembourg. Des gros oiseaux citadins, sans grâce, mais qui lui procuraient une contenance pour observer sans en avoir l'air les jolies femmes passant par là. Et, les jours où l'envie était trop forte, il savait parfaitement chez qui aller passer un moment. Qu'est-ce que tous ces petits Neuville croyaient donc ? Qu'il était vieux ? Eh bien non !

Le bar était affreusement enfumé, comme d'habitude, la trentaine de lycéens réunis là n'hésitant pas à se rouler des joints sous les yeux blasés du patron. Les « L » étaient sur le point de perdre la partie de fléchettes engagée contre les « S », et ils encourageaient bruyamment Frédéric qui représentait leur dernière chance, mais qui ne parvint pas à égaliser.

— Battus à plate couture, les mecs ! lança Romain d'un ton ironique. Faudra vous entraîner.

Ravi de la déroute infligée aux littéraires, il lâcha Élise qu'il avait tenue par la taille jusque-là et rejoignit le comptoir afin de réclamer une bière. Frédéric en profita pour s'approcher de la jeune fille, sourire aux lèvres, et lui murmurer :

— Toujours avec ce grand con ?

Sans répondre, elle accepta la cigarette qu'il lui offrait.

— Tu fais un flipper ? proposa-t-il.

Elle était dans sa classe, il la voyait tous les jours, il n'aurait pas dû la harceler en dehors des cours, mais ce n'était pas parce qu'elle lui avait préféré un autre qu'elle avait cessé de lui plaire.

— Ouais, accepta Élise en se dirigeant vers le fond de la salle.

Il la suivit et fouilla dans la poche de son jean à la recherche de monnaie.

— À toi l'honneur, dit-il en introduisant une pièce dans la fente.

Elle rejeta ses cheveux en arrière, de ce mouvement de tête précis propre à toutes les filles. Elle sentait Frédéric, juste derrière elle, beaucoup trop près, et son insistance l'amusa.

— C'est pas un jeu pour les intellos, ça ! s'exclama Romain en surgissant à côté d'eux.

Le traditionnel surnom des littéraires qui passaient leur temps à fumer en refaisant le monde au bistrot, séchant volontiers les cours d'un programme déjà très allégé, tandis que les scientifiques recalculaient leurs moyennes avec angoisse.

— Merde, soupira Élise qui venait de perdre le contrôle de la bille d'acier après un score lamentable.

— Je crois que tu déranges, dit Frédéric en se tournant vers Romain.

Depuis une certaine soirée du mois de décembre, il mourait d'envie de dire quelque chose comme ça, et il se sentit soulagé de l'avoir fait. Il ne connaissait Romain que de vue, ignorait jusqu'à son nom de famille, mais il le tenait pour son ennemi personnel. Depuis l'école primaire, aucune fille ne lui avait autant plu qu'Élise et il n'avait pas l'intention de se résigner. Romain, plus grand que lui, le regardait de haut, indécis.

— Allez, barre-toi, décida-t-il en prenant Frédéric par la manche de sa veste.

Le geste était plus provocateur qu'agressif, mais Élise intervint, inquiète.

— Arrêtez, vous êtes tarés ou quoi ?

Elle avait élevé la voix et les deux garçons devinrent aussitôt le point de mire. Frédéric se dégagea brutalement, dans un bruit de tissu déchiré.

— Oh là là... J'ai abîmé la jolie veste du petit facho..., constata Romain d'un ton ironique où ne perçait pas le moindre regret.

Pour lui, Frédéric était un fils à papa, pire, un affreux bourgeois vu la façon classique dont il s'habillait ou le scooter flambant neuf qu'il exhibait.

— Dégage ! répéta-t-il, mais sans bouger.

Élise n'avait pas la moindre idée de ce qu'elle devait faire, ni même si elle devait tenter quelque chose, aussi fut-elle stupéfaite de voir Frédéric se jeter sur Romain, l'empoigner par le col de son pull et rouler avec lui sous une table. Il y eut un échange peu élégant de coups de pied et de coups de poing avant que le patron du bar ne se décide à séparer les combattants autour desquels les lycéens faisaient cercle. Deux garçons, dont son copain Richard, se précipitèrent pour entraîner Frédéric vers la porte tandis que Romain cherchait Élise du regard. Elle semblait furieuse, ulcérée, toujours debout près du flipper, et elle se détourna ostensiblement.

Le conseiller de fiction – un titre ronflant pour un poste mal défini – avait fini par user la patience de Louis, à force d'incohérence. Jocelyne, la réalisatrice, qui assistait au rendez-vous, se sentait impuissante et exaspérée. En arrivant dans les locaux de la chaîne de télévision, une heure plus tôt, elle était pourtant très confiante. La cassette sur laquelle Louis avait enregistré les thèmes principaux était exactement ce qu'elle voulait, le fidèle reflet de tout ce qu'ils avaient mis au point ensemble après deux journées de travail autour du piano.

— C'est un peu... triste. Larmoyant, vous comprenez ? expliquait le conseiller. Ce que vous destinez au générique sera repris dans toutes les bandes-annonces, et j'ai très peur que ça décourage les gens. Aujourd'hui, ils veulent rire, se distraire, pas pleurer.

— Il se trouve qu'il ne s'agit pas d'une histoire gaie ! riposta Louis. Je ne suis pas scénariste, mais c'est ça que vous leur avez fait écrire, et je ne peux pas mettre *La Danse des canards* là-dessus !

— Ttt... Ttt..., fit l'autre en levant les yeux au ciel. Il y a de très jolis moments dans notre feuilleton, des choses primesautières, et vous... Eh bien, vous nous infligez un vrai requiem !

Jocelyne posa sa main sur le bras de Louis pour l'empêcher de se lever. Elle rembobina une partie de la cassette, enclencha le son, et ils écoutèrent tous les trois dans un silence attentif.

— Ce thème-là est très tonique, fit-elle remarquer.

— Oui, mais pour le générique, alors là, c'est presque trop mièvre.

— Si vous voulez la *Symphonie pastorale,* servez-vous, c'est dans le domaine public, il n'y a aucun droit à payer ! ironisa Louis.

Cette fois, il se mit debout, les mains enfoncées dans les poches de son jean.

— Maintenant, j'aimerais savoir avec qui je travaille, enchaîna-t-il. Avec Jocelyne ou avec vous ?

Il avait composé en fonction de ses désirs à elle, persuadé qu'elle prenait toutes les décisions pour ses films, comme dans le monde du cinéma où le réalisateur est seul maître d'œuvre, puis seul responsable.

— Ça ne se passe pas exactement comme ça à la télévision, monsieur Neuville...

Le ton de mépris du conseiller indiquait clairement qu'il tenait Louis pour un musicien trop gâté. L'enfant chéri des cinéastes allait devoir se plier aux exigences de l'Audimat, que ça lui plaise ou non.

— Pensez à ce que je vous ai dit et revoyons-nous dans... quinze jours ?

Résignée, Jocelyne prit son agenda tandis que Louis regardait ostensiblement sa montre. Quand ils sortirent du bureau, elle murmura :

— C'est un âne, ils le sont tous, mais ils doivent justifier leurs salaires... Tu comprends ? Il ne peut pas te dire que c'est bien d'entrée de jeu, sinon il ne sert plus à rien. J'aime ce que tu as fait, contente-toi de modifier trois mesures et ça ira.

Il se sentait tellement hors de lui qu'il attendit d'être dans l'ascenseur pour répondre.

— Je ne sais pas comment tu fais pour avaler des couleuvres pareilles, mais moi, c'est la dernière fois ! explosa-t-il.

— Tu crois ça ? Écoute, je peux venir seule au prochain rendez-vous, lui porter la bande que tu me donneras, mais tu ne te débarrasseras pas de ce type comme ça. Il sera là dans le studio d'enregistrement, au mixage, et jusqu'à la dernière minute il continuera de donner des avis contradictoires d'un air pénétré.

Elle riait et il se calma, se demandant s'il avait un quelconque avenir dans l'audiovisuel. Devant l'immeuble de la chaîne, il serra la main de Jocelyne puis se dirigea vers sa voiture. Une contravention l'attendait, coincée sous l'essuie-glace : il la jeta dans le caniveau sans même la regarder. Il fallait qu'il regagne le quartier de Saint-Lazare au plus vite, jamais il n'aurait dû donner un rendez-vous aussi tôt, aussi précis, aussi stupide en fait. Arriver en retard, pour un premier déjeuner, était vraiment de mauvais goût. Mais aussi, quelle idée aberrante d'avoir invité cette femme ! Ah, bien sûr, à Paris c'était plus simple, et surtout plus anonyme, ils étaient certains de ne rencontrer personne, en tout cas pas ses collègues à elle, ni leurs fils respectifs. Tout de même, quel curieux hasard que cette rencontre de l'avant-veille dans un supermarché où ils s'étaient retrouvés devant les caisses, aussi moroses l'un que l'autre, et très surpris de soudain se reconnaître. Alors, quand elle avait dit – innocemment ? – qu'elle devait passer la matinée de mercredi dans les grands magasins, il avait sauté sur l'occasion, « mangeons un morceau ensemble et puis, si vous voulez, je vous ramènerai, c'est plus agréable que le train, surtout avec des tas de paquets ». Un jeu d'enfant, elle n'attendait que ça, il l'avait compris et rendit hommage à la perspicacité de Frédéric.

L'Alfa se faufilait dans la circulation tandis que Louis continuait de réfléchir à sa stupidité, à la façon naïve, vaniteuse dont il avait relevé le défi lancé par son fils. Séduire France Capelan ne tenait pas de l'exploit, loin de là, elle n'était ni très belle, ni très jeune, ni très exigeante, sans doute.

Rue de la Pépinière, il trouva une place autorisée qui allait lui permettre de n'avoir qu'une demi-heure de retard. Elle serait forcément arrivée avant lui et il espéra qu'elle avait choisi la salle fumeurs. Il fut soulagé de l'y découvrir, tout au fond, en train de siroter un kir, un magazine ouvert sur les genoux.

— Je suis absolument confus, dit-il en s'arrêtant devant sa table.

Dès qu'elle leva les yeux vers lui, il comprit qu'elle était en colère. D'avoir patienté, seule, sous le regard du maître d'hôtel, d'avoir eu peur de s'être fait piéger, ou ridiculiser, et d'être heureuse malgré tout qu'il soit venu quand même. Nerveux, il s'assit en face d'elle, sortit son paquet de cigarettes. Elle n'avait toujours pas prononcé un mot, il se demanda ce qu'il allait bien pouvoir trouver pour la dérider.

— Vous devez connaître le menu par cœur, on peut commander tout de suite, si vous voulez...

Plus vite ce serait fini, mieux ce serait, ce déjeuner allait être un vrai pensum. En croisant les jambes, il heurta quelque chose et jeta un coup d'œil sous la table. Au moins, elle n'avait pas perdu sa matinée, une bonne demi-douzaine de sacs étaient entassés là. Il fit signe à un garçon, la laissa parler et prit la même chose qu'elle.

— Que désirez-vous boire ? Un peu de vin ? s'enquit-il d'un ton poli.

— Pourquoi un peu ? C'est vous qui conduisez !

Elle était très différente quand elle souriait, plus séduisante et plus fragile. Il l'observa franchement sans qu'elle cherche à se dérober.

— Vraiment désolé pour ce retard. Vous préférez du blanc ou du rouge ?

— Un rouge léger, frais, j'aimerais beaucoup.

Après avoir choisi un chiroubles, il se détendit et lui proposa une cigarette, qu'elle refusa. Avec son accord, il alluma la sienne, attira le cendrier vers lui.

— Alors, ces courses, c'était bien ?

— Fatigant ! Et vous, vos rendez-vous ?

— Très long, très décevant. Ça devient un métier impossible. Les gens de télé sont compliqués, je ne veux plus travailler pour eux.

— Vous pouvez travailler pour qui vous voulez, non ?

— Eh bien... Je ne sais pas. Mon agent prétend le contraire. Mais, comme c'est aussi ma sœur, je pense qu'elle est très partiale.

— Vous n'avez qu'une sœur ?

— Deux. Celle-là, c'est ma jumelle. Et vous ?

— Fille unique.

— Et ça ne vous a pas donné envie de fonder une grande famille ?

— Romain me suffit.

Il eut brusquement envie de lui poser une foule de questions qu'il retint de justesse, surpris de sa propre curiosité. Elle semblait encore un peu mal à l'aise, mais pas mécontente d'être là.

— Je peux vous appeler par votre prénom ? s'entendit-il demander d'une voix douce.

Une imperceptible rougeur et le regard bleu qui se troublait le renseignèrent sans ambiguïté. C'était une victoire un peu injuste puisqu'il savait exactement où il allait alors qu'elle en était réduite aux hypothèses. Compatissant, il la ramena en terrain plus sûr dès qu'il la questionna sur Frédéric et ses éventuels progrès.

— Il fait son possible, et moi aussi ! J'espère que ce sera suffisant, mais je ne suis pas en mesure de vous le garantir. C'est un garçon très intelligent, il ne lui manque qu'un peu de volonté. Étiez-vous paresseux à son âge ?

— Pas du tout. Je pouvais rester scotché à mon piano six heures par jour, j'avais vraiment la foi ! Personne ne m'y a forcé, chez moi ils n'étaient pas du genre à encourager le petit prodige.

— Des parents sévères ?

— Oh, pas du tout ! Complètement... marginaux. Libéralisme, fantaisie, confiance, ils ne suivaient aucune règle. Je me sens très conventionnel à côté d'eux.

Et aussi très bavard, pour quelqu'un d'aussi sauvage que lui. Ils continuèrent de parler à bâtons rompus jusqu'à ce que, incrédule, il découvre les tasses de café qu'on venait de déposer devant eux. Le déjeuner était déjà fini ?

— Bon, on va rentrer, décida-t-il avec une nuance de regret.

Quand elle se leva, il remarqua qu'elle n'était pas très grande, plutôt menue, qu'elle avait de belles jambes, et que d'après son teint c'était sans aucun doute une vraie blonde. D'autorité, il ramassa les paquets et la suivit vers la sortie.

— Merci de me ramener... et de m'avoir invitée ! dit-elle en relevant le col de son imperméable.

Un petit vent frais soulevait des papiers sales sur le trottoir, et quelques gouttes de pluie commençaient à tomber. Elle marchait vite pour se mainteir à sa hauteur, évitant de le regarder. Il lui ouvrit a portière, attendit qu'elle soit installée, puis jeta es sacs dans le coffre avant de la rejoindre. De nouveau, elle semblait tendue, inquiète. Au lieu de démarrer, il se tourna vers elle.

— J'ai passé un moment très agréable. On pourra recommencer, si vous voulez ?

C'était beaucoup plus simple de l'avouer maintenant, après tout ils n'étaient pas plus innocents l'un que l'autre, et elle ne lui déplaisait vraiment pas.

— Oui, souffla-t-elle de façon à peine audible.

Elle aurait aimé avoir son assurance, même si elle e trouvait trop désinvolte. Mais, surtout, elle aurait préféré qu'il se taise, ou alors qu'il l'embrasse sans ui demander son avis, elle en mourait d'envie. Il mit le contact, s'engagea dans le flot des voitures andis qu'elle regardait obstinément devant elle, très déçue qu'il n'ait rien tenté. Qu'avait-elle donc imaginé pour ce premier tête-à-tête ? Depuis leur rencontre au supermarché, elle était sur un nuage, projetant tous les scénarios possibles, jusqu'au plus omantique. Ridicule et improbable. C'était déjà nouï d'être assise là, de constater qu'il y aurait peut-être une suite. Tout à l'heure, quand elle patientait seule, les yeux rivés sur sa montre, elle avait eu peur qu'il se soit moqué d'elle ou qu'il l'ait oubliée. Alors que voulait-elle de plus que ce qu'il venait de déclarer ?

La main de Louis effleura son genou et elle sursauta, électrisée.

— Mettez votre ceinture, il y a des flics...

Ils émergeaient du tunnel de Saint-Cloud et elle e demanda si elle n'avait pas somnolé. Le chiboubles, peut-être. Sans quitter l'autoroute des yeux, Louis eut un de ces irrésistibles sourires de gamin.

— Excusez-moi, c'était trop tentant !

— Quoi ?

— Eh bien... ça.

D'un geste machinal, elle tira sur sa jupe. Comme elle penchait la tête, gênée, il jeta un regard attendri aux petites mèches blondes qui bouclaient sur sa nuque. Le silence retomba entre eux tandis qu'elle cherchait désespérément quelque chose à dire. Elle s'était juré de le subjuguer et elle se comportait comme une vierge effarouchée, un comble ! Oui, mais elle ne pouvait pas lui avouer non plus que, si c'était elle qui avait tenu le volant, elle se serait arrêtée sur la première aire de repos venue pour se jeter dans ses bras. Parce qu'elle ne pensait à rien d'autre, même si elle s'obstinait à contempler le paysage d'un air détaché – un air idiot, elle en était consciente mais n'y pouvait rien. À combien d'hommes avait-elle voulu plaire, depuis sa séparation d'avec Antoine ? Deux, trois ? Sans conviction, et sans résultat. Beau tableau de chasse !

— Où dois-je vous déposer ?

— J'ai laissé ma voiture à la gare.

Autant qu'il ne voie pas l'immeuble où elle habitait, qui n'avait rien de réjouissant. Quand il pénétra sur le parking, elle connut quelques secondes d'affolement car leur manière de prendre congé allait évidemment déterminer leur prochaine rencontre. Elle lui désigna sa petite Renault noire, et il vint se ranger à côté.

— Une invitation à dîner, ça vous paraîtrait excessif ? demanda-t-il après avoir transbordé les paquets d'un véhicule à l'autre.

— Minimal, répondit-elle du tac au tac.

Interloqué, il mit deux secondes à réagir et elle était déjà en train d'ouvrir sa portière quand il lui proposa le vendredi soir.

4

Romain remit soigneusement sa guitare dans la housse, très fier de la façon dont ils venaient de jouer, Richard, Damien et lui. La cave était pleine de fumée, Élise ayant allumé ses cigarettes l'une après l'autre, ainsi que l'attestaient les mégots à ses pieds, mais au moins elle était restée jusqu'au bout.

Comme Richard ne bougeait pas, toujours assis derrière la batterie qu'il fixait d'un air extasié, Romain lui lança :

— Ton solo était super, ne change plus rien !

Du coin de l'œil, il guettait la réaction d'Élise qui conservait une moue boudeuse. Elle aurait préféré aller rejoindre les copains de la bande à L'Estaminet, le seul bar de la ville où les jeunes se plaisaient après dix heures du soir, et elle n'était venue à la répétition qu'à contrecœur. D'habitude, elle appréciait leur musique, néanmoins elle n'avait pas digéré le rodéo de la semaine précédente, ce qui avait obligé Romain à s'excuser dix fois, à jurer qu'il ne se comporterait plus jamais de cette façon. D'ailleurs, elle avait raison, elle n'était pas sa propriété et avait bien le droit de faire un flipper avec qui elle voulait sans qu'il se mette à rouler des mécaniques comme un imbécile. Il avait dit oui à tout même si, au fond de lui-même, il ne regrettait pas une seconde d'avoir mis les choses au point avec Frédéric Neuville. Il y avait trop longtemps que ce garçon tournait autour d'Élise, et après tout il n'était rien arrivé de grave, personne ne s'était blessé. Richard non plus n'avait pas apprécié, et il avait bien failli quitter le groupe. Là encore, Romain avait dépensé des trésors de diplomatie. D'après Richard, Frédéric était cool, sympa, pas du tout fils à papa, ce qui restait à prouver.

Damien était déjà en train de débrancher le synthé et de replier les fils électriques. Ses parents n'acceptaient de prêter leur cave qu'à condition de la trouver rangée, mais ils pouvaient y faire tout le bruit qu'ils voulaient, personne ne les entendait.

— Faudrait qu'on dégotte un endroit pour jouer en public, je crois que c'est le moment, on est prêts, déclara Damien.

— Quelqu'un a une idée ? interrogea Romain sans conviction.

Se produire était évidemment le rêve de n'importe quelle formation d'amateurs, seulement ils ne savaient pas comment faire pour y parvenir. Et aucun des trois n'avait l'argent nécessaire à la location d'une salle.

— Bon, on se tire ? lança Élise d'un ton agacé.

S'ils retombaient dans leur discussion favorite, ils allaient y passer un temps fou, et elle n'avait qu'une envie, quitter cette cave pour respirer un peu d'air frais. Elle sentit Romain, derrière elle, qui embrassait ses cheveux. Flirter avec lui était agréable, toutefois elle n'était pas certaine de vouloir aller plus loin. Si elle s'affichait comme sa petite amie en titre, les autres garçons ne chercheraient plus à la draguer, or elle adorait ça, qu'on l'entoure, qu'on la regarde, qu'on la flatte. Tandis que rester assise dans un coin, en attendant que Romain en ait fini avec sa guitare, c'était un rôle qui ne la branchait pas du tout, même s'il était génial quand il se déchaînait, même si leur musique était vraiment bonne.

— Comment t'as trouvé ? demanda-t-il, avec une désinvolture qui sonnait faux.

— Vous devriez jouer ailleurs que dans ce trou à rats, vous feriez un malheur, laissa-t-elle tomber.

Il lui posa son blouson sur les épaules, d'un geste

protecteur qu'elle jugea attendrissant. N'importe quelle fille du lycée aurait aimé être à sa place. Avec ses cheveux blonds qu'il portait trop longs, son vieux Solex déglingué, ses yeux rieurs et son mètre quatre-vingts, Romain les faisait toutes craquer. En plus il était gentil, évolué – qu'est-ce qu'elle voulait de plus ? Être amoureuse ? Peut-être qu'elle l'était, comment savoir ?

Elle le prit par la taille pour l'entraîner vers la porte. Sa montre indiquait à peine onze heures et elle avait la permission de minuit, ils avaient le temps de rejoindre la bande pour finir gaiement la soirée.

Dans le réfrigérateur, Louis prit une bouteille de pouilly, du camembert et du beurre, qu'il rajouta sur le plateau où il avait déjà posé des fruits, un saucisson, du pain et des couverts. Jouer à la dînette, il n'avait plus fait ça depuis l'époque de Marianne. Et encore, aux débuts de leur mariage ! Quoi qu'il en soit, ce n'était pas comparable.

Quittant la cuisine, il emprunta l'escalier central pour aller plus vite. Il avait mal partout, il était exténué, cependant le plus inattendu était la sensation d'euphorie, assortie d'un certain embarras, qui l'avait envahi. Il finirait sûrement par en rire mais, s'il avait cru avoir séduit une petite blonde désarmée, il avait dû réviser son jugement. Contrairement aux apparences, France était une femme beaucoup plus sulfureuse que toutes celles qu'il avait connues jusque-là ! De plus, elle l'était avec un naturel désarmant, ni intimidée, ni complexée, d'une merveilleuse sensualité.

— Pas la peine de te demander si tu as une invitée ? chuchota la voix de Frédéric dans la pénombre.

Le jeune homme s'avança sur le palier, alluma les veilleuses du couloir, jeta un coup d'œil amusé au plateau, puis détailla son père qui murmurait, gêné :

— Va te coucher, il est quatre heures.

— Oh, rassure-toi, je n'exige pas de partager le pique-nique ! Dis donc, tu as une de ces têtes, mon petit papa... c'est génial ! Allez, bonne nuit, je suis très content pour toi !

Louis s'éloigna, souriant malgré lui, mais tout de même un peu inquiet à l'idée que son fils ait pu deviner qu'il venait de passer une nuit blanche avec le gentil petit professeur de français. Une nuit de sabbat, en fait.

Il la trouva assise sur les oreillers, drapée dans une serviette-éponge qui ne dissimulait pas grand-chose.

— Je meurs de faim ! s'écria-t-elle gaiement.

Son regard clair n'exprimait rien d'autre que la quiétude alors que lui se sentait plutôt désemparé. Il posa le plateau devant elle, s'assit au bord du lit. Pour se donner une contenance, il coupa un morceau de pain qu'il se mit à beurrer avant de le lui tendre. Lorsqu'elle se redressa, la serviette-éponge glissa sans qu'elle fasse rien pour la retenir, et il ne résista pas à l'envie de poser sa main sur sa cuisse pendant qu'elle leur servait à boire.

— Tu travailles, ce matin ? demanda-t-il en l'attirant contre lui.

— J'ai deux heures de cours et, souviens-toi, je reçois parfois des parents d'élèves le samedi matin... Est-ce que tu pourras me ramener assez tôt chez moi ?

Un peu déçu, et étonné de l'être, il acquiesça. Elle était superbe, nue à contre-jour dans la lumière douce de la lampe de chevet, et elle sentait bon. Il constata qu'il était moins épuisé qu'il ne l'avait cru, qu'il avait encore envie d'elle, pourtant il se contenta de la regarder manger un moment avant de se décider à l'imiter. Toute la nuit, à partir du moment où elle était entrée dans sa chambre, elle n'avait pas cessé de le surprendre. Elle s'était montrée tendre, intuitive, mais aussi exigeante, impudique, forçant ses défenses comme si elle le devinait très bien, comme s'ils étaient des partenaires accomplis alors qu'ils venaient juste de faire connaissance. Il ne s'était dérobé à rien, par orgueil et surtout par plaisir, juste un peu anxieux de ne pas être à la hauteur.

Rassasiée, elle se rallongea avec un soupir de satisfaction, puis se tourna sur le côté afin de l'observer tandis qu'il débarrassait le plateau. Son peignoir s'était ouvert et elle tendit la main vers lui, acheva posément de dénouer la ceinture, le faisant frissonner.

— Tu as froid ? demanda-t-elle d'une voix basse, un peu voilée par la fatigue.

Elle voyait très bien ce qu'elle était en train de provoquer et elle eut un sourire énigmatique, retira sa main. Il laissa glisser le peignoir au sol, puis s'étendit à son tour et remonta la couette sur eux.

— Dormir une heure, ça te tente ? murmura-t-il.

— Douze heures !

— Impossible.

Il passa son bras au-dessus d'elle, régla le réveil et éteignit la lampe. Si tout allait bien, il aurait le temps de la reconduire chez elle et de revenir avec des croissants pour Frédéric. Quand il la sentit se blottir contre lui, il éprouva un brusque élan de tendresse mais préféra rester immobile parce qu'elle était tout ce qu'on voulait sauf une petite femme fragile, et n'avait aucun besoin d'être protégée. Il était persuadé d'être le plus troublé des deux, donc le plus en danger.

— Louis, dit-elle tout doucement, d'une voix ensommeillée. Louis ? C'était très, très...

Le mot était difficile à trouver, maintenant qu'ils avaient récupéré leur calme, et pour se venger il la laissa un peu chercher avant de répondre :

— Oui, très.

Alix conduisait trop vite et Tom se sentait de plus en plus crispé. S'il avait une absolue confiance dans ses réflexes, il n'aimait pas voir défiler le paysage à cette allure-là. Ni qu'elle se défoule sur sa boîte de vitesses. Mais, quand ils voyageaient ensemble, c'était forcément elle qui tenait le volant car elle refusait toujours de s'asseoir sur le siège passager. Sauf avec Louis, bien entendu.

La soirée de la veille avait été désastreuse. Venue avec un groupe de comédiens, Alix avait bu beaucoup de champagne et elle avait passé des heures à danser, sans s'intéresser à Tom un seul instant en dehors du petit bisou qu'elle lui avait accordé en arrivant. De son côté, il avait été très occupé, comme tous les samedis soir, mais pas au point d'oublier qu'elle était là. Il était même venu offrir une bouteille supplémentaire à ses invités, un geste dont personne n'avait songé à le remercier parmi la bande d'acteurs passablement ivres qui se croyaient tout permis. Quand les couples s'étaient faits plus rares sur la piste, en fin de nuit, et que le disc-jockey avait entamé sa série de slows, il était allé la chercher sur la banquette où elle était effondrée. Mais elle avait refusé de le suivre, prétextant la fatigue et préférant rester appuyée sur l'épaule d'un jeune premier au physique ravageur qui devait être le nouveau poulain de son agence. Agacé, il avait terminé la soirée derrière le bar, à discuter avec deux filles ravissantes dont il ne connaissait même pas les prénoms, ce qui lui avait valu un regard meurtrier d'Alix lorsqu'elle était partie, sans même le saluer.

— Tu ne m'as pas dit bonsoir, hier, lâcha-t-il brusquement.

Il aurait mieux fait d'éviter le sujet, seulement il préférait vider l'abcès avant d'arriver chez Louis, pour essayer de passer au moins un bon dimanche.

— Tu étais occupé, et d'ailleurs j'étais crevée. Je ne tiens plus le coup, après deux ou trois heures du matin.

— Juste bonsoir, répéta-t-il.

S'il acceptait, même une seule fois, ce genre d'attitude, ils n'auraient bientôt plus aucune raison d'être ensemble.

— Non ! Pas quand tu fais ton numéro de vieux séducteur à des gamines !

— Ah bon, quand même ! Jalouse ? Ça fait plaisir... Je finis par croire que tu ne me vois pas plus que le portier ou le barman quand tu viens chez moi.

La manière dont elle avait prononcé ce mot de « gamines » ! Telle qu'il la connaissait, ce n'était pas tant leur jeunesse qu'elle enviait à ces filles, plutôt leurs silhouettes de sylphides qui leur permettaient de porter n'importe quoi. Alix adorait la mode et rageait de ne pas pouvoir la suivre à cause de ses formes généreuses, tandis que Tom priait pour qu'elle ne fasse jamais de régime trop sérieux. Il baissa les yeux sur le jean de velours qui la moulait et eut une brusque envie d'elle. Un désir qu'il n'éprouverait jamais devant des nymphettes, il n'avait pas ces goûts-là.

Ils n'étaient presque pas en retard lorsqu'ils franchirent le portail, un véritable exploit vu l'heure à laquelle ils avaient quitté Paris. La première chose que remarqua Alix fut une voiture inconnue derrière laquelle elle vint se ranger, intriguée. Les invités étaient rares, lors des déjeuners dominicaux, et la plaque d'immatriculation lui prouva qu'il ne s'agissait pas d'un producteur ou d'un réalisateur débarqué de Paris par surprise pour un travail urgent.

Dès qu'elle mit un pied dans la cuisine, docilement suivie par Tom, Laura leur lança, d'un air mystérieux et ravi :

— Louis a décidé de nous présenter quelqu'un, alors je mets les petits plats dans les grands !

— Quelqu'un ? s'insurgea Alix. Quelqu'un qui est où, en ce moment ?

— Au salon, en train de charmer papa.

Grégoire rêvait de voir Louis se recaser, c'était notoire dans la famille.

— Et à quoi *ça* ressemble ? ironisa Alix.

— Petite, jolie, bien élevée. Blonde.

— Une indigène ?

— Oui.

— C'est gai !

— Attends, ce n'est pas la fermière du coin, c'est un professeur de français.

— Enseignante ? Seigneur ! J'espère qu'on n'aura pas droit au laïus sur la violence au lycée...

Tom observait Alix sans indulgence. Une fois de plus, elle allait mener la vie dure à son frère. C'était toujours pareil, dès qu'une femme approchait Louis, elle sortait ses griffes, devenait odieuse.

— Moi, j'ai hâte de la connaître ! s'écria-t-il d'un ton réjoui.

Et il s'éclipsa aussitôt, laissant les deux sœurs face à face.

— Ne sois pas désagréable avec elle, commença Laura. Tu verras, Louis a l'air tout guilleret, ça fait plaisir à voir.

— Oh, lui ! Il est d'une telle candeur... N'importe qui pourrait lui mettre le grappin dessus, c'est la proie idéale !

— J'en suis moins sûre que toi, fous-lui la paix.

Vexée, Alix leva les yeux au ciel.

— Dis-toi bien que si une femme lui passe un jour la corde au cou, elle n'aura qu'une idée en tête, se débarrasser de la famille ! Parce qu'on est encombrants, il faut le reconnaître !

— Tu es folle ou quoi ? Marianne n'était pas comme ça, souviens-toi...

— Cette sainte-nitouche !

— Alix !

— Eh bien, quoi ? Parce qu'elle est morte, il faudrait la déifier ?

— Tu es d'une injustice...

— Mais non ! Réaliste, c'est tout. J'adore mon frère, je ne veux pas qu'il se retrouve à la botte de n'importe quelle opportuniste. D'autant plus qu'il est très fragile, je le sais mieux que toi, tu ne peux pas comprendre.

Laura remua les tranches d'oignons émincés dans la poêle puis se retourna vers sa sœur.

— Je comprends infiniment plus de choses que tu ne l'imagines. Et je peux t'affirmer qu'il faut, pour ton bien, que tu lâches un peu Louis.

Elle avait choisi ses mots avec soin, évitant son habituel langage de psychologue qu'Alix ne supportait pas. Surtout s'il était question de son jumeau et du problème d'identification possessive qui la liait à lui. Lorsqu'elle avait ouvert son agence, onze ans plus tôt, elle avait annoncé de façon triomphale que Louis était d'accord pour signer avec elle un contrat d'exclusivité. Ce dernier mot avait beaucoup fait rire Laura.

— Bon, j'y vais, se résigna Alix. Je peux porter quelque chose là-bas ?

— Prends les mini-quiches, dans le four.

La cuisine était pleine d'odeurs merveilleuses, le déjeuner serait sûrement une réussite, au moins sur le plan de la gastronomie. Alix s'empara du plat pour gagner le salon où elle fut accueillie par un joyeux brouhaha.

— Ah, te voilà ! s'écria Louis sans bouger de l'accoudoir du canapé où il était installé.

À côté de lui, Alix découvrit une jeune femme qu'elle dévisagea froidement. Confiant les quiches à Tom, elle se dirigea vers son frère dont elle ébouriffa les cheveux d'un geste familier.

— Je te présente France, dit-il en reculant la tête.

— Enchantée ! Ils vous ont donné à boire, au moins ? Tenez, faites-moi une petite place, merci. Est-ce que quelqu'un me verserait un Martini ?

Très à l'aise, elle avait réussi à s'immiscer entre eux deux, et, du coin de l'œil, elle enregistra avec satisfaction le sourire crispé de la jeune femme blonde. Grégoire vint lui porter son verre dans lequel il avait mis délibérément trop de glaçons.

— Papa, tu l'as noyé ! reprocha-t-elle. Alors, France, je peux vous appeler France ? Moi, c'est Alix. Pas trop dépaysée ?

La question était assez énigmatique pour que France n'y trouve pas de réponse.

— Les Neuville sont des gens très bruyants, très bohème, mais je suis sûre que vous ne vous laisserez pas impressionner, ce doit être pire dans les salles de classe, non ?

— Non, dit doucement France. J'obtiens toujours un silence... relatif, pendant mes cours.

Prête à rendre toute son antipathie à Alix, elle se tenait sur la défensive. Louis avait beaucoup insisté pour qu'elle vienne partager leur déjeuner, mais il avait également eu l'honnêteté de la prévenir que sa jumelle n'était pas toujours commode. Sans le lui avouer, elle était décidée à supporter bien davantage, tout émue de son invitation. Jamais elle n'aurait pu croire que les choses soient si simples avec lui. Il était d'une gentillesse bouleversante et elle se sentait complètement dépassée par les événements.

— Vous enseignez le français, le latin et le grec ? enchaîna Alix.

— Le français seulement.

— Agrégée ?

— Oui.

Louis en profita pour mettre le plat de quiches sous le nez d'Alix.

— Prends-en une, suggéra-t-il, elles refroidissent.

Par-dessus la tête de sa sœur, il croisa le regard de France, esquissa une mimique d'excuse.

— Salut tout le monde ! lança Frédéric en entrant dans le salon.

Poliment, il vint serrer la main de France, sans manifester la moindre surprise. Le mot laconique mais précis que son père avait déposé sur sa table de nuit, pendant qu'il dormait encore, l'avait averti de ce qui l'attendait. D'ailleurs, la situation lui paraissait amusante. Moins qu'au début, mais comique quand même.

— On passe à table ! cria Laura depuis le hall.

— Tu t'es offert une sacrée grasse matinée, murmura Louis à son fils.

— C'était la nuit du film d'horreur, sur une chaîne du câble. Génial ! Pourquoi tu ne fais jamais ce genre de truc ? Il y a des musiques à vous faire dresser les cheveux droit sur la tête, même s'il ne se passe rien à l'image.

— Ah, ça ne me tente vraiment pas..., répondit Louis d'un air écœuré. Et ne mets pas ça dans la tête d'Alix, par pitié !

Tout en continuant à bavarder, ils gagnèrent la salle à manger où Laura s'impatientait.

— Viens t'asseoir ici, dit Louis qui avait pris France par la main.

Le geste spontané et le tutoiement incongru furent désagréables à Frédéric. Il allait avoir un peu de mal, désormais, à voir Mme Capelan de la même manière. Quelle attitude allait-elle adopter vis-à-vis de lui au lycée, ou pendant ses cours particuliers ? Il l'examina discrètement et constata qu'elle s'était habillée de manière décontractée, très différente de son style habituel. Avec son tee-shirt blanc, son jean et ses mocassins, elle paraissait plus jeune. En tout cas séduisante. Son père avait l'air d'apprécier, et Frédéric se demanda s'il avait eu raison d'attirer son attention sur elle. Il l'avait fait pour plaisanter, plutôt pour la ridiculiser elle que pour les voir tomber dans les bras l'un de l'autre à cette vitesse-là.

Les soufflés d'écrevisses de Laura étaient tellement bons que la conversation s'interrompit durant quelques minutes. Puis Alix retrouva la parole, volubile et autoritaire, comme à son habitude, et soumit France à un feu roulant de questions. Louis se gardait bien d'intervenir, ni inquiet ni protecteur, beaucoup plus intéressé que sa sœur par les réponses.

— Ah bon ? s'écriait Alix. Vous avez un grand fils de seize ans ? Et qu'est-ce qu'il fait ?

— Il est en première au lycée, comme Frédéric.

— Alors, c'est votre élève ?

— Non, je ne le souhaitais pas et le proviseur ne m'a pas donné cette classe-là. De toute façon, je préfère les littéraires. Romain a choisi une orientation scientifique, il est bon en maths.

De l'autre côté de la table, Frédéric devint soudain attentif à ce que disait France, mais il connaissait au moins quatre garçons qui portaient le prénom de Romain.

— Il ne joue pas de la guitare, par hasard ? demanda-t-il d'une voix neutre.

— Si, il est passionné !

— Et il a un Solex, et les cheveux à peu près là ? Je vois qui c'est...

La coïncidence le stupéfiait, il n'avait jamais fait le rapprochement entre cet abruti et Mme Capelan.

— Amène-le avec toi la prochaine fois, dit Louis à France, je serai content de le connaître, surtout s'il a envie de parler musique. Les jeunes sont très inventifs quand ils aiment ça, c'est intéressant pour moi de les écouter.

C'était dit gentiment, sans intention particulière, pourtant Frédéric se sentit furieux. Si son père voulait un avis quelconque, il n'avait qu'à l'interroger, lui ! Bien sûr, il n'avait pas la prétention d'être brillant derrière un clavier, après tout il avait envoyé promener son professeur de solfège depuis longtemps, mais enfin il ne se débrouillait pas trop mal quand même, et il était hors de question que Romain mette les pieds à Notre-Dame-de-la-Mer.

Désemparé, il se tourna vers Laura qui était justement en train de l'observer avec curiosité.

— C'est quoi, ton problème ? chuchota-t-elle.

Il secoua la tête sans répondre, incapable de s'expliquer. Il faudrait qu'il en parle à son père dans la semaine. Qu'il lui raconte l'histoire d'Élise et du flipper, un incident qu'il avait passé sous silence, sachant très bien à quel genre de sermon il aurait eu droit. Louis détestait l'agressivité et la violence, il affirmait que quand on avait besoin de se défouler il suffisait de deux heures de sport ; toutefois, en cas de bagarre inévitable, il ne concevait même pas qu'on puisse perdre. C'était l'un de ses traits de caractère qui avait toujours fasciné Frédéric. Son père ne ressemblait en rien à l'image conventionnelle du doux pianiste, du compositeur éthéré, il suffisait de cinq minutes de passe d'armes avec lui pour le comprendre.

— Vraiment ? insistait Alix d'un air amusé. Vous renoncez à votre balade traditionnelle ?

— Il pleut, lui fit remarquer Tom.

— Je vais allumer un grand feu dans la cheminée du salon, proposa Grégoire, on prendra le café là-bas.

Ils s'étaient tous levés pour débarrasser, et France suivit les filles de Laura vers la cuisine.

— Elle est très gentille, déclara Hugues en adressant un clin d'œil à Louis.

— Et très jolie ! renchérit Grégoire. Je trouve que vous allez bien ensemble, mon grand.

— Papa...

— Si, si ! Alors, fais-moi plaisir, ne prête aucune attention à tout ce que pourra te raconter Alix, elle a une langue de vipère !

Les jumeaux, comme Laura, étaient sans mystère pour lui, et il fit un grand sourire à Tom qui l'avait écouté sans broncher. Celui-là, il aurait bien aimé l'avoir pour gendre, mais Alix était trop maligne, elle ne s'encombrerait pas d'un homme qu'elle ne pourrait pas mener par le bout du nez.

— Bon, la flambée..., marmonna Grégoire en quittant la salle à manger.

C'était son privilège, que personne ne songeait à lui disputer, et Louis veillait seulement à ce qu'il y ait toujours une provision de bûches et de petit bois près de la cheminée. À la suite de son père, il gagna le salon juste à temps pour aider ses nièces, qui portaient à deux un plateau lourdement chargé de tasses.

— Vous allez tout casser, mes anges ! Vous ne voulez pas plutôt regarder la télé ? Fred a enregistré quelque chose pour vous, cette semaine... Hugues, j'ai ta permission ?

Il prit Sabine d'une main, Tiphaine de l'autre, et les accompagna dans la pièce voisine, un ancien boudoir transformé en salle de télévision depuis des lustres. Après avoir fouillé un moment parmi les cassettes vidéo que personne ne rangeait jamais, il enclencha le magnétoscope et confia la télécommande à Sabine qui était l'aînée. Quand il rejoignit les autres au salon, France était assise près de Tom avec qui elle discutait, et il s'arrêta sur le seuil pour l'observer quelques instants. Est-ce qu'il n'avait pas précipité les choses en la présentant à toute la famille ? Il la connaissait depuis très peu de temps, il ne savait pas de quelle façon son attirance allait évoluer. Bien sûr, elle avait résisté au test du petit déjeuner, il n'avait pas eu l'idée de la ramener chez elle en pleine nuit, il ne s'était réveillé ni déçu, ni agacé, mais plutôt attendri. Et, bien sûr, il mourait d'envie de refaire l'amour avec elle... ça, c'était inévitable, elle avait fait tout ce qu'il fallait pour qu'il soit pressé de recommencer. Seulement il n'y avait pas que le désir, sinon pourquoi avoir tant insisté pour qu'elle vienne aujourd'hui ? Or il était très content qu'elle soit là, qu'elle bavarde avec Tom, et il était prêt à parier qu'elle se mettrait à sourire dès qu'elle croiserait son regard.

— Viens deux minutes avec moi, je veux que tu me joues la dernière version du feuilleton, il paraît que c'est génial mais je n'ai jamais eu la bande ! En tout cas, Jocelyne est ravie, même si elle a eu peur que tu ne claques la porte avant la fin, elle m'appelait trois fois par jour et j'ai dû lui jurer que tu n'avais jamais cassé un contrat de ta vie...

— Il s'en est fallu de peu, ne fais pas de serment

que je ne peux pas tenir, dit-il en se dégageant de l'emprise d'Alix qui l'avait saisi par le bras.

— Allez, viens, insista-t-elle, ton égérie t'attendra, Tom s'en occupe.

— Mais non, pas du tout ! riposta Tom de l'autre bout du salon. On vous accompagne, on veut profiter du récital, il n'y a rien de mieux que le piano pour oublier les dimanches pluvieux !

Exaspéré parce que Alix avait parlé trop fort, se souciant peu que France puisse l'entendre, Tom avait trouvé tout naturellement la parade. Il ignora le coup d'œil furieux qu'elle lui lançait et se leva.

— Vous ne l'avez jamais entendu jouer ? demanda-t-il à France.

Louis semblait statufié, comme s'il venait de recevoir un seau d'eau froide. S'il y avait bien une chose qu'il détestait, depuis qu'il était petit, c'était qu'on lui demande de se mettre au piano pour distraire les invités. France devina sa réticence et vola aussitôt à son secours.

— Il est tard, dit-elle doucement, mon fils doit m'attendre, mais je serai ravie de t'écouter un autre jour...

Le regard reconnaissant et complice de Louis fit frémir Alix.

— Mais non, il n'est pas tard ! s'écria Grégoire. C'est ce temps pourri qui vous fait croire ça... D'ailleurs, pourquoi ne pas dîner avec nous ? Il y a des montagnes de restes ! Vous pourriez dire à votre fils de nous rejoindre ?

L'hospitalité de Grégoire n'était plus à prouver. Qu'il soit chez lui ou pas ne changeait rien à son plaisir d'être entouré. Indécise, France guettait la réaction de Louis, qui acquiesça d'un signe de tête.

— Tu veux l'appeler ? demanda-t-il. Il y a un téléphone tranquille par là...

La prenant par le bras, il l'entraîna hors du salon.

— Tu dois les trouver un peu saoulants, non ? Si ça t'ennuie de rester ou si ton fils a mieux à faire, ne te sens pas obligée...

Il l'avait conduite jusqu'à la petite bibliothèque, au bout de la maison, une pièce sombre mais chaleureuse où les livres s'entassaient sur des rayonnages d'acajou. Tandis qu'il allumait une lampe bouillotte, il sentit qu'elle lui posait une main sur l'épaule.

— Louis... Tu ne préférerais pas que je parte ? Ton père est adorable, seulement vous avez peut-être envie de passer la soirée en famille ? Même vis-à-vis de Frédéric, je...

Se penchant au-dessus d'elle, il l'embrassa pour la faire taire.

— Appelle et rejoins-nous dans l'auditorium. Si Romain est d'accord, ça me fera plaisir.

Avant qu'elle ait pu ajouter quoi que ce soit, il s'écarta d'elle et sortit en refermant la porte. France resta un instant immobile, puis s'approcha des reliures, lut quelques titres au hasard. Dehors, il pleuvait toujours, le ciel était très sombre. Elle revint vers le petit bureau, s'empara du téléphone et transmit la proposition des Neuville à son fils qui parut surpris mais qui accepta de la rejoindre à Notre-Dame-de-la-Mer sans trop se faire prier. Bien sûr, elle ne lui avait pas tout raconté, s'était même montrée assez discrète sur le sujet, mais enfin il n'était pas aveugle, il avait sûrement compris que sa mère venait de rencontrer quelqu'un, et il était assez mûr pour l'accepter. Du moins, elle l'espérait !

Au lieu de se lever, elle s'enfonça dans le confortable fauteuil pour s'accorder quelques instants de réflexion. Elle n'en revenait toujours pas de ce qui était en train d'arriver. Tout s'enchaînait trop vite, elle était complètement perdue. Sans qu'elle ait eu besoin de déployer des trésors d'imagination, elle avait obtenu de Louis ce qu'elle n'avait même pas osé espérer. Et elle en était encore à se demander ce qu'elle avait fait pour ça ! Il représentait à ses yeux une sorte d'idéal inaccessible, brusquement mis à sa portée. Pourquoi ? Par quelle chance inouïe l'avait-il distinguée, elle, et d'ailleurs, pourquoi était-il seul ? À quarante ans, séduisant comme il l'était, bourré de talent, célèbre, pour quelle obscure raison n'était-il pas entouré de femmes ? Mais peut-être qu'il l'était, qu'il les collectionnait tout en préservant son indépendance, et qu'elle ne serait qu'un numéro sur la liste. Un risque qu'elle prenait volontiers, se sentant prête à affronter n'importe quelle difficulté. Durer allait sans doute se révéler un vrai parcours du combattant, il y avait forcément un piège quelque part, mais elle n'avait pas l'expérience nécessaire pour le déjouer maintenant, elle ferait face en temps voulu. Hormis quelques aventures sans grand intérêt, sa seule référence sentimentale était son ex-mari. Pauvre Antoine ! Il était inconcevable d'établir une comparaison entre les deux hommes.

Brusquement nerveuse, elle abandonna son fauteuil et quitta la bibliothèque. L'auditorium était juste à côté cependant elle n'entendait aucun bruit. Se souvenant qu'il s'agissait d'une pièce insonorisée, elle se décida à ouvrir la première porte, puis la seconde, et fut accueillie par un joyeux chahut. Tom et Hugues s'étaient lancés dans un duo d'opérette que leur jouait Louis, écroulé de rire sur son clavier, tandis qu'Alix essayait en vain de ramener le silence.

— Vous chantez faux, c'est abominable !

— ... *poussez, poussez, l'escar-polette !* s'égosillaient les autres.

— Assez ! hurla Alix.

— Bon, tant pis, joue-nous une valse, demanda Grégoire à son fils. Je vais faire danser madame...

Passant un bras autour de la taille de France, il esquissa quelques pas pour l'entraîner, sans qu'elle songe à résister. Laura et Hugues les suivirent, s'emmêlant les pieds dans les câbles électriques.

— Pas si vite ! intima Grégoire. Ne te crois pas obligé de respecter le tempo, mon grand, pense à mes rhumatismes.

Au lieu de ralentir le rythme, Louis transforma impitoyablement la valse de Strauss en tango argentin.

— Alors, vous dînez avec nous ? dit Grégoire en faisant faire un brusque demi-tour à France.

Après quelques mesures, il commença à s'essouffler et dut la lâcher, avec un sourire d'excuse.

— Si la récréation est finie, on pourrait peut-être travailler cinq minutes ? grogna Alix qui s'était postée derrière Louis.

— Je ne travaille pas le dimanche ! rétorqua-t-il en plaquant quelques accords distraits.

— C'est quoi, ça ? lui demanda-t-elle, soudain attentive.

— Mozart, ma chérie ! Ne rêve pas...

Il tourna la tête vers elle, pour la narguer, sans cesser de jouer.

— Tu n'y connais vraiment rien, hein ? Et ça, écoute, ça te dit quelque chose ?

— *Turandot* ! cria Grégoire en désignant le portrait de Puccini sur le mur. À propos de questions faciles, si on faisait un Trivial Pursuit ?

— C'est ça, allez vous amuser ailleurs, approuva Alix qui n'avait pas apprécié les réflexions de son frère.

— Où sont mes petites-filles ? Elles vont faire équipe avec moi !

— Toujours devant la télé. Fred leur passe *La Nuit des morts-vivants*, dit Tom très sérieusement, et Laura sortit en trombe.

— Ne te fais pas prier, donne-moi un aperçu, au moins le générique ? insistait Alix.

Louis chercha France du regard et la découvrit appuyée à l'autre bout du Steinway. Son sourire était gai, elle ne semblait pas déconcertée par toute cette agitation. Baissant les yeux sur les touches, il se résigna à jouer et les autres se turent aussitôt. C'était une mélodie originale, romantique, facile à retenir et à fredonner, avec un arrière-plan de mélancolie qui la rendait très attachante.

— Superbe ! commenta Alix dans le silence qui suivit.

— Pas vraiment, dit Louis d'un ton sec, mais ça leur convient, c'est le principal.

Il n'avait pas encore digéré les multiples remaniements qu'il avait été contraint d'effectuer, au détriment d'une certaine qualité musicale, ni les interminables discussions qu'on lui avait imposées. Alix comprit qu'il était braqué et elle essaya de l'amadouer.

— Je trouve que c'est très...

— Très facile, très moyen, coupa-t-il en se levant. Si je devais composer comme ça à longueur d'année, je changerais de métier !

— Et tu choisirais quoi, on peut savoir ? répliqua-t-elle.

Ils se faisaient face, aussi en colère l'un que l'autre, ce qui accentuait leur ressemblance. Intriguée, France ne quittait pas Louis des yeux, le découvrant sous un aspect inconnu, le visage dur et le ton agressif.

— Je crois qu'on a de la visite, remarqua Tom en désignant l'une des portes-fenêtres.

Louis fut le plus rapide et alla ouvrir à un grand jeune homme qui attendait sous la pluie que quelqu'un remarque sa présence.

— Bonsoir ! Vous êtes Romain ? Je suis ravi de vous connaître enfin.

— Excusez-moi, j'ai frappé mais...

— On fait tellement de bruit qu'on ne risque pas d'entendre quoi que ce soit ! Venez que je vous présente...

Romain le suivit et serra les mains qu'on lui tendait, puis il resta debout près de sa mère, un peu embarrassé.

— J'ai besoin d'aide ! lui dit Louis avec un irrésistible sourire. Je suis tout seul à essayer de les distraire et ils sont insatiables. Il paraît que vous jouez bien, on va leur improviser quelque chose, d'accord ?

Éberlué, Romain le dévisagea puis jeta un coup d'œil autour de lui, impressionné par l'équipement de l'auditorium.

— Il y a une guitare, là-bas, regardez si elle vous convient.

L'invitation semblait impossible à décliner et le jeune homme alla docilement chercher l'instrument que Louis désignait.

— Je ne suis pas sûr de connaître quelque chose qui...

— C'est vous qui choisissez, moi je vous suis, coupa Louis. On essaye ?

La guitare était parfaitement accordée et Romain se sentit un peu réconforté en touchant les cordes, mais il ne savait pas du tout de quelle manière se comporter avec un pianiste. Il décida de se lancer sans penser à rien et débuta par l'air qu'il maîtrisait le mieux. Louis le laissa jouer seul une minute ou deux, l'écoutant avec attention, puis il ajusta un accompagnement d'abord assez linéaire, ensuite plus fantaisiste. Comme il voulait mettre l'adolescent en confiance – et en valeur –, il restait discret dans ses variations mais rendait l'ensemble très brillant. Avec un bon piano, il pouvait faire à peu près n'importe quoi, il avait la musique dans le sang, dans la tête et au bout des doigts. À la fin du morceau, Tom et Hugues s'exclamèrent bruyamment, soutenus par Laura qui venait de les rejoindre avec ses filles.

— C'est bien, ce que vous faites, dit Louis, mais ne vous laissez pas distraire. Ni par eux ni par moi. Un autre ?

— Vous avez déjà entendu Louise Attaque ? risqua Romain qui commençait à se détendre.

— Oui. Enfin, pas tout...

— *« Elle dit toujours bonjour comme ça... »,* fredonna le jeune homme à mi-voix.

— *« ... elle dit toujours j'veux ça, ça, ça... »* poursuivit Louis.

— *« Elle est fatigante ! »* enchaîna Sabine, ravie

— Voilà, c'est celle-là !

— Vous prenez quoi, la ligne de chant ?

— Si vous voulez.

— Je ferai la guitare et la basse, allez-y.

Trente secondes plus tard, complètement déchaînés, ils avaient l'air de s'amuser comme des fous, et tout le monde frappait dans ses mains, hurlant le refrain à tue-tête. Quand Frédéric entra, personne ne remarqua sa présence, ni le regard assassin qu'il darda sur Romain.

— Merveilleux ! déclara Louis, ravi, après le dernier accord.

Subjugué, Romain ne trouvait rien à dire, étonné d'avoir si bien joué, et avec une telle facilité.

— Ah, Fred ! s'écria Louis, tu as raté quelque chose.

L'attitude figée de son fils lui parut soudain étrange et il se leva.

— Vous vous connaissez, tous les deux ?

— Oui, oui... Salut ! lança Frédéric d'un ton méprisant.

Romain s'attendait à cette inévitable confrontation et il se borna à un signe de tête. Les adultes les regardaient tour à tour, conscients de leur animosité.

— Est-ce que ce n'est pas l'heure de l'apéritif ? suggéra Grégoire.

La nuit était tombée, des gouttes de pluie scintillaient sur les vitres des portes-fenêtres. Louis prit son paquet de cigarettes, en alluma une et proposa d'ouvrir du champagne.

— Tu viens m'aider ? Je descends à la cave, dit-il en passant à côté de Frédéric qui le suivit.

Il attendit d'être en bas de l'escalier, devant les clayettes chargées de bouteilles, pour interroger son fils.

— Quelque chose ne va pas ? Tu as un contentieux avec ce garçon ?

Frédéric haussa les épaules, exaspéré, et garda un silence obstiné.

— Je te parle, Fred..., insista Louis.

— C'est un sale con ! On s'est déjà tapés dessus, tous les deux.

— Quand ça ?

— Peu importe !

— Et pourquoi ?

— Pour rien ! Une histoire de fille. C'est le genre de mec soi-disant cool, avec des idées toutes faites, mais qui se croit libéral et évolué ! Très donneur de leçons, en plus, comme tous les matheux. Ça ne m'étonne pas que sa mère soit prof !

Louis se retourna pour dévisager son fils en silence.

— Désolé, marmonna l'adolescent, je ne voulais pas te vexer. Je suis obligé de dîner avec vous ? J'ai plein de boulot...

— Comme par hasard !

Une bouteille faillit lui échapper et il la fourra dans les mains de Frédéric.

— Je n'ai pas l'habitude de t'obliger à quoi que ce soit, mais je préférerais que tu restes avec nous, oui. Sauf si tu dois lui sauter à la gorge. C'est à ce point-là ?

— Non, quand même pas.

— Merci.

Il remonta le premier, suivi d'un Frédéric maussade. Dans la cuisine, Laura disposait des flûtes sur un plateau et Alix terminait une conversation téléphonique sur son portable. Dès qu'elle coupa la communication, elle apostropha son frère :

— Dis donc, elle s'incruste, ta dulcinée ! C'est plus de l'amour, c'est de la rage !

— J'espère qu'on en a au frigo parce que celui-ci n'est pas assez frais, dit-il à Laura en lui tendant le champagne.

Ignorant délibérément Alix, il s'empara du plateau et quitta la cuisine. Les deux sœurs échangèrent un coup d'œil tandis que Frédéric poussait un long soupir.

— Vous tenez vraiment à lui gâcher la soirée ?

murmura Laura. À quand ça remonte, la dernière fois qu'il a eu envie de nous présenter quelqu'un ?

Un peu mal à l'aise, Alix se mit à jouer nerveusement avec son téléphone. Quand Laura prenait cet air pénétré, le couplet pédagogique n'était pas loin et il valait mieux la stopper dans son élan.

— Il mérite tout de même autre chose qu'une petite provinciale pincée, encombrée de son grand dadais ! Parce que, si j'ai bien compris, c'est un lot, mère et fils ?

— Je ne sais pas de quoi vous parlez, mais on vous attend au salon, on a soif, dit Tom qui se tenait immobile sur le seuil.

Alix fit volte-face, découvrit le regard froid qu'il posait sur elle et elle éprouva une sensation bizarre. Depuis la veille, quelque chose semblait changé entre eux. Il gardait ses distances, n'hésitait pas à la contrarier, l'observait sans indulgence, et elle se demanda soudain si elle n'était pas en train de le perdre. Après tout, il faisait partie de son existence depuis longtemps, elle ne s'interrogeait jamais à son sujet, mais peut-être lui était-il plus nécessaire qu'elle ne le croyait. Au moins l'admiration qu'il avait pour elle. Et aussi la certitude de lui plaire, de pouvoir compter sur lui. Se redressant de toute sa taille, elle franchit la distance qui les séparait, saisit sa main d'un geste désinvolte.

— On dort ici, ce soir ? Comme ça, on pourra abuser du champagne...

Il eut beau se raidir, il l'adorait quand elle prenait cet air câlin, ce qui était devenu rarissime.

— Si tu veux, dit-il malgré lui.

Se détacher d'elle serait très douloureux, il l'avait toujours su. À quoi allait-il se raccrocher quand il aurait enfin trouvé le courage de la quitter ? Pourtant, il en avait assez de passer en dernier, après le travail d'Alix et les mondanités, après tous les Neuville, Louis en tête. Louis, la vraie référence d'Alix, son totem, le seul homme de sa vie. Sauf si la nouvelle venue changeait les données du problème, si ce petit bout de blonde, sans doute bien plus solide qu'elle n'en avait l'air, parvenait à s'imposer dans cette maison de fous. Et ça, quand même, ce serait un spectacle que Tom ne voulait pas manquer.

5

Quelle que soit son envie de passer une soirée avec France, Louis ne voulait ni l'imposer à Frédéric ni laisser ce dernier tout seul. Il s'était toujours débrouillé pour être très présent aux côtés de son fils et souhaitait ne rien changer à leurs habitudes. Compréhensive mais inquiète, France dut attendre plus d'une semaine avant qu'il l'invite à dîner, un mardi soir où Frédéric avait prévu de sortir.

Ces quelques jours sans aucune nouvelle de lui l'avaient beaucoup angoissée, jusqu'à ce qu'elle recoive des fleurs accompagnées d'une carte de visite qu'il s'était contenté de signer. Elle aurait pu l'appeler, puisqu'il lui avait donné ses numéros personnels, mais elle préféra attendre qu'il se manifeste, quitte à connaître quelques insomnies. Elle le savait très occupé, fréquemment à Paris dans la journée, ou alors enfermé dans son auditorium, et elle avait peur de mal tomber. Sans compter la crainte de le trouver indifférent. Les fleurs ne prouvaient rien, à part une bonne éducation, et il fallut l'intonation tendre de sa voix, quand il lui téléphona enfin, afin qu'elle se sente un peu rassurée.

Il proposa de venir la chercher chez elle, ce qu'elle n'accepta qu'à contrecœur, incapable d'inventer un prétexte pour refuser. Quand il sonna, elle laissa Romain ouvrir et l'accueillit dans le petit living, guettant sa réaction. Mais Louis était imprévisible et il n'accorda pas la moindre attention au décor de l'appartement. Souriant, décontracté, il s'assit tout naturellement sur l'accoudoir du canapé, attendant qu'on lui offre à boire. Et quand France lui eut mis dans la main un verre de muscadet, il se lança gaiement dans une discussion avec Romain. Il voulait savoir qui était son professeur de guitare, comment l'idée de former un groupe lui était venue, où ils jouaient. Dix minutes plus tard, il promettait à l'adolescent de lui trouver une salle. Rien de plus facile, il s'adresserait à la mairie de Jeufosse ou à celle de Bonnières, c'était normal d'encourager les jeunes, surtout quand ils ne massacraient pas leurs instruments ! Romain, aux anges, lui posa toutes sortes de questions jusqu'à ce que France décide qu'il était temps de partir. En embrassant son fils, elle lui adressa un clin d'œil complice, tout heureuse de la simplicité avec laquelle il semblait accepter l'intrusion de Louis dans leur vie.

Ils dînèrent dans un restaurant qu'elle ne connaissait pas, à trente kilomètres de là, puis sans lui demander son avis il la ramena directement à Notre-Dame-de-la-Mer. Le souvenir de leur première nuit le rendait très impatient, presque nerveux, il ne s'en cachait pas, et à peine furent-ils dans sa chambre qu'il commença à la déshabiller. Il avait trop souvent pensé à elle, ces derniers jours, heureux ou exaspéré selon les moments, en tout cas très surpris d'être en proie à une idée fixe. Aucune femme ne lui avait jamais inspiré un désir d'une telle intensité et, à force d'y réfléchir, il finissait par se demander s'il ne s'était pas comporté comme un petit garçon avec toutes les autres. Depuis Marianne, il avait connu un certain nombre d'aventures, auxquelles il avait pris plaisir malgré leur brièveté ; des moments agréables où il s'était senti assez sûr de lui pour ne pas se poser de questions. Mais France était différente, elle l'emmenait sur d'autres terrains, suscitait des émotions plus troubles qu'il avait ignorées jusque-là.

Dès qu'il toucha sa peau, qu'il la prit dans ses bras, il sut qu'il n'avait pas seulement envie d'elle mais aussi besoin d'elle. Une nécessité qui risquait de l'entraîner très loin. La tenant par les épaules, il s'écarta un peu pour la contempler, des pieds à la tête. Qu'avait-elle de plus ? De si extraordinaire ? Elle n'était pas Messaline, non, il devinait qu'elle agissait plus d'instinct que d'expérience, cependant elle le bouleversait au-delà de toute mesure. Il laissa glisser ses mains jusqu'aux seins qu'il caressa doucement sans qu'elle bouge, sans qu'elle ferme les yeux, son regard bleu rivé au sien.

— Papa ! répéta Frédéric un peu plus fort.

Louis émergea brutalement du sommeil. Son réveil indiquait sept heures quarante-cinq. Il s'était recouché après avoir raccompagné France à six heures, et il se sentait mort de fatigue.

— Mon scooter est en panne, tu peux me conduire au lycée ?

En général, son père était très matinal ; c'était lui qui venait le tirer du lit chaque matin.

— Tu m'accordes cinq minutes ? murmura Louis en s'asseyant.

Les draps étaient tout chiffonnés, un des oreillers avait disparu et devait traîner par terre.

— Je te prépare du café ? proposa l'adolescent.

— Oui, s'il te plaît.

Il se leva pour gagner la salle de bains, suivi par le regard songeur de Frédéric. Quand il le rejoignit à la cuisine, douché et rasé, ses clefs de voiture à la main, il semblait avoir retrouvé un peu d'énergie.

— Tu fais la foire, on dirait ? lui lança son fils en lui tendant une tasse.

— Tu crois que je ne devrais pas ? Viens, tu vas être en retard...

Ils s'engouffrèrent dans l'Alfa Romeo. Louis démarra aussitôt tandis que Frédéric actionnait la télécommande du portail.

— Qu'est-ce que tu as comme cours, ce matin ?

— Deux heures d'histoire, une de bio. Rien avec

Mme Capelan, rassure-toi, je ne pourrai pas comparer vos cernes !

— Fred !

— Ben quoi ? C'est sujet tabou ?

— Non, non...

Au stop qui protégeait l'accès à la nationale, ils échangèrent un bref coup d'œil, et Frédéric adressa un sourire mitigé à son père.

— Tu viendras me chercher, à onze heures ?

Son mercredi après-midi était rarement employé à autre chose qu'à paresser devant la télévision.

— Bien sûr, répondit Louis, et je t'emmène déjeuner à Paris avec moi. Il faut que je passe voir Alix, elle m'a laissé un message comminatoire sur le répondeur, hier soir. Au fait, à quelle heure es-tu rentré ?

— Un peu avant toi, en tout cas il n'était pas minuit.

— Je déteste te savoir tout seul sur les routes, tard le soir. C'est quoi, ta panne ?

— Aucune idée. Il faudra que tu le portes chez le garagiste.

Le ton de l'adolescent était boudeur, presque agressif. Louis remonta l'avenue de tilleuls qui menait au lycée, s'énervant derrière un car scolaire qui l'empêchait d'avancer.

— Arrête-moi là ! intima Frédéric. Pas la peine d'aller promener cette bagnole sous le nez de tout le monde, je me fais traiter de facho...

Au moment où il allait descendre, Louis le saisit fermement par le bras.

— Parle-moi sur un autre ton, tu veux ?

Frédéric se dégagea, faillit répondre quelque chose de désagréable mais se reprit juste à temps et marmonna :

— Excuse-moi. À tout à l'heure, p'pa.

Louis le regarda traverser avant de redémarrer. Il fallait qu'il se décide à avoir une conversation avec lui. De toute évidence, son fils n'appréciait pas sa liaison avec France, peut-être à cause de Romain, peut-être pour une autre raison, plus obscure, qui concernait sa mère malgré tout ce qu'il pouvait prétendre à ce sujet.

Lorsqu'il fit demi-tour sur le parking du lycée, Louis constata qu'effectivement un certain nombre de jeunes suivaient sa voiture du regard ou la montraient du doigt. Qu'est-ce qu'il aurait fallu qu'il conduise pour que Frédéric se sente comme les autres ? Il portait pourtant les mêmes jeans, les mêmes pulls, les mêmes chaussures ! Toute cette génération était donc fondue dans un moule où personne ne devait se faire remarquer sous peine d'exclusion ?

Rentré chez lui, il appela le garagiste afin qu'il vienne chercher le scooter, puis Alix dont les lignes étaient évidemment occupées. Ensuite il essaya de composer, durant plus d'une heure, mais finit par jeter toutes les pages qu'il avait griffonnées. Découragé, il alla se refaire du café, mit machinalement un peu d'ordre dans la cuisine. Il avait sommeil et il faillit téléphoner à France, pour le plaisir de lui dire bonjour, pourtant il raccrocha avant la première sonnerie. S'il ne restait pas très vigilant, il tomberait amoureux. Et il ne voulait pas confondre une attirance physique, même violente, avec des sentiments. Il s'était bien gardé jusque-là de prononcer des mots trop tendres. Même s'il en avait éprouvé l'envie, en particulier pendant qu'elle somnolait contre lui, juste avant l'aube, il avait ravalé de justesse une déclaration intempestive.

À onze heures, il récupéra son fils qui paraissait de meilleure humeur, tout heureux d'avoir obtenu la moyenne à son dernier contrôle d'histoire. Une fois sur l'autoroute, Frédéric annonça qu'il allait s'inscrire à l'auto-école pour prendre des leçons afin de pouvoir pratiquer la conduite accompagnée.

— Dès que j'aurai le code, tu le feras savoir à ton assureur, qui ne peut pas s'y opposer ni augmenter ta prime. À partir de là j'ai le droit de prendre le volant, tant que tu restes à côté de moi. Génial, non ?

— Horrible, oui ! protesta Louis. Je ne peux pas supporter de me faire conduire. Quant à cette voiture, que tu critiques à plaisir, elle n'est vraiment pas faite pour un débutant, tu vas la flanquer dans le premier arbre venu.

— Désolé, mais tu n'as pas le choix, c'est statistiquement prouvé : les jeunes ont beaucoup moins de problèmes au permis, et surtout beaucoup moins d'accidents, après deux ans de conduite accompagnée.

— Tu me crucifies, je vais mourir de peur.

— Pourquoi ? Quand tu fais la course avec Alix, tu crois que je ne balise pas ?

— C'est arrivé une seule fois, Fred !

Une fois de trop et il s'en était voulu, mais il devenait enragé dès qu'il se mesurait à sa jumelle sur une route.

— On déjeune au Fouquet's, ça te va ? demanda Louis en se garant avenue George-V.

— T'as pas moins...

— Ah, ça ne t'amuse pas non plus ? Parfait, je connais un bistro par là.

Frédéric n'avait aucune envie de se retrouver dans un restaurant où des tas de gens, célèbres ou pas, viendraient les saluer et interrompre leur conversation. Cet aspect de la vie de son père le déconcertait, l'intimidait. Les rares fois où il l'accompagnait à une première ou à un cocktail, il était toujours mal à l'aise. Dans ces cas-là, Louis affichait un sourire artificiel et un regard absent, comme s'il regrettait le temps perdu à d'inutiles mondanités, jusqu'à ce qu'il se décide à fausser compagnie à tout le monde. Et ils se retrouvaient, très contents d'eux, en tête à tête au fond d'un troquet quelconque.

Dans une petite rue adjacente, beaucoup plus calme, Louis désigna à Frédéric la devanture d'une brasserie.

— On y mange bien, et à cette heure-ci on devrait avoir de la place...

Ils furent installés à une table tranquille, près de la vitre, et commandèrent une côte de bœuf saignante accompagnée d'un sancerre rouge. Quand Louis sortit son paquet de cigarettes, Frédéric lui en réclama une.

— Sers-toi. Mais tu ne devrais pas fumer, je suis un mauvais exemple.

— Ce n'est pas toi. On fume tous, au lycée !

— Alors, pourquoi tu n'en achètes pas ? Je ne te donne pas assez d'argent de poche ?

C'était une question, pas un reproche, et Frédéric sourit.

— Si, papa.

— Tu sais, je ne suis pas toujours certain de bien t'élever, Fred...

Louis avait baissé la voix, dans une intonation tendre. Il dévisageait son fils avec insistance, presque curiosité.

— Et la drogue, tu y touches ?

— Non, pas souvent.

— Qu'est-ce que ça veut dire, pas souvent ? Où mets-tu la limite ? Un joint, dix, cinquante ?

Le ton restait calme mais Frédéric sentit venir l'orage et il choisit de riposter.

— Et toi, à mon âge, jamais ? Le pétard, c'est uniquement dans les soirées, on ne peut pas faire autrement ou on passe pour un taré.

— Bien sûr ! C'est comme pour l'alcool, je suppose ?

— Tu veux que je boive du jus d'orange et que je mâche du chewing-gum ? ironisa Frédéric. On n'est pas des petits saints, papa ! Et personne n'échappe à la règle. Tiens, ce *cher* Romain, cet *excellent* guitariste, je l'ai déjà vu complètement défoncé, et moi je ne vais jamais jusque-là !

Il en avait parlé le premier, l'air buté et prêt à l'affrontement, parce qu'il l'avait sur le cœur.

— Très bien, dit doucement Louis, c'est justement de ça que je veux discuter avec toi.

— Romain ?

— Non, France.

— Oh, tu vis comme tu l'entends, ça te regarde !

— Oui, c'est certain.

La côte de bœuf refroidissait et Louis mâchonna distraitement une bouchée.

— Je ne veux pas te perturber, ni te faire de la peine, finit-il par déclarer.

— Pourquoi, ça y est, t'es piégé ? Tu es amoureux d'elle ?

— Non ! répondit Louis trop vite, sur la défensive.

— Ben, ça va pas tarder... Je te fais pas une scène de jalousie, là, mais son fils, je peux vraiment pas l'encadrer. Alors, que tu te mettes en quatre pour ce mec...

— Moi ?

— Tu t'imagines bien que ça a fait le tour du lycée ce matin ! Tu leur as trouvé une salle, non ? Les nouvelles vont vite, t'as pas idée ! C'est le premier truc que m'a annoncé Richard en arrivant, et je n'étais même pas au courant, j'avais l'air malin !

— Richard ? Ton copain qui joue de la batterie ?

— Oui, il fait partie de ce groupe minable et, à ce train-là, ce ne sera bientôt plus mon copain ! Bref, ils répétaient hier soir, alors ils n'ont parlé que de ça, excités comme des puces. Tu ne te rends pas compte de ce que tu représentes pour des petits cons comme eux...

L'appétit définitivement coupé, Louis repoussa son assiette tandis que Frédéric continuait à dévorer, imperturbable.

— J'ai... Oui, j'ai promis de... Mais qu'est-ce que ça peut te faire, Fred ?

Son fils leva la tête, le considéra avec une espèce de rage contenue. Ils avaient exactement le même regard sombre, presque noir, et celui de Frédéric n'était pas tendre.

— Il n'a qu'à se débrouiller tout seul ! C'est pas parce que sa mère couche avec toi...

— Arrête.

De nouveau, il ne vit plus que les cheveux de son fils qui s'attaquait à ses frites. Le conflit entre Frédéric et Romain avait l'air plus sérieux que prévu et n'allait pas simplifier les choses. Louis soupira, reprenant soudain conscience de toute sa fatigue due au manque de sommeil. Pourtant, s'il avait pu choisir, il serait retourné dans les bras de France le soir même. « Piégé », oui, c'était sans doute le mot juste.

— On prendra le café chez Alix, dit-il en attirant l'attention d'un serveur pour obtenir l'addition. Je vais voir ce qu'elle me veut et puis on rentre, ton cours d'escrime est à quatre heures.

Il oubliait rarement les obligations de Frédéric, qui se sentit soudain très égoïste.

— Je peux prendre un train, si tu as des trucs à faire ? proposa-t-il.

— Pas la peine. Je ne pense pas qu'Alix nous garde longtemps, et j'espère surtout qu'elle a une bonne raison de m'avoir fait venir !

L'agence était assez proche pour qu'ils s'y rendent à pied, heureux de la douceur du temps et marchant au même rythme. Frédéric ressemblait à Louis au même âge, mince, épargné par l'acné, capable de passer du rire à la mélancolie en un instant. À cette époque-là, Alix regardait Louis comme son dieu. Quand elle avait une peine de cœur, elle venait la lui raconter aussitôt, s'asseyait en tailleur au bout de son lit, attendant qu'il lui explique ce que les garçons avaient dans la tête et dans le ventre. Elle se trouvait déjà trop grosse, en tout cas trop innocente, et elle exigeait d'être rassurée. Initiée, aussi. Ils avaient longtemps pris leur bain ensemble, jusqu'à ce que Grégoire, pourtant très libéral, s'en offusque. Mais les jumeaux ne faisaient rien de mal, leur affection réciproque n'était pas malsaine, ils étaient seulement en osmose, deux moitiés d'un tout qui excluait volontiers le reste du monde. Un peu avant seize ans, Louis avait connu sa première expérience et Alix ne lui avait pas adressé la parole pendant une semaine. Ensuite elle s'était trouvé un petit copain pour franchir le pas, elle aussi.

— Je crois qu'on a dépassé l'immeuble, constata Frédéric en s'arrêtant.

Tiré de sa rêverie, Louis regarda autour de lui puis fit demi-tour. Ils gagnèrent la bonne porte, montèrent au deuxième étage en négligeant l'ascenseur et se retrouvèrent dans le hall de l'agence où la secrétaire se précipita sur eux.

— Ah, monsieur Neuville ! Alix vous attend, elle est survoltée, vous allez avoir la surprise du siècle, venez !

Frédéric les suivit, frustré de ne pas pouvoir détailler les deux superbes jeunes femmes qui discutaient près de la fontaine d'eau fraîche.

— Tiens, mon neveu ! s'écria Alix. Je suis ravie que tu sois là, mon chéri, tu connaîtras la nouvelle plus vite !

Elle les poussa vers les fauteuils, retourna s'asseoir à son bureau et attendit que la secrétaire ait refermé la porte. D'un geste théâtral, elle désigna un dossier qu'elle ouvrit, rayonnante.

— Tu sais ce que c'est ? demanda-t-elle à Louis. Eh bien, c'est la chance de ta vie ! Et c'est *moi* qui me suis arrangée pour t'obtenir ça, il y a des semaines que j'y travaille...

Elle saisit une feuille, la brandit sous le nez de son frère.

— Qu'est-ce que tu lis, là ? U-ni-ver-sal... Tu ne rêves pas, Universal Studios ! Hollywood, tu te rends compte ? J'ai eu la confirmation hier, les fax sont arrivés juste après, car ce sont des gens de parole, c'est toujours un plaisir de travailler avec eux. Tu comprends pourquoi je ne pouvais pas t'apprendre ça par téléphone ! Non, je voulais voir ta tête en direct, c'est ma récompense. Alors ? Qu'en dis-tu ?

— J'ignore toujours de quoi tu parles, fit-il remarquer patiemment.

— Du contrat que t'offrent les Américains ! Ils ont été subjugués par la bande originale de *Soleil couchant*, et c'est toi qu'ils veulent. Un musicien français, ça les charme, et ils y tiennent tellement que je les ai obligés à dérouler le tapis rouge. Des conditions inouïes, mais tu sais que la loi sur la propriété intellectuelle n'est pas la même chez eux, alors ils sont obligés de payer cash et ça va chercher loin ! Tu pars le... attends... oui, le 28, c'est dimanche prochain, je sais, c'est un peu rapide, tant pis. Je m'occupe de tes billets. Ils t'ont réservé une suite au Marmont Hotel, un palace en faux style normand, tu ne seras pas dépaysé, c'est sur Sunset Boulevard, évidemment. Tu es censé rester quinze jours là-bas, dans un premier temps... Oh, Louis, tu vas adorer Los Angeles !

Abasourdi, il la regardait en silence et ce fut Frédéric qui siffla entre ses dents avant de murmurer, d'un ton extasié :

— C'est fabuleux...

Alix jeta un bref coup d'œil à Louis, qui restait muet. Comme elle le connaissait par cœur, elle se hâta d'enchaîner :

— Il s'agit d'un film policier à gros budget. Très gros ! Le tournage vient juste de démarrer, ils te passeront les rushes au fur et à mesure. Je sais que tu te débrouilles en anglais mais je te fais traduire le scénario, tu auras de la lecture dans l'avion. Si tu t'y prends bien avec eux, c'est la gloire assurée !

Se tournant vers Frédéric elle ajouta, plus tendrement :

— Quant à toi, tout est prévu, on se relaiera avec Laura et Hugues pour que tu ne sois pas seul. Sans compter ton grand-père qui s'est déclaré volontaire dès qu'il a su ! On ne va pas te lâcher, mon amour, on ira jusqu'à te faire réciter tes leçons. Et si tu as envie de connaître l'Amérique un jour, encourage ton père à faire carrière là-bas, aujourd'hui c'est à sa portée.

Elle se décida à marquer une pause, prenant l'attitude de quelqu'un qui attend des félicitations, mais il n'y eut qu'un silence pesant.

— Alix... Pourquoi n'en avons-nous jamais discuté ensemble ? dit enfin Louis.

Ses mâchoires crispées faisaient saillir les muscles de son visage dont l'expression était hostile.

— C'est un trop gros morceau, Louis, je ne voulais pas te décevoir.

Elle lui tendit plusieurs feuilles qu'il examina sans un mot, la tête penchée, pendant qu'elle en profitait pour échanger un clin d'œil avec Frédéric.

— Ils mettront à ta disposition un studio d'enregistrement comme tu n'en as jamais vu, et un piano haut de gamme dans le salon de ta suite ! Qu'est-ce que tu veux de plus ? La fanfare à l'aéroport ? Des pom-pom girls ?

Le ton ironique, l'air conquérant, elle provoquait Louis pour qu'il réagisse enfin.

— Très bien, articula-t-il lentement, je te remercie, mais je ne...

— Il n'y a pas de « mais » ! hurla-t-elle en frappant du poing sur son bureau. Je te préviens, Louis, si tu refuses cette chance, tu peux te chercher un autre agent !

Les yeux étincelants de rage, elle s'était levée.

— Papa, tu rigoles ou quoi ? intervint Frédéric d'une voix mal assurée.

S'interposer entre les jumeaux nécessitait un certain courage, mais l'attitude de son père le contrariait beaucoup. Au lieu de sauter de joie, de réclamer du champagne et de congratuler sa sœur, il gardait un air buté que Frédéric lui avait rarement vu.

— Je ne veux pas qu'on décide pour moi, Alix, je ne suis pas une de ces petites comédiennes à qui tu ménages des surprises pour les faire battre des mains ! Les projets qui me concernent, j'ai le droit de les connaître avant tout le monde. Tu n'as jamais voulu comprendre que créer, ce n'est pas interpréter. À moi, il ne me suffit pas d'apprendre un rôle par cœur, il faut que je l'invente de toutes pièces, ça fait une sacrée différence, et je ne suis pas forcément inspiré. Tu m'expédies aux États-Unis, que ça me plaise ou non, comme si j'étais ton cheval de course ! Je suis censé faire mes preuves en deux semaines, composer à la demande exactement ce qu'ils attendent, la touche d'exotisme français en plus ?

— Ah, tu as la trouille, c'est tout ? Je n'aurais jamais cru ça de toi ! Ronronner ici, sur des feuilletons de merde, tu trouves que c'est plus tranquille ?

— C'est toi qui m'as poussé à accepter ce feuilleton ! Dieu sait que ce n'est pas mon ambition !

— Non ? Alors c'est quoi, au juste ? Tu veux écrire *Manon Lescaut, Faust, Carmen* ? Pas de bol, mon pauvre, c'est déjà pris ! Et rien ne te dit que tu saurais le faire, tu délires ! Tu te prends pour qui, à la fin ? Réveille-toi un peu, atterris !

Le mouvement qu'il eut pour se mettre debout fut d'une telle brutalité que Frédéric se tassa dans son fauteuil. Alix, elle, ne fit pas un pas en arrière quand Louis marcha sur elle.

— Tu es un vrai vautour, ma chérie, articula-t-il d'une voix glaciale. Et tu as raison, c'est un pont d'or qu'ils nous font... à tous les deux ! Tu vendrais père et mère, hein, tu t'en fous ?

La gifle partit si vite et si fort qu'il n'eut pas le temps d'esquiver. À quinze ans, il la lui aurait rendue, elle le savait, mais il en avait quarante et son fils était assis derrière lui, il ne pouvait pas se donner en spectacle. Consternée par son geste malheureux, elle le saisit aussitôt par les épaules.

— Excuse-moi... Tu me rends malade. Ma commission là-dessus, je te l'abandonne volontiers mais vas-y, je t'en supplie, ne rate pas ça...

Brusquement attendri, il lui passa un bras autour de la taille et elle s'abattit contre lui. Le nez dans sa chemise, elle ajouta :

— Tu n'auras peut-être jamais une autre occasion, Louis. Fais-le !

— Oui, bien sûr...

Elle releva la tête, le dévisagea pour être certaine qu'il était sérieux, et découvrit la marque rouge, bien nette, sur sa joue.

— Désolée d'avoir perdu mon sang-froid, marmonna-t-elle. J'ai cru que tu allais refuser.

S'éloignant de lui, elle s'adressa à Frédéric qui n'avait pas bougé.

— Toi, tu n'as rien vu, rien entendu. C'est un calvaire d'avoir des frères et sœurs, tu es bienheureux d'être fils unique !

Les mains dans les poches de son jean, Louis paraissait calme mais il était toujours debout, comme pressé de partir.

— On réglera les détails samedi si tu veux, proposa Alix. Je t'aiderai à faire tes bagages. Ton passeport n'est pas périmé ?

— Non.

Il voyageait souvent à travers l'Europe, de préférence en train, enregistrant à Prague, à Sofia ou ailleurs, capable de filer à Londres ou à Madrid pour le seul plaisir d'écouter un concert, mais il ne se plaisait vraiment que chez lui, Alix ne l'ignorait pas.

— Je suis contente pour toi, Louis, affirma-t-elle avec un regain d'assurance.

— Moi aussi, papa, murmura Frédéric en se levant à son tour.

La scène qui venait de se dérouler le laissait éberlué, presque choqué.

— Sauvez-vous, j'ai une montagne de travail ! dit gaiement Alix.

Louis l'embrassa, apparemment sans rancune, et sortit le premier.

Après son divorce, Antoine avait gardé le pavillon qui était désormais meublé de façon spartiate, comme s'il avait voulu effacer toute trace de France. Il se remettait mal de son absence, et il avait beau la maudire, elle lui manquait. Un week-end sur deux, invariablement, il recevait Romain et tenait à passer avec lui la soirée du samedi pour discuter. Il ne voulait pas perdre son fils de vue, c'était louable, mais il ne s'apercevait pas de la contrainte qu'il lui imposait. Si Romain avait une sortie importante, il devait négocier sa liberté longtemps à l'avance, et remplacer le dîner perdu un autre soir de la semaine.

Romain aimait bien son père, même s'il préférait sa mère avec qui il se sentait plus à l'aise. En particulier pour tout ce qui touchait à ses loisirs. Antoine n'avait jamais apprécié qu'il passe des heures sur sa guitare, pour lui c'était du temps perdu. Les études, le sport, le ciné et les copains, tout ça, il comprenait, et il avait accepté sans peine les cours de solfège, quelques années plus tôt. Mais sans imaginer l'importance qu'allait prendre la musique dans la vie de son fils.

Enseignant dans le même lycée que France, Antoine la croisait souvent, se contentant de la saluer de loin, alors que s'il apercevait Romain il allait toujours vers lui pour lui dire quelques mots. Vis-à-vis de tous ses collègues, il avait souffert d'être celui qu'on quitte, qui se retrouve seul comme un idiot, mais il avait fait front. Il avait d'abord réclamé la garde de Romain, sans l'obtenir, et s'était senti encore plus frustré. Toutefois, le pire, qu'il n'aurait avoué à personne, avait été la solitude des nuits, le corps de France qu'il cherchait à côté de lui. Il l'avait aimée sincèrement, s'était considéré comme un bon mari, avait souvent pris beaucoup de plaisir avec elle, et n'arrivait toujours pas à comprendre ce qui l'avait poussée à partir.

Il tendit une bière décapsulée à Romain, lui tapota le genou affectueusement.

— J'ai acheté de quoi faire un barbecue pour ce soir, j'espère que ça te fait plaisir. Alors, quoi de neuf ?

Depuis cinq minutes, l'adolescent se demandait s'il devait parler à son père, sans parvenir à se décider.

— Au lycée, tout va bien ? Tu n'as pas besoin d'un coup de main ? J'ai vu tes notes, c'est correct. Mais ne néglige pas le français, hein ! Tu en seras débarrassé l'année prochaine, et je suis sûr que tu vas adorer la philo.

Antoine versa sa bière dans un verre, contempla la mousse. La porte donnant sur le jardin était ouverte et il releva la tête pour désigner les plates-bandes.

— Tu as vu ça ? Je me suis donné un mal de chien !

Il adorait planter des fleurs, biner et bêcher, arracher les mauvaises herbes.

— Si tu veux en cueillir pour ta mère avant de partir, demain... À propos, elle va bien ?

— Oui, très. Je...

Romain hésita encore une fois, puis trouva le courage de débiter, d'une traite :

— Elle sort un peu, ces temps-ci, je suis content pour elle. Je crois qu'elle a rencontré quelqu'un.

Autant que son père l'apprenne par lui car il était certain que cette nouvelle lui serait désagréable.

— Quelqu'un ?

Le mépris cinglant d'Antoine donna raison à Romain. D'ici à ce qu'il ait l'occasion de voir sa mère, son père serait calmé. En attendant, s'il devait se mettre en colère, autant qu'il le fasse loin d'elle. Après tout, ils étaient divorcés officiellement, chacun avait le droit d'agir comme bon lui semblait sans que l'autre en prenne ombrage.

— Quelqu'un qu'elle a eu le culot de te présenter ? s'indigna Antoine. Elle ne manque pas d'air !

Qu'elle te laisse donc en dehors de ses petites histoires.

Abandonnant sa chaise, il sortit, et Romain se résigna à le suivre sur la terrasse. Il le vit verser du charbon de bois dans le barbecue, avec des gestes énervés.

— Et à quoi il ressemble, ce type ? Qu'est-ce qu'il fait dans la vie ?

Ces questions-là, Romain les avait prévues aussi. Il repensa à la réponse de sa mère, quand il lui avait demandé la même chose. « Beau mec », avait-elle déclaré d'un air extasié. C'était exactement ce qu'il ne fallait pas dire, bien entendu. Et le mot de compositeur était tout aussi périlleux.

— La quarantaine. Normal.

— C'est quoi pour toi, « normal » ? Blond, brun ? Grand, petit ?

— Sans importance, papa.

La voix posée de son fils rappela Antoine à l'ordre.

— Bon, je m'en fous, tu as raison, grogna-t-il.

C'était faux, archifaux, et ça devait se voir. L'idée d'un homme faisant l'amour avec France était odieuse, mais il parvint à se reprendre, à changer de sujet.

— Tu veux bien aller chercher les grillades, dans le frigo ?

Romain lui sourit gentiment et se dépêcha de disparaître. Le pire était passé. Un jour ou l'autre, il faudrait bien donner quelques détails, des précisions qui feraient souffrir son père, c'était inévitable. Louis Neuville représentait exactement ce qu'il détestait. Un artiste gravitant dans le milieu du show-business, gagnant beaucoup d'argent avec quelque chose d'aussi futile que la musique, ça n'allait pas lui plaire. Dommage, parce que c'était ce qui pouvait arriver de mieux à sa mère, Romain en était persuadé. Elle était métamorphosée depuis qu'elle connaissait Louis. Et c'était compréhensible, ce type était plutôt sympathique, tout comme l'ambiance qui régnait chez lui.

Un peu inquiet, Romain s'arrêta au milieu de la cuisine. Est-ce qu'il n'était pas en train de trahir son père en acceptant si facilement la présence d'un autre homme ? Est-ce qu'il ne reniait pas tous les principes qu'Antoine avait essayé de lui inculquer ?

Découragé, il haussa les épaules. Se sentir coupable n'arrangerait rien. Il ne pouvait pas s'empêcher d'admirer le talent de Louis, ni de rêver qu'un jour la musique le ferait vivre lui aussi. Tout cela ne lui faisait pas moins aimer son père et, pour le moment, personne ne lui demandait de choisir.

Durant presque tout le dîner du samedi soir, il ne fut question que du départ de Louis. Grégoire se réjouissait bruyamment, tout heureux de prédire à son fils un avenir de gloire et de paillettes outre-Atlantique. Alix se tenait à peu près tranquille, discrète pour une fois, mais néanmoins ravie d'avoir remporté la victoire. Sabine et Tiphaine s'étaient appliquées à dresser toute une liste de choses que leur oncle devait impérativement rapporter, lui faisant jurer qu'il irait passer au moins une journée à Disneyland.

Assise entre Louis et Hugues, France se taisait. Ce voyage imprévu la contrariait, même si elle avait prétendu le contraire. Quinze jours d'absence, au début d'une relation fragile, représentaient un risque évident. Bien sûr, il avait beaucoup insisté pour qu'elle passe cette dernière soirée chez lui surtout quand il avait appris que Romain était chez son père pour le week-end, pourtant elle ne parvenait pas à se sentir rassurée.

— Si tu loues une voiture, fais attention, recommanda Alix, la vitesse est limitée ! Quatre-vingt-dix sur les *freeways*, et quarante en ville. De toute façon, avec le trafic de Los Angeles, on ne peut guère aller plus vite !

Elle y avait séjourné assez longtemps, quelques années plus tôt, à la fin de ses études de droit, et elle adorait la Californie.

— Tu ne pourras fumer nulle part ! rappela Laura avec un sourire moqueur.

— Alix a intérêt à m'arranger ça, au moins pour l'hôtel, sinon je rentre, répliqua Louis.

— Et dans l'avion ?

— Je prendrai un somnifère !

— Tu veux que je t'en donne ? proposa Hugues.

— Je voudrais surtout être déjà revenu...

De l'autre côté de la table, Frédéric lui lança un bref regard mais comprit qu'il plaisantait.

— Est-ce que ce sera suffisant, deux semaines ? demanda France d'un ton détaché.

— Dans un premier temps ! répondit Alix avant son frère. Ensuite, il verra bien. Je suis sûre qu'il va se plaire, là-bas, travailler avec de vrais professionnels, ça change la vie !

La main de Louis se posa doucement sur l'épaule de France qu'il attira vers lui. C'était un geste spontané, plein de tendresse, comme s'il redoutait soudain de se séparer d'elle.

— Ne t'inquiète pas, on s'occupera de tout en ton absence, affirma Laura.

Son regard clair croisa celui de son frère. Elle savait le rassurer quand elle voulait, moins proche de lui qu'Alix mais plus objective, et elle était peut-être la seule de toute la tablée à comprendre son désarroi. Partir le stressait énormément. Loin de son fils, de sa maison, de son piano, de sa famille, serait-il en mesure de composer quoi que ce soit ? Et s'en aller maintenant, alors qu'il venait de rencontrer une femme à laquelle il semblait tenir, devait lui poser un problème supplémentaire.

— Je crois que je vais aller me coucher, décida Hugues.

Il était presque minuit et ils avaient longtemps traîné à table. Sabine et Tiphaine, qui tombaient de sommeil, suivirent leur père sans protester.

— Laissez ça, on rangera demain, dit Laura à France qui commençait d'empiler les assiettes.

— Non, trancha Louis, on t'aide.

Adressant un signe à Frédéric, il donna l'exemple, et même Grégoire se sentit obligé de débarrasser. Cinq minutes plus tard, ils se retrouvèrent tous dans le hall, où ils se firent leurs adieux.

— Je viendrai t'embrasser demain matin avant de partir, murmura Louis à l'oreille de son fils.

Alix s'était tout naturellement proposée pour le conduire à l'aéroport et elle lui rappela d'être prêt à neuf heures précises.

— Oui, oui..., dit-il sans se retourner, alors qu'il s'éloignait dans le couloir, tenant France par la main.

Ils passèrent par l'auditorium pour prendre l'escalier qui menait directement à la chambre de Louis. Une valise était posée sur son lit et il la ferma d'un geste agacé, alla la ranger près de la porte.

— Quel temps fait-il, là-bas ? demanda France avec une désinvolture trop étudiée.

— Je m'en fous !

L'intonation était presque désagréable, il en eut conscience.

— Pardon. Je ne sais pas... Chaud, d'après Alix, mais toujours supportable. Je n'ai pas envie de parler de climat avec toi.

Vexée, tendue, elle hésitait sur l'attitude à adopter, plus très certaine de devoir rester. Il vint vers elle, la prit dans ses bras, mais elle se dégagea tout de suite.

— Écoute Louis, je vais peut-être rentrer chez moi, tu as besoin de dormir, il vaut mieux que tu sois en forme demain.

Elle le vit se crisper, froncer les sourcils. Durant quelques instants, il la dévisagea d'un air interrogateur.

— S'il te plaît, reste... Tiens, je te fais couler un bain !

Quand il avait ce sourire-là, il était impossible de lui refuser quoi que ce soit. Un vrai gosse de dix ans. Il fit volte-face avant qu'elle ait pu répondre et disparut dans la salle de bains.

Il ouvrit les robinets, déversa la moitié d'un flacon de bain moussant dans la baignoire. Pas question que France s'en aille, il n'avait vraiment pas sommeil. Autour de lui, sur les murs, de grands miroirs anciens alternaient avec des dalles de faïence espagnole bordées d'une frise. La pièce était très vaste, peut-être un peu trop luxueuse avec ses meubles en teck et ses rideaux de chintz, mais il ne s'était jamais posé la question depuis que Marianne l'avait décorée ainsi.

Marianne... Pourquoi pensait-il soudain à elle ? À cause de France, ou seulement parce que cet avion du lendemain en évoquait un autre, de cauchemar ? Peut-être redoutait-il davantage le voyage que le séjour à Los Angeles. Songeur, il déboutonna son jean, se débarrassa de sa chemise. Non, pour rien au monde il n'aurait passé cette nuit seul. De la vapeur s'élevait en volutes, derrière lui, mais il n'y faisait pas attention, occupé à s'examiner d'un œil critique dans l'un des miroirs. Plaisait-il réellement à cette adorable petite blonde volcanique qu'il n'avait pas voulu laisser partir ? Perfide, Alix prétendait qu'il représentait une véritable aubaine pour n'importe quelle femme, et qu'il était d'une révoltante naïveté. Avec des affirmations pareilles, sa sœur ne cherchait peut-être qu'à le protéger, mais elle avait fini par le faire douter de tout, y compris de lui-même.

Lorsque France se décida à entrer, la grande baignoire ronde débordait de mousse et Louis était perdu dans ses pensées. Comme il était déjà déshabillé, elle le détailla sans la moindre gêne, jusqu'à ce qu'il déclare, afin de rompre le silence :

— À mon avis, il y a de la place pour deux.

Il attendit qu'à son tour elle ait enlevé tous ses vêtements, puis il voulut s'approcher d'elle mais elle l'évita, enjamba le rebord et se laissa glisser dans l'eau trop chaude.

— Viens, Louis...

Les miroirs s'étaient couverts de buée, une agréable odeur de santal avait envahi la pièce.

— Non, protesta-t-elle, pas comme ça ! Tourne-toi, je vais te masser les épaules...

Avec la paume de sa main, elle préleva un peu de mousse qu'elle lui déposa sur la nuque, les cheveux. Du bout des doigts, elle effleura ses tempes, redescendit vers le cou. Il avait une peau lisse, douce, qu'elle éprouvait beaucoup de plaisir à caresser. Pourtant, elle ne voulait pas seulement faire l'amour avec lui, elle voulait qu'il l'aime, qu'il le lui dise, et elle savait que ce serait le plus difficile à obtenir.

— Tu crois qu'on aura envie de se revoir, à ton retour ? demanda-t-elle, très bas.

— Toi, peut-être pas, mais moi oui !

— Tu n'en sais rien du tout.

— France...

Il voulut bouger vers elle mais elle l'en empêcha.

— Attends, tu as les muscles complètement noués. C'est le piano ?

Parce qu'elle insistait sur un point douloureux, entre deux cervicales, il baissa la tête. Puis elle déplaça ses mains le long de son dos, s'attarda sur chaque vertèbre, suivit le tracé de chaque muscle, mais sans lui faire mal, jusqu'à ce qu'il soit complètement électrisé. Quand elle frôla ses hanches, puis son ventre, il se retourna dans un mouvement qui projeta plein d'eau sur le tapis de bain. Il l'attrapa par les poignets pour l'attirer contre lui.

— Je me sens très novice à côté de toi, tu vas finir par me complexer, dit-il d'un air mitigé. Qui t'a appris tout ça ? Le père de Romain ?

— Mais il n'y a pas besoin d'apprendre !

Elle se pencha vers lui pour l'embrasser, et à cause de toute la mousse ils glissèrent, se retrouvèrent sous l'eau. Elle en émergea la première, riant aux éclats, sans préciser que ce qui la rendait gaie était surtout cette petite question qu'il venait de poser, manifestant ainsi pour la première fois une pointe de jalousie.

Le réveil indiquait quatre heures dix et un silence complet régnait dans la chambre. France se retourna, tâtonna autour d'elle, constata que le lit était vide. Elle s'assit, après avoir allumé la lampe de chevet, tendit l'oreille. Toute la maison semblait dormir, pourtant, au bout d'un moment, elle crut discerner un son lointain, très sourd. Le paquet de cigarettes de Louis était resté par terre, avec son briquet, et elle en alluma une, par curiosité. Elle ne fumait pas mais elle aimait l'odeur du tabac blond et elle savoura une ou deux bouffées qui la firent tousser.

Où était-il allé ? Intriguée, elle décida d'attendre encore un peu. Ils avaient laissé un léger effluve de santal sur les draps et les oreillers. Adorable Louis. Il la faisait complètement fondre, elle ne pensait qu'à lui du matin au soir, en s'endormant ou en se levant, en donnant ses cours ou en corrigeant ses copies, et même en parlant à Romain. Amoureuse comme elle ne l'avait jamais été de personne, avec un horrible sentiment d'angoisse et de frustration parce qu'il allait partir, parce qu'il n'avait pas prononcé la plus petite déclaration. Mais peut-être avait-elle eu tort de se laisser aller sans réserve avec lui, dès le début. Pour le séduire, elle s'était risquée à le provoquer, à mener le jeu, déterminée à ne pas ressembler aux autres femmes. Et comme il suscitait en elle toutes sortes d'envies, elle n'avait pas cherché à les refréner, trop heureuse de se sentir aussi libre. Seulement, en installant malgré elle leur relation sur le terrain de la volupté, elle avait choisi une option dangereuse. S'il la prenait pour une femme fatale, il ferait tout pour ne pas s'attacher à elle.

Contrariée par cette idée, elle finit par se lever. Quatre heures vingt-cinq. Est-ce qu'il était insomniaque ? Elle enfila son jean et son tee-shirt, au cas où elle rencontrerait quelqu'un, puis se dirigea vers l'escalier menant à l'auditorium. En bas, malgré la double porte capitonnée, le son du piano devenait perceptible. Elle ouvrit avec précaution, s'attarda sur le seuil. Il ne l'avait pas entendue entrer, complètement pris par ce qu'il était en train de jouer. De profil, avec son peignoir éponge, sa silhouette longiligne et ses cheveux coupés court, il avait davantage l'allure d'un athlète que celle de Liszt ou de Chopin et elle l'observa un moment, tout attendrie. Puis elle avança un peu, sans qu'il s'aperçoive de sa présence, immergé dans une musique d'une infinie tristesse.

— Et merde..., marmonna-t-il en s'arrêtant abruptement.

Il plaqua un accord discordant et rageur, eut un long soupir d'exaspération. À mi-voix, il fredonna quelque chose qu'il se mit à jouer en hésitant, de la main droite. La tête penchée, il parut réfléchir un moment puis replaça ses deux mains sur le clavier : le son du Steinway envahit toute la pièce.

Appuyée aux boiseries, rigoureusement immobile, France le regardait et l'écoutait. C'était donc comme ça qu'il était, quand il se croyait seul. Inquiet, coléreux, émouvant. Fragile. Rester là était indiscret, mais la musique la retenait, la clouait au sol, elle voulait absolument connaître la fin du morceau. Au bout de quelques minutes, alors qu'elle sentait des larmes monter, il s'interrompit de nouveau. Cette fois il se leva pour arpenter la pièce à grandes enjambées et, lorsqu'il se retourna, il la découvrit.

— Excuse-moi, bredouilla-t-elle, je ne voulais pas... Mais c'était tellement...

— Je t'ai réveillée ? demanda-t-il, incrédule.

Il savait qu'il pouvait faire tout le bruit qu'il voulait sans déranger personne, et il ne comprenait pas pourquoi elle était descendue.

— Non, non ! Je ne dormais pas...

— Quand je me suis levé, non seulement tu dormais, mais tu rêvais.

Le sourire était gentil, pourtant il restait à distance.

— Je te dérange, je remonte, décida-t-elle.

— Attends ! Puisque tu es là, dis-moi ce que tu en penses ?

— De quoi ? Ce que tu jouais ? C'est... superbe. Déchirant.

— Mais qu'est-ce que ça t'évoque ? La mort, l'enfer ?

— Pas vraiment. Plutôt le chagrin et l'angoisse.

— Ah... Tant mieux, alors. Merci.

— C'est de toi ? Ce sera la musique de quoi ?

— De rien du tout, répondit-il sèchement, le visage soudain fermé.

Vexée, elle eut l'impression qu'il la congédiait et elle se dirigea vers les portes restées ouvertes.

— France !

Il était toujours à la même place, loin d'elle, les mains enfoncées dans les poches de son peignoir.

— Ne m'en veux pas, je suis toujours désagréable quand je travaille. J'ai beaucoup de mal avec... ce truc.

Autant qu'elle le sache maintenant, s'ils devaient passer d'autres nuits ou d'autres journées ensemble. De sa part, présenter les choses ainsi était une concession, il aurait aussi bien pu dire qu'il ne supportait pas d'être dérangé lorsque l'inspiration le fuyait, quand il se colletait avec ce fichu opéra dont il ne verrait jamais la fin.

— Je t'en prie, tu n'as pas à t'excuser, tu es chez toi, se força-t-elle à répondre.

Qu'il compose la nuit ou qu'il ait mauvais caractère n'était pas grave, mais dans quelques heures il allait partir à l'autre bout du monde. Et elle aurait voulu se réfugier contre lui, écouter des mots tendres ou des promesses, n'importe quoi qui la rassure, parce qu'elle se sentait glacée par son attitude. Tout à l'heure, au petit déjeuner, la présence de toute la famille les empêcherait de se dire au revoir et, dans l'effervescence du départ, Alix se montrerait sûrement pressée d'emmener son frère. Là, ils étaient seuls, mais il n'avait pas fait un seul pas, il devait attendre qu'elle s'en aille pour se remettre à son piano. Très bien, elle ne l'obligerait pas à patienter trop longtemps.

Il regarda la porte qui se refermait doucement sur elle et faillit la rattraper. Dehors, il faisait encore nuit. Il pouvait continuer à s'énerver sur quelques mesures, ou bien la rejoindre pour s'assurer qu'elle n'était pas fâchée. Resserrant son peignoir autour de lui, il réfléchit un moment, les yeux rivés sur le piano. Pas question d'avouer qu'il commençait à avoir besoin d'elle. C'était prématuré et maladroit. D'ailleurs, elle ne le croirait pas. Dans deux semaines, les choses seraient plus claires, l'éloignement lui permettrait de faire le point. Du moins il l'espérait. Mais, à quarante ans, s'il se comportait en gamin romantique, il le regretterait forcément. Résigné, il retourna s'asseoir devant le clavier.

6

À son arrivée à l'aéroport de LAX, Louis était épuisé, rendu hargneux à cause d'une irrésistible envie de fumer, et tout à fait démoralisé par la lecture du scénario qui comportait essentiellement des scènes d'une violence inouïe.

Un jeune homme bronzé, au crâne rasé, l'accueillit en se présentant comme Billy, l'un des assistants de la production. Il l'aida à récupérer sa valise puis l'installa dans une limousine climatisée. Quand il déclara qu'ils en avaient pour une bonne heure avant d'atteindre le centre ville, Louis demanda l'autorisation d'allumer une cigarette et obtint en retour un clin d'œil complice.

Jamais il ne pourrait trouver un thème musical qui accompagne intelligemment ces bagarres au rasoir, ces fusillades incessantes et ces flots de sang. Alix devait être folle pour l'avoir expédié ici. Son chauffeur n'arrêtait pas de parler mais Louis ne comprenait qu'à moitié, gêné par la rapidité du débit et un accent très prononcé. La collaboration avec l'équipe du film allait se révéler laborieuse, sauf si on lui fournissait un interprète, ce qui n'était pas prévu au contrat.

Ils s'éloignaient de la mer, remontant vers le nord, et lorsque le jeune assistant lui demanda s'il voulait jeter un coup d'œil à Marina del Rey, le plus grand port de plaisance du monde, Louis répondit qu'il préférait gagner son hôtel le plus vite possible. L'autre s'esclaffa. Vite ? Aucune chance, avec une circulation pareille, autant prendre son mal en patience.

Trois quarts d'heure plus tard néanmoins, Louis se retrouva dans le hall du Château Marmont où Billy lui fixa rendez-vous pour le début de la soirée. Construit entre les deux guerres, l'hôtel appartenait à la légende de Hollywood et avait vu défiler un nombre incroyable de célébrités, mais son architecture n'était pas du meilleur goût.

En entrant dans la suite qui lui avait été réservée, Louis découvrit un piano droit de marque japonaise, dont la sonorité métallique était assez agréable, une gerbe de fleurs qu'il trouva incongrue, et une bouteille de champagne californien dans un seau à glace. La chambre était grande, très prétentieuse, avec un balcon donnant sur la piscine. Louis se sentit découragé à l'idée de rester là quinze jours d'affilée. Il défit sa valise à contrecœur, sortit le scénario de son sac de voyage, et songea qu'après une bonne douche il lui faudrait se mettre au travail. Sans attendre et sans réfléchir.

Il resta un moment sous l'eau tiède, puis fraîche, pour essayer de se détendre un peu. À Notre-Dame-de-la-Mer, Frédéric devait dormir, c'était la nuit là-bas. Le décalage horaire allait poser des problèmes pour téléphoner, une contrainte de plus.

Vêtu d'une chemise et d'un jean propres, il ouvrit le champagne, même s'il trouvait plutôt sinistre de boire tout seul, puis alla vider sa coupe sur le balcon, observant les gens qui se baignaient dans l'impeccable piscine turquoise, deux étages plus bas. Une femme blonde, allongée sur un transat, lui fit tellement penser à France qu'il soupira. Bien sûr qu'elle s'était vexée, qu'elle était rentrée chez elle avant qu'il se décide à la rejoindre, la veille. Et lorsqu'il l'avait appelée de Roissy, pour lui renouveler ses excuses, elle n'avait même pas décroché. Endormie ou furieuse, il ne le saurait jamais. Ou partie se consoler ailleurs, ou...

— Bon Dieu, qu'est-ce que je fous ici ? murmura-t-il entre ses dents.

Abandonnant le balcon, il revint dans la chambre et s'assit au bureau. Il prit une feuille de papier à lettres, à l'en-tête de l'hôtel, y traça quelques portées, puis il ouvrit le scénario à la première page.

— Alors allons-y, courage... La brute sanguinaire qui tient lieu de héros, je ne peux pas l'affubler d'un ton mineur... et pour le charmant ghetto où tout ce petit monde s'égorge, je fais quoi ?

Des rythmes syncopés, des sons stridents, des instruments électriques, d'accord, mais s'il n'imaginait pas quelque chose de vraiment original, le producteur des studios Universal finirait par se demander pourquoi il avait fait venir de si loin un compositeur.

— C'est très simple, je ne vais pas y arriver ! Ou bien... seulement des cuivres ? Juste une trompette ? Un truc rétro, décalé... peut-être du jazz très noir... ou du reggae...

Avec un soupir excédé, il laissa tomber son stylo, froissa la feuille, et accepta l'évidence : il n'avait strictement aucune idée.

Consternée, France tendit sa copie à Frédéric. C'était le pire devoir qu'il ait jamais rendu et, même avec toute l'indulgence possible, elle n'avait pu lui accorder qu'un malheureux quatre sur vingt. Elle le vit se décomposer en regardant sa note.

— Très mauvais travail, dit-elle à mi-voix. Non seulement hors sujet, mais bâclé.

Elle continua de distribuer les feuilles du dernier contrôle aux autres élèves, assorties de commentaires assez peu élogieux dans l'ensemble. Quand elle regagna l'estrade, elle exprima son mécontentement envers la classe entière, navrée de constater des résultats aussi médiocres.

— Pour des littéraires, vous ne me faites pas honneur. Quand je compare vos moyennes avec...

Agacée, elle s'interrompit. Frédéric lui tournait le dos, lancé dans une conversation avec Richard assis un rang derrière lui, et manifestement indifférent à ce qu'elle pouvait raconter.

— Neuville ! Si ce que je dis ne vous intéresse pas, vous pouvez sortir.

Il y avait deux Frédéric dans cette classe de première et, pour les différencier, elle les appelait par leur nom de famille ce qui, dans ce cas précis, lui faisait un drôle d'effet. Stupéfaite, elle vit l'adolescent se lever, ramasser ses affaires puis se diriger vers la porte. À n'importe qui d'autre, elle aurait lancé une réflexion cinglante et n'aurait pas manqué de sévir, mais, parce qu'il s'agissait du fils de Louis, elle eut une hésitation. Le temps qu'elle réagisse, il était sorti. Quelques ricanements la firent se reprendre aussitôt. Elle ne tolérait aucun chahut dans ses cours, il n'était pas question que ça change. Elle promena un regard sévère sur les élèves jusqu'à l'obtention du silence complet.

— D'autres amateurs ? demanda-t-elle d'une voix froide, impersonnelle.

Au fond de la classe, Élise aurait aimé trouver le courage de suivre l'exemple de Frédéric, mais elle n'y parvint pas. Tandis que ses voisins commençaient à écrire, penchés sur leurs tables, l'adolescente risqua un coup d'œil par la fenêtre. Les pelouses et les allées étaient désertes à cette heure-ci, pourtant elle aperçut la silhouette de Frédéric qui s'éloignait vers un bâtiment.

— ... et Élise va nous dire pourquoi ce poème illustre parfaitement la haine de Victor Hugo envers Napoléon III.

La jeune fille sursauta, avala sa salive. Elle n'appréciait pas beaucoup la mère de Romain, même si tout le lycée considérait que c'était une chance d'avoir France Capelan pour prof de français en première.

— Aucune idée, dit-elle enfin, par défi.

— Si c'est ce que vous comptez répondre à

l'examinateur, le jour du bac, nous nous reverrons sûrement l'année prochaine ! répliqua sèchement France.

Mais elle n'insista pas davantage et reprit son exposé comme si de rien n'était. Assez d'incidents pour la matinée. Le comportement de Frédéric méritait déjà une sanction, ou au moins une explication, de toute façon quelque chose de désagréable. Elle n'aurait pas dû l'apostropher, lui offrir l'occasion de manifester sa rancœur. Il vivait mal sa présence chez lui durant les week-ends, c'était visible, même si Louis faisait semblant de ne s'apercevoir de rien.

Louis ! Quelle heure était-il donc, à Los Angeles ? En ce moment précis, il entamait la tournée des bars ou il dormait sagement à son hôtel ? Pourquoi avait-elle cru malin de s'éclipser comme ça, l'autre nuit, de débrancher son téléphone à peine rentrée chez elle ? Susceptibilité excessive, stupide vanité. S'il voulait mettre un terme à leur aventure, il tenait le prétexte rêvé. Trop capricieuse. Qu'avait-elle espéré ? Qu'il l'emmène avec lui, qu'il renonce à son voyage, qu'il jure de l'appeler matin et soir ? Pour trois nuits passées ensemble, elle n'avait pas le droit d'exiger quoi que ce soit. Tout ce qu'elle avait gagné, c'était l'incertitude, le silence. Et elle se voyait mal allant demander de ses nouvelles à Frédéric !

La sonnerie arrêta net le cours de ses pensées. Elle était en plein milieu d'une phrase que ses élèves lui laissèrent poliment finir avant de ramasser leurs affaires.

À la question enthousiaste de Franck James, qui voulait absolument connaître son opinion sur le film, Louis répondit qu'il trouvait l'histoire non seulement odieuse, mais surtout sans queue ni tête. L'éclat de rire tonitruant du réalisateur fut suivi d'une grande claque dans le dos, et Louis faillit s'étrangler avec sa gorgée de whisky.

Ils étaient installés au bar de son hôtel, où l'équipe était venue le chercher, obligés de crier pour couvrir le bruit de l'orchestre de jazz qui se déchaînait un peu plus loin.

— J'adore l'humour français, Lou-iss ! hurla Franck. Mais n'en mets pas dans ta musique, hein, c'est pas un film comique qu'on fait. Est-ce que tu as déjà écrit quelque chose ?

— Non.

— Tant mieux, parce que moi, je sais exactement ce que je veux, pas la peine que tu travailles pour rien ! Je te ferai écouter des trucs... Billy, note ça, faut lui déposer des bandes, demain, et assure-toi qu'il a une bonne chaîne dans sa chambre. Et un magnétoscope, on va aussi lui filer quelques vidéos.

L'assistant au crâne rasé hocha la tête en sortant un carnet de la poche de sa chemise. Ils avaient tous l'air fantaisiste, mais ils se comportaient en bons professionnels, attentifs au moindre détail. Franck était un drôle de type, grand et maigre comme un lévrier, habillé de manière excentrique, avec un beau regard délavé dans un visage ravagé par l'alcool.

— Il est tard, tu vas continuer la soirée sans moi, il faut que je sois à huit heures sur le plateau, déclara-t-il avec un clin d'œil.

Marvin, le directeur de production délégué par Universal, fit signe qu'il prenait le relais pour s'occuper du Français. Franck quitta son tabouret et laissa tomber sa main sur l'épaule de Louis.

— Dis-moi, tu préfères que mes gars te trouvent un homme ou une femme, pour finir la nuit ? Histoire de fêter ton arrivée...

La proposition était accompagnée d'un sourire tellement cynique que Louis se contenta de répondre, avec prudence :

— Rien du tout, merci, le voyage m'a fatigué.

Les yeux trop clairs de Franck semblèrent l'évaluer durant quelques instants, comme s'il se demandait s'il allait se contenter de cette réponse ambiguë.

— Repose-toi bien, alors...

Ses doigts broyèrent l'épaule de Louis avant qu'il s'en aille. Marvin commanda une autre tournée puis sortit une liasse de dollars.

— On va passer au Club Lingerie, annonça-t-il, et ensuite au Simply Blues. Puisque tu es crevé, on pourra terminer par le Roxy Theatre ? Tu vas adorer leur musique, c'est ce qui se fait de mieux ! À la tienne...

Louis se demanda si on ne lui faisait pas subir une sorte d'examen de passage. L'idée de continuer à boire jusqu'à l'aube l'écœurait d'avance, mais ce ne serait sans doute pas facile d'y échapper et il vida poliment son verre. Billy avait l'air en forme, réjoui par le programme en perspective, il surenchérit, avec son abominable accent :

— De toute façon, on te ramènera entier dans ta chambre, fais-nous confiance. Un petit dernier ?

— Elle *couche* avec ton père ? s'exclama Richard, sidéré. Ben si c'est comme ça, je vois pas bien ce qui peut t'arriver ! Elle va forcément t'accepter au prochain cours sans rien te dire.

Ils attendaient côte à côte sur le parking du lycée, Richard, le car scolaire, et Frédéric, son oncle qui devait venir le chercher.

— Romain est au courant, pour sa mère ?

— Évidemment ! répliqua Frédéric d'un ton mordant. Trop content, tu penses !

— Content ? Je sais pas... Il ne m'en a pas parlé.

— Oh, dis, ça vous arrange !

— Pour la salle ? Oui, mais je croyais que c'était juste comme ça, par relation, qu'elle lui en avait touché un mot parce qu'elle te donne des cours... Franchement, Capelan, je la voyais pas dans le lit de ton paternel ! Il pourrait s'offrir autre chose, quand même ?

— C'est bien mon avis !

— Remarque, elle n'est pas mal, seulement lui, dans son métier, il doit avoir des tas d'occasions plus branchantes, avec des actrices, ou... enfin, je sais pas, mais...

Il hésitait à s'aventurer plus loin, guettant la réaction de Frédéric.

— Il est quand même génial, ton père, se risqua-t-il à ajouter. Quand je pense qu'il est à Hollywood, t'imagines les opportunités ! Surtout qu'il est du genre beau ténébreux, comme dirait Nerval...

Les sempiternelles références poétiques de Richard agaçaient Frédéric qui haussa les épaules.

— Avec les femmes il est naïf, c'est ce que prétend ma tante. Avant celle-là, il était plutôt discret, j'ai jamais rencontré ses nanas.

L'arrivée du vieux break, conduit par Hugues, les interrompit.

— Salut, à demain ! dit Frédéric en donnant une bourrade à Richard.

Il monta sur le siège passager, claqua la portière.

— Il est réparé, mon scooter ?

— Bonjour, d'abord, protesta son oncle. La réponse est non. Mais la bonne nouvelle, c'est que vu le devis du garagiste, Alix a décidé de t'en offrir un autre !

— C'est vrai ?

— Tu la connais. En ce qui me concerne, j'aurais préféré qu'on attende le retour de ton père. Enfin, c'est long pour toi, deux semaines...

Embarrassé, le jeune homme resta songeur quelques instants puis demanda brusquement :

— Il a appelé ?

— Oui, juste avant que je ne quitte la maison. Il est dix heures du matin là-bas, et il avait la voix pâteuse ! Il partait pour les studios, il essaiera de te joindre un peu plus tard, il t'embrasse.

— J'espère qu'il se plaît à Los Angeles, et s'il pouvait en profiter pour oublier cette bonne femme...

— France ? Pourquoi donc ?

Hugues conduisait doucement, tout le contraire de Louis, et il jeta un regard intrigué à son neveu.

— Est-ce que ça te contrarie ?

Sa question resta sans réponse, aussi ils roulèrent un moment en silence.

— Moi, je trouve ça très bien, reprit enfin Hugues d'un ton neutre. Tu ne veux quand même pas garder ton papa pour toi tout seul, hein ? À seize ans, tu n'en es plus là.

— Mais non, pas du tout, je m'en fous !

— Vraiment ? Allez, pas à moi, Fred...

La voix de Hugues, chaleureuse, ne contenait pas une once de reproche ou de dérision. Il poursuivit, tout en s'engageant sur la nationale :

— Tu sais qu'il tient à toi par-dessus tout, c'est normal, et ce serait facile pour toi de le culpabiliser, alors j'espère que tu ne le feras pas. Ton père est aussi quelqu'un de fragile.

— Lui ? Compliqué, plutôt. Alambiqué, même ! Alix ne t'a pas raconté ? Un peu plus, il refusait de partir aux États-Unis, tu te rends compte ?

— De quoi ? Concernant sa carrière, c'est lui qui décide, non ? Il n'est pas obligé d'aller au bout du monde s'il ne le souhaite pas, il réussit très bien ici.

— Peut-être, mais...

— Nous ne sommes pas tous pareils. Toi, l'Amérique te fait rêver, pas lui.

— Mais si ! C'était pour ne pas la quitter, c'est tout.

— France ? Encore elle ? S'il est heureux avec elle, pourquoi voudrait-il s'en éloigner ? Est-ce que tu as déjà été amoureux, toi ?

De nouveau, Frédéric s'enferma dans le silence. Peut-être, en effet, que son père appréciait la compagnie de France. Du moins dans son lit, à en croire les nuits blanches qu'il s'offrait. De là à conclure qu'il avait rencontré l'âme sœur ! Quant à lui, non, il n'avait pas encore goûté à l'amour, mais il ne comptait pas le faire savoir à Hugues.

D'autant plus qu'il avait l'impression de marquer des points avec Élise, ces derniers temps. Il avait croisé son regard à plusieurs reprises et avait eu droit à ses félicitations pour son acte de révolte en cours de français. Il avait ri, étonné qu'elle ne prenne pas la défense de sa « presque-belle-mère » ! Ensuite, ils avaient déjeuné à la même table, au self, jusqu'à ce que Romain se pointe et qu'elle se sente obligée de le rejoindre.

— Je dois rentrer à Paris ce soir, mais c'est Alix qui prend la suite, avec Tom. Ça te va ?

— Je pouvais rester seul une nuit, je n'en serais pas mort, dit Frédéric.

Il se réjouissait pourtant à l'idée qu'Alix, comme d'habitude, préférerait les emmener au restaurant plutôt que sortir des casseroles.

— C'est quand, ton prochain tour de garde, Hugues ?

— Je reviens après-demain.

— Tant mieux, j'aime bien discuter avec toi.

Son oncle eut un large sourire, prenant cette affirmation comme un compliment. Si Frédéric n'avait jamais été un adolescent renfermé ou fuyant, malgré le décès de sa mère, c'était un peu grâce à lui et à Laura. Bien sûr, Louis s'était montré exemplaire, entourant son fils de tendresse, toujours disponible et attentif, mais, chaque fois qu'il s'était mis à douter, il avait réclamé leur aide. Il avait peur d'en faire trop ou pas assez, d'être maladroit, et à l'époque il téléphonait presque tous les soirs, en quête de conseils. Hugues l'avait souvent rassuré, en lui expliquant que l'important était d'aimer, pas d'être parfait, et que son petit garçon avait davantage besoin de câlins que de discours. Aujourd'hui, le résultat était probant, Frédéric allait bien. Hormis cet accès de jalousie envers France, d'ailleurs prévisible à force de vivre seul avec son père, mais qu'il fallait dédramatiser sans tarder. Ou alors Louis en souffrirait, ce qui serait somme toute très injuste.

— Ta chambre est un vrai taudis, dit Hugues en

s'engageant sur la petite route qui montait vers Notre-Dame-de-la-Mer. Je ne m'en serais pas rendu compte si tu ne laissais pas toutes les portes ouvertes, mais là...

— Je vais ranger, promis.

Il ne le ferait sûrement pas mais, ça, Hugues n'y attachait pas une grande importance. Son souci était plutôt de deviner jusqu'où iraient les réticences de son neveu si une femme faisait irruption pour de bon dans la vie de la famille Neuville.

Durant les trois premiers jours, Louis se familiarisa avec l'équipe du film, acteurs et techniciens, assista au tournage de quelques scènes pour essayer de trouver un minimum d'inspiration, puis visita les studios Universal. Quand il n'était pas sur le plateau, il restait enfermé dans sa chambre pour écouter les innombrables bandes ou disques que Franck James lui avait recommandés et qui étaient tous à l'avant-garde des nouvelles tendances. Saturé de musique par l'incontournable périple dans les boîtes de jazz ou de country, il ne rentrait qu'à l'aube, les oreilles bourdonnantes.

Le jeudi, il s'accorda une pause afin de filer à Disneyland. Il s'offrit d'abord quelques frayeurs avec les attractions d'Indiana Jones puis de Space Mountain, ensuite il acheta tout ce que ses nièces avaient noté sur leur liste, en plus de quelques souvenirs pour Frédéric. De retour à Hollywood, il exigea de passer une soirée solitaire, pour pouvoir enfin se coucher tôt et dormir.

Dès le vendredi, Franck commença à le harceler, exigeant d'entendre n'importe quoi, mais quelque chose, et ce fut effectivement n'importe quoi que Louis se résigna à lui jouer. Franck prit ça pour un mouvement d'humeur, s'excusa, et accepta de patienter jusqu'au lendemain, après avoir annoncé qu'ils allaient passer le week-end à travailler ensemble, dimanche compris. Cet Américain était un bourreau de travail, jamais satisfait, et il pouvait recommencer une prise vingt-cinq fois de suite. Pour la musique de son film, ce serait pareil, Louis ne se faisait aucune illusion.

En quelques jours, ils avaient un peu appris à se connaître. Homosexuel notoire, Franck affectionnait les bars gays et ne cachait pas son goût pour la violence, le danger, la cocaïne. Il avait un talent certain, ses deux derniers longs métrages le prouvaient, mais il restait délibérément marginal, cultivant son image de marque. Avec la plupart de ses collaborateurs, il avait d'imprévisibles rapports de forces ou de charme, selon les moments. Vis-à-vis de Louis, il gardait une attitude courtoise, cependant il semblait guetter la faille, attendre la faute, pour pouvoir enfin le traiter comme les autres.

Le samedi fut une journée abominable. Franck avait fixé rendez-vous à Louis dès huit heures, dans une salle mise à leur disposition par la production. Un synthétiseur ultraperfectionné en constituait tout le mobilier, avec deux chaises et un tabouret. Pendant la matinée, ils essayèrent en vain de trouver un terrain d'entente puis, en début d'après-midi, faillirent en venir aux mains. Franck se mit à hurler, ivre de rage parce que Louis s'obstinait dans un classicisme de composition dont il ne voulait pas.

— Déstructure, invente ! Libère-toi ! Tu me fais de la série B, là, tu te moques de moi ? trépignait-il, au paroxysme de la fureur. Je veux un truc qui décoiffe, qui scie les nerfs, qui donne envie de se boucher les oreilles !

En fin d'après-midi, quelque chose sortit enfin de leur affrontement, l'ébauche d'une musique agressive que Louis, à bout, venait d'improviser rageusement sur le synthé.

— Eh bien, voilà ! exulta Franck. Quand tu veux, tu sais !

Soudain calmé, il vint se poster derrière Louis.

— Rejoue-le... Oui, c'est bien, c'est grinçant... Et maintenant, tu vas m'orchestrer ce thème à ta manière. Ta manière suave de français, ce sera parfait, comme du piment doux.

Excédé, au-delà de toute fatigue, Louis se retourna pour le toiser avec hargne.

— Et tu veux la partition pour quand ? Demain matin ? Dans une heure ?

— Ne te fâche pas tout le temps. Ici, on travaille, on n'est pas à Paris.

— Oh, Paris, c'est la capitale du bon goût, surtout n'y va jamais, tu te ferais jeter !

— Lou-iss, dit posément Franck en secouant la tête, tu es bourré de talent, je le savais avant de t'engager, seulement tu cours après des bluettes, tu te gâches... Joue-moi ce truc encore une fois.

— Non ! Pour aujourd'hui, ça va bien.

— S'il te plaît.

Louis se rassit sur le tabouret, devant le synthé, et essaya de retrouver son sang-froid. Il regarda le clavier, recommença à contrecœur.

— Génial, marmonna Franck.

Sa main vint se poser avec beaucoup de douceur sur le bras de Louis qui sursauta.

— Ne sois pas idiot ! s'esclaffa Franck, je n'aime que les très jeunes gens, tu ne risques rien !

— Merci mon Dieu.

— Tu blasphèmes, là...

— Qu'est-ce que ça peut te faire ? Tu cracherais sur la croix pour peu qu'il y ait des paparazzi dans le coin ! Tu soignes ton image, Franck, mais moi cette musique ne va pas arranger la mienne.

— Tu n'en sais rien. Dis, c'est quoi, le cinéma français ? Tu comptes dessus pour te faire connaître à travers la planète ? Quel rêveur tu fais !

Il était neuf heures du soir et Franck s'aperçut qu'il avait faim, qu'ils étaient restés enfermés là depuis le matin sans consommer autre chose que du café et de l'énergie. Il décida d'emmener Louis à L'Orangerie, un des meilleurs restaurants français de La Cienega, rebaptisée « Restaurant Row » tant on y comptait d'établissements à la mode. À peine attablé, il commanda pour eux deux des menus gastronomiques.

— Tu ne mangeras jamais tout ça, fit remarquer Louis, tu ne te nourris que d'alcool. Pourquoi es-tu toujours si excessif ?

— Parce que c'est comme ça que ça marche. À Los Angeles, en tout cas. Toi, qu'est-ce que tu fais ? Tu t'économises ! Tu attends l'éclair de génie qui va te tomber dessus comme la foudre...

— Non, Franck. Je travaille beaucoup.

— Faux ! Tout à l'heure, on a travaillé pour de bon, tous les deux, et je t'ai sorti les tripes.

— Mais ça ne m'intéresse pas ! C'est *ta* musique, je la déteste.

— Tu as tort...

— Tu sais ce que j'aimerais vraiment ? Écrire un opéra !

— Tu es cinglé.

Les yeux très pâles de Franck s'attardèrent sur Louis avec indulgence.

— Complètement cinglé..., répéta-t-il. Et beaucoup trop conventionnel. D'ailleurs, on n'a pas encore réussi à te débaucher, Billy et moi, c'est très mauvais signe. Tu ne t'amuses donc jamais ? Ou bien tu es amoureux, c'est ça ?

— Gagné.

— Alors tu passes tes nuits au téléphone ? Veinard... C'est une femme, bien sûr ? Comment est-elle ?

— Blonde.

— Une vraie blonde ?

— Authentique.

Franck hocha la tête, ébaucha un sourire, puis il regarda son assiette vide. Louis l'intriguait, l'amusait, il commençait même à ressentir une certaine estime pour lui.

— On a trop mangé, je t'emmène boire un verre, décida-t-il.

— Je préférerais aller me coucher, mais si tu y tiens... Pour une fois, c'est moi qui t'invite.

— D'accord. Je vais te faire découvrir un endroit que j'aime bien à cette heure-ci, un peu glauque, mais on y fait des rencontres...

Dix minutes plus tard, ils entraient dans un bar sombre, bruyant et enfumé, où se pressait une foule compacte exclusivement composée d'hommes. Ils se frayèrent un chemin jusqu'au comptoir, réussirent à dénicher une petite place, et Franck commanda des cocktails de couleur indéfinissable, servis dans d'énormes chopes. Résigné, Louis en but une gorgée qui lui arracha une grimace.

— Tu ne feras pas de moi un alcoolique malgré tous tes efforts ! dit-il à Franck.

— Mais non, petit Français, je veux juste que tu te décoinces un peu ! Après deux ou trois tournées, tu vas planer.

Les gens parlaient très fort autour d'eux, en se bousculant. Il y avait quelques éphèbes outrageusement maquillés, des couples enlacés, de superbes jeunes gens qui exhibaient leur musculature avec des rires hystériques et une lourde odeur de cannabis qui prenait à la gorge.

Quelqu'un heurta l'épaule de Louis à plusieurs reprises, jusqu'à ce qu'il se retourne et découvre, debout à côté de lui, un géant noir qui lui souriait d'un air ravi. Le type devait mesurer deux mètres, il n'avait pas plus de vingt-cinq ans et, par-dessus la tête de Louis, il s'adressa à Franck qu'il semblait connaître.

— Ton copain, demanda-t-il, qui est-ce ?

— Un étranger. Il s'appelle Louis.

Le sourire du Noir s'accentua, découvrant de jolies dents.

— Je peux t'offrir quelque chose, Louis ? proposa-t-il.

— Joe est un très bon joueur de basket, déclara Franck en reposant sa chope vide sur le comptoir.

Son regard pâle semblait contenir un avertissement ironique et Louis prit conscience du danger.

— Non merci, répondit-il à Joe.

Sans prendre en compte le refus, l'athlète adressa un signe impérieux au barman qui renouvela prestement les consommations.

— Il t'a dit non, fit remarquer Franck.

Louis sentit Joe qui s'appuyait davantage contre lui, le prenait familièrement par le cou.

— D'où viens-tu, Louis ? interrogea-t-il en lui soufflant sur les cheveux.

Le type était maintenant collé à lui, l'immobilisant sans effort.

— De très loin, et pas pour me faire emmerder par le premier venu, répliqua Louis dans un américain impeccable.

L'atmosphère se tendit de façon perceptible, tout le long du comptoir où les conversations s'arrêtèrent. Louis descendit de son tabouret, fit un pas en arrière pour obliger l'autre à le lâcher. Franck n'avait pas l'air décidé à intervenir, pourtant c'était le moment, avant que la situation ne devienne carrément explosive. Joe le regardait d'en haut, baraqué, impressionnant, sûr de lui, avec une expression qui n'avait plus rien d'aimable. Dans ce genre d'endroit, il ne devait connaître que des succès, et les hommes de quarante ans étaient sans doute son gibier de prédilection. Les clients les plus proches d'eux suivaient l'incident avec intérêt. Franck en profita pour se mettre debout à son tour, après avoir déposé quelques billets près de son verre.

— On va s'en aller, Joe, annonça-t-il posément. Laisse-le.

— J'ai jamais forcé personne, mec, répliqua l'autre d'une voix sifflante. Vous pouvez partir.

Toute son attitude exprimait le contraire, il ne demandait pas mieux que de se lancer dans une bagarre. Franck s'avança d'un pas nonchalant, prit Louis par le coude et se dirigea vers la sortie, se frayant sans hâte un chemin à travers la foule. Mais, dès qu'ils se retrouvèrent dehors, il changea d'attitude et fila vers sa voiture qui était garée à proximité.

— Ne traînons pas là ! lança-t-il à Louis. Ah, tu es vraiment innocent, toi ! Tu n'as pas remarqué que c'était un bar un peu spécial ?

Au moment où ils claquaient les portières, ils aperçurent Joe qui sortait à son tour, flanqué de deux copains aussi grands que lui. Franck démarra aussitôt en maugréant :

— J'aurais dû te laisser passer une heure avec eux, ça t'aurait fait le caractère, et peut-être même que ça aurait changé ta vie !

Plantés sur le trottoir, frustrés, Joe et ses acolytes les regardèrent s'éloigner.

— Quel endroit délicieux, ironisa Louis, c'est très convivial... Vous êtes vraiment des sauvages !

— Et pourquoi donc ? Tu as entendu ce que tu lui as répondu ? Et sur quel ton ! Tu ne maîtrises pas la langue ou tu fais de la provocation ? Tu ne sais pas dire non poliment ? Pourquoi tu ne l'as pas traité de sale nègre, tant que tu y étais ?

— S'il avait été suédois, ça n'aurait rien changé ! Tu n'avais qu'à me donner le mode d'emploi avant de m'emmener là-dedans.

— La drague et la castagne, avec deux lignes de coke, c'est ça les bonnes soirées, tu n'y connais rien.

— Il vous manque vingt siècles de civilisation !

— Je te ramène à ton hôtel, soupira Franck, on ne peut pas s'amuser avec toi. D'ailleurs, tu me dois toujours un verre, à cause de tes conneries, c'est moi qui ai payé. On ira dans un truc chic et cher où personne ne nous adressera la parole !

Mais il le disait gentiment, avec un drôle de sourire, et il n'ajouta rien jusqu'au moment où il freina devant le Marmont.

— Okay, Louis, soupira-t-il en hochant la tête d'un air entendu, appelle ta blonde et dors bien... Pour quel jour je réserve le studio d'enregistrement ?

Louis le dévisagea, incrédule.

— Tu penses toujours à ton film, hein ? Eh bien,

moi pas ! Il est trois heures du matin, et je te signale qu'on est dimanche...

Il claqua la portière puis donna une petite tape amicale sur le toit de la voiture avant de gagner le hall de l'hôtel. Une fois dans sa chambre, il alla droit au téléphone et composa le numéro de France. Il le connaissait par cœur, même s'il ne l'avait pas utilisé depuis son arrivée à Los Angeles. Ses seuls appels avaient été pour Frédéric puisque, délibérément, il avait reculé le moment de parler à France. Là, il en avait besoin. Lorsqu'elle répondit, il se sentit stupide et ne sut que bafouiller :

— Bonjour, c'est moi.

Il y eut un bref silence puis elle répéta :

— C'est toi ? Comment vas-tu, Louis ?

Enfin quelqu'un qui prononçait correctement son prénom !

— Mal, dit-il en souriant malgré lui. Je n'ai qu'une idée, rentrer.

Nouveau silence, un peu plus long, jusqu'à ce qu'elle déclare :

— Je me demandais ce que tu devenais.

— Ici, les gens sont fous, ils travaillent seize heures par jour, et le reste du temps, ils t'obligent à boire.

Il entendit son rire sans joie, juste poli. Elle ne lui facilitait pas la tâche, c'était normal. Peut-être avait-elle attendu un peu trop longtemps ce coup de téléphone or, il aurait dû s'en souvenir, elle se vexait facilement.

— J'ai beaucoup pensé à toi, avoua-t-il. C'était difficile pour moi de faire le point sur nous deux. Et là, tu es tellement loin que ça ne va pas être tout simple non plus de t'expliquer que...

Il dut s'interrompre pour reprendre son souffle. Des déclarations d'amour, il n'en avait pas fait depuis Marianne. Très tendu, il poursuivit :

— Je suis amoureux de toi, France.

— Ah bon ? Quelle heure est-il, à Los Angeles ?

demanda-t-elle froidement. C'est le blues de l'aube ? Tu viens de rentrer ?

— Oui, je viens de rentrer, j'ai bu de façon raisonnable, et je ne suis pas triste. En revanche, je suis inquiet, ta façon de répondre me panique ! Est-ce que tu es toute seule chez toi ?

— Romain est dans sa chambre.

— Donc personne ne te dérange ? Tu peux parler ?

— Bien sûr.

— Parfait. Alors écoute-moi d'abord, et après tu diras ce que tu veux, d'accord ? Voilà, je ne t'ai pas appelée parce que ça me rend fou d'être cloué ici, et qu'au moindre mot gentil j'aurais été tenté de prendre le premier vol de retour. Je ne sais pas ce que tu penses, ni ce que tu ressens, tu ne montres rien. Mais je ne méritais quand même pas que tu partes en pleine nuit ! Jusqu'ici, tu m'as traité sans la moindre tendresse, comme un type avec qui tu passes juste de bons moments, et ciao, à la prochaine. Les femmes libres, c'est merveilleux, sauf que ça fout une trouille pas possible aux hommes. Depuis le premier jour, j'ai l'impression que tu ne veux pas y mettre de sentiment, c'est ton droit, seulement moi, je me sens très con de t'aimer si tu trouves ça démodé.

Elle n'avait même pas cherché à protester, restant muette jusqu'au bout. Il attendit encore quelques instants avant de murmurer :

— Tu es toujours là ?

— Louis...

— Vas-y, réponds quelque chose ! Tu ne risques rien, je suis à des milliers de kilomètres.

— Si tu m'avais dit ça plus tôt...

— Pourquoi, c'est trop tard ?

— Oh, non ! Mais tu te trompes complètement.

— Qu'en sais-tu ? Tu n'es pas dans ma tête.

— C'est sur *moi* que tu te trompes ! Je n'y mets pas de sentiment ? Où vas-tu chercher des trucs pareils ? Tu peux bien être à l'autre bout de la planète, rien que ta voix, ça me fait fondre. Tu me manques tellement, si tu savais !

— C'est vrai ?

Du coup, il fut obligé de s'asseoir sur le bord du lit. Il ne s'était pas rendu compte qu'il était resté debout jusque-là.

— Tu accepterais de vivre avec moi, France ?

La phrase était venue naturellement et il ne regretta pas de l'avoir prononcée, même si c'était idiot.

— J'en rêverais, mon amour, chuchota-t-elle d'une voix qui s'était mise à trembler.

— Tu utilises le conditionnel ?

— Comment veux-tu que...

Beaucoup plus lucide que lui, et moins égoïste, elle devait penser à Frédéric et à Romain. Sans insister, il enchaîna :

— J'en ai encore pour une semaine ici, ce sera un calvaire !

— Mais tu dois le faire.

— Je sais. À quel moment veux-tu que je te rappelle ?

— Tous les moments, n'importe lequel.

— À tout à l'heure, alors. Je t'aime.

Il raccrocha le premier et s'aperçut que ses doigts avaient laissé des marques de transpiration sur le téléphone tant il l'avait serré. La seule chose qu'il pouvait faire, maintenant, c'était donner à Franck James la musique qu'il attendait. En y mettant l'élan de passion qui était en train de le galvaniser. Et si l'Américain croyait toujours que les Français travaillaient en dilettantes, il allait avoir une sacrée surprise.

7

Alix émergea de l'ascenseur en proie à un vague sentiment de malaise. Elle était venue des douzaines de fois à l'aéroport de Roissy, ces dernières années, mais le fait d'y rejoindre Louis lui rappelait trop précisément le souvenir du décès de Marianne. Cette nuit-là, elle avait vraiment cru qu'il allait craquer, que tout ce qu'il y avait de joie et de talent en lui serait écrasé, détruit. Ce n'était pas sur le sort de sa belle-sœur qu'elle s'était apitoyée, à l'époque, seulement sur son frère, comme toujours. Et elle ne s'était pas contentée de lui tenir la main, elle l'avait vraiment porté à bout de bras durant les premiers jours. Elle le connaissait mieux que personne et l'aimait plus que quiconque, du moins elle en était persuadée, elle avait un rôle à jouer à ses côtés, tant pis si les autres n'y comprenaient rien.

Un coup d'œil au tableau des arrivées lui apprit que l'avion en provenance de Los Angeles avait atterri avec vingt minutes d'avance. Elle se dirigea en hâte vers la porte indiquée, espérant qu'il serait encore en train d'attendre ses bagages.

— Sortons d'ici, Al, il faut que j'en allume une !

Saisie, elle le découvrit debout derrière elle, appuyé à un chariot sur lequel il avait entassé sa valise et trois sacs de voyage. Il était bronzé, un peu amaigri, tout souriant.

— Louis ! Tu as une mine superbe ! s'écria-t-elle en se jetant dans ses bras.

Il la retint une seconde contre lui avant de la pousser vers les ascenseurs.

— Allons-y ou je vais devenir fou. À quel parking es-tu ?

— Deuxième sous-sol. Tu n'es pas trop fatigué ?

— J'ai beaucoup dormi dans l'avion, et j'ai pris trois petits déjeuners, je me sens en pleine forme.

— Tu vas me raconter Hollywood, je meurs d'impatience !

Tout en poussant le chariot à travers les rangées de voitures, il alluma une cigarette avant de prendre son téléphone dans la poche de sa chemise.

— Fred, tu vas bien, mon grand ? Oui, je viens d'atterrir, on arrivera d'ici une heure et demie. Mets du champagne au frais ! Je t'embrasse.

Il coupa la communication et sourit à sa sœur.

— Tant que j'y pense, dit-elle d'un ton gai, je lui ai offert un nouveau scooter, à ton fils. Le sien était un vieux tas de ferraille.

— Quoi ?

— En panne un jour sur deux, c'était trop compliqué à gérer. Et puis j'ai bien le droit de le gâter, non ?

— Là, tu le pourris.

— Mais non ! Il a été adorable.

— Rien de nouveau à la maison ?

— Du genre ?

— La toiture arrachée, la chaudière qui explose...

— Qu'est-ce que tu imagines ? Nous avons été des gardiens modèles ! En revanche, j'ai plein de choses à te dire, des tas de propositions dont une qui...

— Pas maintenant !

Il avait fini de remplir le coffre de la MG rouge, dont Alix était si fière qu'elle ne la prêtait jamais.

— Je peux conduire ? demanda-t-il, sans espoir.

— Pas question. Monte ou je te laisse là.

Résigné, il s'assit sur le siège passager et boucla sa ceinture de sécurité.

— Comment est Franck James ? demanda-t-elle en manœuvrant pour quitter le parking.

— Odieux et loufoque, mais c'est un chic type.

— Il m'a appelée aujourd'hui pour signaler qu'il t'avait mis dans l'avion lui-même et, accessoirement, pour me remercier. Il paraissait enchanté de votre collaboration.

— Quand tu entendras cette cacophonie, tu auras une idée de ce que j'ai vécu là-bas. On a bouclé l'enregistrement avant-hier soir, j'ai tout fait seul sur un synthé. Un vrai marathon.

— Mais tu as quand même trouvé le temps de bronzer ?

— Les derniers jours, je me suis forcé à nager une heure le matin. Histoire de dessoûler un peu...

Elle lui jeta un regard perplexe, étonnée de le trouver si gai.

— Tu es content de revenir, hein ? s'enquit-elle d'un ton agacé.

— Évidemment ! Pour me faire retourner aux États-Unis, Alix, il faudra que ce soit au moins *La Guerre des étoiles*, je te préviens. On parlera de tout ça plus tard, mais j'ai des choses sérieuses à te dire à ce sujet.

— Plus tard, pourquoi ? Vas-y !

— Non, pas tant que tu conduis.

— C'est si désagréable ?

— Oui.

— Très bien, j'ai justement besoin d'essence, on s'arrête.

Elle s'engagea in extremis sur la bretelle d'accès à une station-service et freina devant les pompes. Après avoir fait le plein, elle alla se garer sur le parking de la boutique.

— Alors ? dit-elle en se tournant vers lui.

Louis eut un geste désolé puis haussa les épaules.

— Tu avais lu le scénario, Al ?

— Bien sûr.

— Et tu m'y as envoyé malgré tout ? Qu'est-ce qui t'a pris ? Je te fais une confiance aveugle et je me retrouve dans la gueule du loup ! J'ai cru ne jamais m'en sortir. Je ne sais pas faire le genre de musique que Franck voulait, il me l'a arrachée parce qu'il est têtu comme un mulet, mais je t'assure que le résultat n'est pas glorieux.

— C'était un premier pas, Louis, répondit-elle patiemment.

— Je ne ferai pas les suivants.

Les yeux dans les yeux, ils s'affrontèrent quelques instants.

— Alors, si j'ai d'autres propositions, je les refuse ? s'indigna-t-elle.

— Oui. Désormais, je n'accepterai que ce que j'aurai examiné soigneusement.

Il restait calme, déterminé, et Alix résista à l'envie de se mettre en colère. Elle devait lui laisser le temps de souffler, c'était logique, elle ne gagnerait rien à trop le bousculer.

— D'accord, parvint-elle à dire avant de redémarrer.

Pendant quelques kilomètres, elle resta silencieuse puis, trop dévorée de curiosité pour continuer à bouder, elle demanda :

— Allez, raconte un peu, ne te fais pas prier... Qu'est-ce que tu as aimé, là-bas ?

— Rien ! Ah, si, la musique de certaines boîtes. On ne peut pas leur enlever ça, ils sont très inventifs, tous les nouveaux rythmes viennent de chez eux. J'ai composé deux ou trois trucs, en dehors du travail pour Franck, bien entendu. J'avais un assez bon piano, je me suis amusé avec.

— Et les rencontres ? Tu as vu quelques stars ?

— Croisé, de temps en temps.

— Et tu n'es tombé amoureux de personne ? dit-elle en riant.

— Non, inutile, je l'étais avant de partir. Donc je suis resté fidèle, c'est la moindre des choses.

Alix accusa le coup, il la vit se raidir.

— Tu plaisantes, j'espère ?

— Pas du tout. Rien de tel qu'une séparation pour s'apercevoir à quel point les gens vous manquent.

Il savait que sa sœur détesterait cet aveu, comme

elle détestait toutes les femmes qui l'approchaient de trop près.

— Tu veux parler de ton petit prof, c'est bien ça ?

— De France, oui.

— Tu vas te laisser mettre le grappin dessus ?

— Al, tu t'entends ? « Petit prof », « grappin »... Elle ne t'a rien fait !

— Encore heureux !

— Il y a si longtemps que je n'avais pas ressenti ça...

— Quoi, ça ?

— Tu sais bien ! Le cœur qui tape, plus de salive, l'envie de tout plaquer pour voir quelqu'un cinq minutes, et...

— Désolée, connais pas.

— Même avec Tom, au moins au début ?

— Tom ne m'a jamais rendue idiote, Dieu merci. Quant à toi, fais attention, Louis. Tu es célèbre, riche, naïf, et très séduisant. Jusque-là, tu avais ton petit garçon, ça pouvait à la rigueur décourager une nana en quête de mari, seulement maintenant, il est grand, ton fils, il est bientôt adulte, et plus rien ne va les arrêter !

— Mais qui ? Où sont les hordes de femmes prétendument pendues à mes basques ? Tu deviens parano ou quoi ?

— Oh, je t'en prie, on dirait Hugues !

— Alix !

Il tendit brusquement la main vers le volant, mais elle avait déjà redressé d'elle-même.

— Excuse-moi, marmonna-t-elle, un instant de distraction...

Elle s'éloigna un peu de la glissière de protection qu'elle venait de frôler, à cent quatre-vingts. La rage qu'elle ressentait était disproportionnée, mais elle avait espéré ne plus jamais entendre parler de cette petite blonde. Ne plus la voir à Notre-Dame-de-la-Mer. Ne pas avoir droit aux confidences de Frédéric sur les nuits blanches de son père.

À la sortie de l'autoroute, elle ralentit pour plonger dans la vallée de la Seine. Louis regardait le paysage avec une évidente satisfaction, heureux de rentrer chez lui, de revoir son fils. La fin de matinée était superbe, un franc soleil de mai faisait scintiller le fleuve et embrasait les berges, comme un avant-goût de l'été.

Le portail s'ouvrit devant la voiture, et presque aussitôt ils virent Frédéric qui courait à leur rencontre. Louis descendit juste à temps pour le recevoir contre lui, dans une effusion de chien fou.

— Tu m'as manqué, mon bonhomme ! Mais tu as grandi, ou je rêve ?

— Tu rêves. Alors, l'Amérique ?

— Horrible. Il faut le voir pour le croire. Je t'ai rapporté des tas de saloperies.

— Moi, je t'ai mis du champagne au frais.

Louis ébouriffa les cheveux de son fils d'un geste tendre, puis il dut subir l'assaut de ses deux nièces. Pendant ce temps-là, Tom avait déjà sorti les bagages du coffre et Alix le suivit à l'intérieur de la maison.

— Tu ne vas pas le croire, dit-elle d'un ton acide, mais il n'a pas du tout apprécié son voyage !

— C'était prévisible.

— En plus, il se croit amoureux ! poursuivit-elle en levant les yeux au ciel.

— Grand bien lui fasse, répliqua Tom très sérieusement.

Il tendit le bras vers elle, la prit par la taille, l'embrassa avec une fougue inattendue.

— Tu es très belle, ma chérie, murmura-t-il.

Depuis deux jours, elle n'avait pas trouvé le temps de le voir ou de l'appeler, saturée de travail, surexcitée par le retour de son frère. Beau joueur, il ne s'était pas manifesté non plus et, le matin même, elle lui avait téléphoné très gentiment, insistant pour qu'il vienne au moins déjeuner à Notre-Dame-de-la-Mer.

— Allons rejoindre les autres, proposa-t-elle.

Sa voix manquait de conviction, elle se sentait plus troublée qu'elle n'aurait dû par les mains que Tom venait de glisser sous son pull. Il la tenait toujours serrée contre lui et il caressait avec douceur le creux de son dos.

— Arrête, voyons...

— Vous allez faire ça dans le vestibule ? lança Grégoire qui descendait l'escalier.

Alix s'écarta à regret et fusilla son père du regard.

— On mange dehors, j'espère ? dit celui-ci en souriant à Tom.

— À condition que vous mettiez le couvert ! cria Laura, depuis la cuisine. Sabine et Tiphaine sont trop occupées à déballer les cadeaux de Louis.

Frédéric passa devant eux, une bouteille de champagne dans chaque main, et Grégoire lui emboîta le pas. Sur la terrasse, Hugues venait d'apporter des verres et observait d'un œil malicieux Louis qui s'était éloigné de quelques pas pour téléphoner. Il vit son expression heureuse, le sourire de gosse qu'il avait tandis qu'il parlait.

— Regarde ton frère, chuchota-t-il à Laura qui arrivait avec un bol d'olives farcies.

Après avoir jeté un rapide regard vers Louis, elle éclata de rire.

— À mon avis, il va disparaître juste après le déjeuner ! Tu crois qu'il appelle France ?

— Je prends tous les paris...

— Qu'est-ce qui vous amuse ? demanda Alix, chargée d'un lourd plateau de vaisselle.

– Louis, répondit Hugues posément.

Le bruit du bouchon de champagne fit sursauter tout le monde et Frédéric se mit à servir. Louis replia l'antenne de son portable, revint vers eux.

— À quoi buvons-nous ? lui demanda Hugues en levant son verre. À la France ?

Louis le considéra avec intérêt, à peine surpris par le jeu de mots.

— Oui, volontiers.

Il savoura une gorgée, sans prêter attention à la mine renfrognée d'Alix.

Pour la centième fois au moins, France regarda sa montre et alla se planter devant la glace en pied qui couvrait la porte de la salle de bains. Elle entendait Romain qui jouait de la guitare, seul dans sa chambre. Dans une heure, il devrait partir chez Antoine, où il n'emmenait jamais sa guitare et où il se gardait bien de parler de musique.

Elle portait une petite jupe courte en jean, un tee-shirt blanc très moulant, et seuls ses yeux étaient maquillés. Louis avait annoncé qu'il serait là à quatre heures, sans rien préciser d'autre, ce qui la laissait dans l'incertitude quant au choix de sa tenue. Consulté, Romain avait trouvé ça très bien, très « passe-partout », mais il était toujours fier de sa mère, qu'elle soit en tailleur ou en short. Il aurait sûrement le temps de voir Louis quelques instants avant de s'en aller, et elle s'en réjouissait. Il n'y avait aucune animosité entre eux, au contraire, elle sentait même une certaine sympathie quand Romain en parlait. De ce côté-là, au moins, rien ne la menaçait.

Le coup de sonnette la figea sur place. Depuis quinze jours, elle avait tellement pensé à Louis qu'elle en était devenue insomniaque. Elle était passée par toutes les phases de l'angoisse, de l'attente, de l'allégresse, et elle ne savait plus où elle en était. Pour la femme aussi posée qu'elle avait la réputation de l'être, c'était comique.

Elle fila jusqu'à la porte, prit une profonde inspiration et ouvrit. Ils se dévisagèrent un instant, presque intimidés l'un par l'autre, puis Louis fit un pas en avant et elle put se blottir contre sa chemise. Le souffle court, elle respira son eau de toilette, l'odeur du tabac blond.

— C'est bon de te voir, dit-il tout bas.

Elle ne s'écarta de lui, pour le laisser entrer, que lorsqu'elle entendit les pas de Romain derrière elle.

— Bonjour ! fit Louis, la main tendue vers le jeune homme. Comment allez-vous depuis la dernière fois ? Est-ce qu'on pourra rejouer ensemble, un de ces jours ? Je me suis beaucoup amusé.

L'intonation était chaleureuse, sincère, et Romain sourit.

— Quand vous voulez !

— Tu prends un café ? demanda France à Louis.

— Avec plaisir.

— Je peux le faire, proposa Romain à sa mère.

— Non, intervint Louis, je... j'aimerais bien parler une minute avec vous.

Surprise, France marqua une hésitation avant de s'éloigner vers la cuisine dont elle laissa la porte ouverte. Romain attendait, un peu intrigué mais toujours détendu.

— Si ça ne tenait qu'à moi, commença Louis, je vous demanderais la main de votre mère.

Ahuri, le jeune homme ouvrit la bouche, la referma sans avoir prononcé un mot.

— Comme vous vivez seul avec elle, vous êtes en droit de vous inquiéter pour elle et de vouloir la protéger. Alors, en ce qui me concerne, je voulais vous rassurer, je n'ai pas du tout l'intention de m'amuser à ses dépens, et puis de disparaître dans la nature.

— Ah bon, très bien..., bredouilla Romain.

Il s'aperçut qu'il n'avait pas pensé à faire asseoir Louis et qu'ils étaient toujours debout, face à face près du canapé. Être traité en adulte le flattait, mais il ne s'imaginait pas dictant à sa mère la conduite à tenir. Elle était assez têtue pour faire exactement ce qu'elle voulait. Or c'était ce type-là qu'elle voulait, personne d'autre, elle ne s'en était pas cachée, et Romain commençait à comprendre pourquoi.

— J'espère que je ne vous choque pas, ajouta Louis.

— Non, pas du tout...

France revenait, une tasse à la main, elle leur sourit à tour de rôle.

— Pourquoi restez-vous plantés là ?

— Je vais y aller, décida Romain. Papa doit jeter un coup d'œil à mon Solex, il a des ratés. Salut, m'man.

Penché sur elle, il l'embrassa en se débrouillant pour lui faire un clin d'œil, puis il adressa un signe de tête à Louis avant de disparaître. Ils entendirent claquer la porte d'entrée, et France soupira.

— Est-ce qu'il passe tous ses week-ends chez son père ? demanda Louis d'une voix très douce.

— Un sur deux. Il rentre le dimanche après-midi.

— Tu crois qu'il accepterait de dîner à la maison demain soir ?

— Je suppose...

— Je le trouve très direct, très gentil.

Louis pensait au scooter de Frédéric, qu'Alix avait remplacé par caprice, et il se sentait vaguement coupable.

— Nos fils ne s'aiment pas, j'en ai peur, murmura France.

Voilà, elle l'avait dit, même si elle ne comptait pas ajouter que Frédéric devenait insolent au lycée. Mais elle avait trop l'habitude des adolescents pour sous-estimer le problème. Elle vit Louis reposer sa tasse vide sur la table basse, et elle tendit la main vers lui, effleura son épaule. Comme s'il n'avait attendu qu'un signe, il la prit dans ses bras un peu brutalement, la serra contre lui jusqu'à ce qu'elle proteste.

— Tu me fais mal.

— Tant pis ! Tu m'as trop manqué.

— C'était quand même excitant, Hollywood ?

— Non.

— Plein de filles sublimes ?

— Peut-être, seulement moi, je me suis fait draguer par un basketteur !

Elle rit, essayant une nouvelle fois de se dégager sans y parvenir.

— Ne bouge pas, ça ne sert à rien, je ne te laisserai pas partir. Tu es ravissante habillée comme ça, j'ai très envie de toi.

Il l'embrassa et elle comprit qu'elle ne pourrait pas lui résister longtemps. Pourtant, elle se l'était juré, depuis le jour où il l'avait enfin appelée de Los Angeles : leur relation ne serait pas réduite à une simple attirance physique, même passionnée. Si vraiment Louis éprouvait autre chose que du désir, il allait devoir le lui montrer. Chez lui, toute sa famille devait être réunie au grand complet, c'était sûrement pour cette raison qu'il avait préféré venir chez elle, et maintenant, comment l'arrêter ? Comment vérifier que ce n'était pas la seule chose qu'il attendait d'elle ? Il avait laissé glisser ses mains sur le tee-shirt, lui caressant doucement les seins à travers le tissu, et elle frémissait malgré elle, prête à céder.

— Je ne veux pas faire l'amour ici, chuchota-t-elle. Si Romain revient, s'il a oublié quelque chose...

— Tu as raison, soupira-t-il en se décidant à la lâcher.

Elle l'observait, pour voir s'il était déçu ou vexé, mais il lui adressa un sourire tellement adorable qu'elle se sentit bouleversée.

— On va se promener ? proposa-t-il.

— Où ça ?

— N'importe où. Au bord de la Seine si tu veux. De toute façon, ça m'est égal, c'est toi que je veux regarder, pas le paysage. Tu prends quelques affaires ? Tu passes le week-end avec moi, tu sais.

De la poche de son jean, il extirpa un paquet de cigarettes et lui lança un regard interrogateur.

— Oui, oui, tu peux fumer, je reviens tout de suite.

Une fois dans sa chambre, elle fourra un pull, un pantalon de toile et des sous-vêtements dans un petit sac, puis elle gagna la salle de bains afin d'y chercher sa trousse de toilette. D'instinct, elle devinait que la famille Neuville ne serait pas ravie de la voir arriver. En particulier Frédéric et Alix. Si Romain la rejoignait pour dîner, le lendemain soir, ce serait pire. Il n'était pourtant pas question pour elle de s'effacer car Louis était la meilleure chose qui lui soit jamais arrivée, la plus inattendue aussi, et elle allait lutter de toutes ses forces pour garder cet homme dans sa vie. Pourquoi Frédéric, plutôt gentil et bien élevé deux mois plus tôt, s'était-il mis à la détester ? Est-ce qu'il la jugeait indigne de son père ? Trop médiocre, trop provinciale, ni assez jeune ni assez jolie ? Et d'ailleurs la question méritait d'être soulevée : pourquoi elle ?

Lorsqu'elle revint dans le salon, elle trouva Louis posté devant la fenêtre, observant l'immeuble voisin.

— Quand j'ai divorcé, il a fallu que je loue en catastrophe un appartement, déclara-t-elle de façon désinvolte.

— Tu n'aimes pas cet endroit ?

— Personne ne pourrait l'aimer !

— Tu me fais visiter ?

— Non !

— S'il te plaît...

Il la prit par la main pour se diriger vers la cuisine, où il ne jeta qu'un coup d'œil rapide avant d'aller ouvrir la porte de la première chambre.

— C'est la tienne, constata-t-il.

Le lit était fait, il y avait des tulipes dans un vase et une pile de livres par terre. Sur une petite coiffeuse, il aperçut des copies en cours de correction.

— Tu as encore du travail pour lundi ?

— Oui.

— Emporte-le, alors.

Dans le couloir, il s'arrêta devant la glace qui masquait la porte de la salle de bains.

— Regarde-nous, dit-il. Tu es toute petite à côté de moi. Une minuscule petite blonde... J'ai dû expliquer à mon metteur en scène américain que j'étais fou amoureux d'une vraie blonde.

Il se tenait derrière elle, le menton appuyé sur son épaule, et considérait leur reflet avec intérêt.

— On forme un couple très présentable, non ?

Désemparée, elle se laissa aller contre lui, ferma les yeux. Il mit les mains autour de sa taille, pencha la tête pour embrasser délicatement sa nuque.

— Viens, décida-t-elle en lui échappant. Tu veux voir l'antre de Romain ?

Il la rejoignit sur le seuil de la chambre et siffla entre ses dents.

— Comment fais-tu pour l'obliger à ranger ? Tu verrais celle de Frédéric !

— Il a toujours été assez ordonné.

Louis était entré, avait pris la guitare sur laquelle il joua quelques accords.

— Un bon instrument, apprécia-t-il, c'est toi qui l'as acheté ?

— C'était le cadeau de ses seize ans, c'est lui qui a choisi. Son père ne veut pas entendre parler de musique, pour lui c'est du temps perdu.

Il faillit répliquer mais se retint de justesse.

— Pourquoi vous êtes-vous séparés ? se borna-t-il à demander.

— Antoine et moi ? Eh bien... Nous n'étions pas sur la même longueur d'onde.

La réponse n'était pas très explicite, pourtant Louis n'insista pas. Il s'était montré suffisamment curieux depuis son arrivée. L'appartement de France manquait d'espace, c'était certain, et il avait du mal à imaginer qu'elle soit heureuse de vivre là. Il ressentit une brusque envie de lui offrir une autre existence, de la protéger, de la mettre à l'abri. Un désir assez stupide, il en eut conscience, car elle n'était ni fragile ni en danger.

— On y va ? proposa-t-il d'un ton léger.

Ils décidèrent d'aller jusqu'à La Roche-Guyon pour prendre un thé au pied du château puis se promener le long des berges de la Seine. Louis retardait délibérément le moment de rentrer chez lui, profitant au maximum de leur tête-à-tête. Une fois à

Notre-Dame-de-la-Mer, il lui faudrait affronter l'animosité d'Alix, les clins d'œil complices de Grégoire, mais surtout la réprobation de Frédéric, il le savait d'avance. France ne serait pas facile à imposer, sans compter Romain, et il ne voulait faire souffrir personne, cependant, s'il reculait maintenant, la situation deviendrait inextricable.

À sept heures et quart, il téléphona de son portable pour annoncer qu'il revenait et qu'il n'était pas seul. Ils trouvèrent donc la famille réunie sur la terrasse, affichant des sourires plus ou moins crispés. Le regard que Frédéric posa sur France était franchement hostile, néanmoins il lui serra la main poliment.

— Mais voilà notre gentil professeur ! s'écria Alix. Je suis ravie de vous revoir, comment trouvez-vous Louis ? À côté de sa mine superbe, nous avons tous l'air d'endives !

Elle poussa France vers un fauteuil inconfortable et demanda, avec une naïveté très calculée :

— Est-ce que je dois encore aller chercher du champagne ? Vous dînez avec nous, j'espère ? Laura a prévu une sorte de buffet froid, après les agapes de ce midi.

— France va passer le week-end avec nous, annonça Louis sans regarder sa sœur.

— Ah bon ? Eh bien, ce n'est pas grave, ne fais pas cette tête-là ! Alors, champagne quand même ?

Tom réagit le premier en se levant brusquement.

— J'y vais, dit-il à Louis.

Leurs regards se croisèrent, et celui de Tom était tellement expressif que Louis se domina.

— Je t'accompagne, marmonna-t-il.

Dès qu'ils furent dans l'escalier de la cave, Louis explosa.

— Qu'est-ce qui lui prend ? Elle devient folle ?

— Je suis désolé...

— De quoi ? Tu ne vas pas t'excuser pour elle ! Je sais que tu n'y peux rien, je la connais, mais tu vas me rendre un service. Prends-la à part une seconde et explique-lui que je ne suis pas décidé à me laisser faire. Il ne s'agit pas de boulot, là, c'est ma vie privée, je ne supporterai pas qu'elle s'en mêle.

— Je le lui dirai, tu n'avais pas besoin de me le demander, j'y aurais pensé tout seul.

— Écoute, Tom, je suis amoureux et je trouve ça formidable...

Brusquement calmé, il s'était appuyé au mur de pierre, sourire aux lèvres.

— Je suis content pour toi, affirma Tom. Et ne t'inquiète pas, en dehors d'Alix tout le monde apprécie France. Ton père, Laura et Hugues, moi... Elle est jolie, bien élevée, et elle a une sacrée personnalité.

— Tu es gentil.

— Vas-y, ne les laisse pas toutes les deux face à face. Je prends quoi, comme bouteilles ?

— Ce que tu veux ! cria Louis qui remontait en courant.

Alix n'était plus sur la terrasse, Frédéric non plus, et Laura bavardait avec France. Soulagé, Louis en profita pour allumer une cigarette.

— Tu fumes de plus en plus, lui fit remarquer Grégoire.

— Tu en veux une, papa ?

— Non, non ! Ou alors, juste une bouffée de la tienne.

Il inspira avec béatitude puis fronça les sourcils.

— C'est de la paille, ton truc...

Sabine et Tiphaine surgirent entre eux, ravies d'exhiber les déguisements rapportés de Disneyland. L'une en Blanche-Neige, l'autre en Cendrillon, elles multipliaient les révérences.

— Tu les as gâtées, dit Laura à son frère.

— Je n'ai que deux nièces !

Louis alla s'asseoir par terre, à même les dalles tièdes, près du fauteuil de France.

— C'est divin de se retrouver chez soi.

— Qu'est-ce que tu aimerais manger, demain ? s'enquit Laura.

— Un cassoulet.

— Tu plaisantes ?

— Oh que non ! Un cassoulet, avec plein de confit et de saucisses, mais un vrai, pas un truc en boîte.

— C'est l'un des plats que je sais faire, déclara France. Si vous voulez, je peux m'en charger.

Laura accepta spontanément la proposition, ravie de cette aide inattendue.

— Et une tarte aux framboises, poursuivit Louis.

C'était si rare de l'entendre manifester un quelconque désir gastronomique que Laura se mit à rire. La cuisine américaine avait dû le frustrer, à moins que la présence de France ne justifie cet appétit soudain.

Des cris de joie retentirent dans l'allée, puis ils entendirent le scooter qui démarrait. Frédéric passa, au ralenti, ses deux cousines installées sur le siège devant lui. Le nouvel engin était jaune vif, rutilant de tous ses chromes. Louis les suivit des yeux quelques instants, très songeur. L'atmosphère familiale qui régnait le week-end à Notre-Dame-de-la-Mer depuis des années pourrait-elle résister au bouleversement qu'il était près d'imposer ? Il avait beau se dire qu'il était chez lui, qu'il avait le droit d'y vivre comme il l'entendait, l'idée des conflits à venir l'angoissait. Pas question de rendre son fils malheureux, ni de se sacrifier lui-même, il existait forcément une solution intermédiaire.

— Voilà le champagne ! annonça Tom qui revenait, suivi d'une Alix assez morose.

Il avait dû lui faire la leçon, mais ce ne serait pas suffisant pour l'empêcher de proférer des vacheries si elle en avait envie. Louis se leva afin d'aider Tom à faire le service et il porta lui-même sa coupe à Alix.

— À la tienne, ma belle, lui dit-il gentiment.

Elle but une gorgée puis planta son regard sombre dans celui de son frère.

— J'ai plein de travail en retard, tu ne m'en voudras pas si je m'en vais après le dîner ? Comme ça, demain j'aurai une journée tranquille pour remettre un peu d'ordre dans mes dossiers en retard. De toute façon, je n'aime pas le cassoulet.

Donc elle avait écouté ce qui se disait sur la terrasse en son absence, et elle en profitait pour le narguer malgré tout.

— Parfait, répondit-il calmement. N'oublie pas ta copie de la bande avant de partir. On se téléphonera la semaine prochaine et on fera le point, rien ne presse.

Il se détourna juste à temps pour ne pas voir son expression de rage, ni le coup d'œil assassin qu'elle eut en direction de France.

Hugues reposa le dossier, très impressionné par le travail impeccable de sa femme.

— Je trouve ça exceptionnel, Laura. Non seulement passionnant mais surtout novateur.

Ils n'avaient pas pour habitude de se mentir l'un à l'autre et elle se sentit flattée par son jugement catégorique.

— Tu as choisi la bonne approche, je n'aurais pas pensé à cet angle d'attaque, ajouta-t-il.

Décidée à abandonner sa consultation, Laura s'intéressait de plus en plus à la psychologie des enfants en difficulté, espérant pouvoir intégrer bientôt un établissement spécialisé. Hugues avait respecté son choix et l'avait poussée à entreprendre les démarches nécessaires, dont la rédaction d'un mémoire sur les méthodes psychopédagogiques qu'elle avait intitulé *La Pratique du bilan, une technique déshumanisante.*

Il se tourna vers elle, sincèrement admiratif.

— Où as-tu trouvé le temps ?

— Par-ci, par-là.

Étendue à plat ventre sur leur lit, elle avait somnolé tandis qu'il lisait. Comme tout le monde, elle avait fait honneur au cassoulet de France, d'ailleurs succulent, puis sombré dans une longue sieste. Le temps était gris, avec un petit vent froid indigne du mois de mai, et il n'y avait pas eu beaucoup d'agitation dans la maison durant l'après-midi. Dans la chambre voisine, Sabine et Tiphaine babillaient gentiment, très occupées à la construction d'un village miniature en Lego. Laura se retourna, observa un moment les nuages qui passaient devant la fenêtre.

— Quand nous étions enfants, on détestait les dimanches après-midi... Maintenant, je les adore.

Pour s'en souvenir avec précision, il lui suffisait de regarder le papier peint. La chambre avait été tapissée quand elle avait treize ans, un âge où l'on s'ennuie. Elle avait choisi elle-même les motifs à petits nœuds roses et gris, la frise, le trumeau au-dessus de la cheminée. Alix et Louis avaient décoré les leurs plus sobrement, mais ils avaient dix-sept ans à l'époque, ils se moquaient bien de la couleur des murs. Pas plus qu'ils ne s'intéressaient à elle, la petite sœur trop petite, exclue de leur intimité de grands, volontiers protégée mais rarement mise dans la confidence.

— Je suis contente que Louis ait gardé la maison, ajouta-t-elle.

Notre-Dame-de-la-Mer était leur mémoire à tous, leur port d'attache. L'endroit où, du plus loin qu'elle se souvienne, il y avait toujours eu des rires et le son d'un piano. La construction de l'auditorium, étouffant les bruits, l'avait presque attristée.

— Veux-tu que je m'occupe du dîner ? proposa-t-il.

— Oui, merci. Et réquisitionne donc papa pour t'aider !

Elle remonta l'édredon sur ses jambes, heureuse de pouvoir paresser encore un peu, tandis qu'il refermait la porte. Tout en sifflotant, il descendit l'escalier principal puis traversa le hall pour gagner la cuisine. Lui aussi avait appris à aimer la maison au fil des années. Même si, de temps en temps, il se disait qu'il leur faudrait quand même un endroit bien à eux. À Paris, ils habitaient l'appartement de Grégoire ; ici, ils étaient chez Louis. Cependant l'habitude était si forte et si douillette qu'il n'avait aucune envie de la rompre. Laura non plus, en tout cas pas pour le moment.

Il alluma les rampes de spots, au-dessus du plan de travail, et découvrit au même instant Frédéric attablé dans la pénombre, devant un bol de céréales.

— Tu as déjà faim ?

— Bof... Je me distrais...

Les pétales de maïs grillé flottaient sur le lait mais il n'y touchait pas, se contentant de les remuer avec sa cuillère, l'air morne. Hugues s'approcha et s'assit sur le coin de la table.

— Je suis censé préparer le dîner. Qu'est-ce que tu penses d'un soufflé au fromage ?

— Rien. Vous passez votre temps à bouffer.

L'agressivité du ton surprit Hugues, qui resta silencieux un instant.

— Bon, soupira-t-il enfin, tu mettras le couvert ?

— Sûrement pas ! Je ne suis pas le larbin de cette femme et de son fils !

— Ah oui, Romain... Il est arrivé ?

— Tu penses ! Avec une heure d'avance, trop heureux de pouvoir lécher les bottes de papa !

— C'est très méprisant, ce que tu viens de dire.

— Mais vas-y, va les voir ! Et que je te gratte la guitare que je te tape sur le piano, et on se congratule ! Ah, les après-midi en musique, c'est trop mignon...

Sa voix s'était cassée dans l'aigu et il se leva brusquement.

— Attends deux secondes, demanda Hugues qui n'avait pas bougé. Je crois que tu devrais parler à ton père au lieu de ruminer comme ça dans ton coin.

Si tu ne supportes pas ce garçon, explique-le-lui clairement.

— Je l'ai fait ! Mais comme tu vois, ça n'a rien changé.

— Quelle raison lui as-tu donnée ?

— Oh, c'est sans intérêt, Hugues... On était sur la même fille, on s'est un peu accrochés, rien de tragique.

— « Sur » la même fille ? Quelle expression abominable, on croirait que tu parles d'une voiture d'occasion... Bon, eh bien, s'il n'y a rien de tragique, pourquoi cette jalousie ?

Frédéric parut accablé une seconde par l'injustice de l'accusation, puis il se redressa de toute sa taille pour toiser Hugues qui poursuivait, imperturbable :

— C'est parce qu'il joue d'un instrument ? Tu as l'impression que ton père le trouve vraiment sympathique, au-delà du fait que c'est le fils de...

— Lâche-moi avec tes discours à deux balles ! explosa Frédéric.

Il quitta la cuisine en courant, remonta le large couloir en direction de la bibliothèque puis obliqua vers la porte de l'auditorium. Un peu essoufflé, il attendit quelques instants d'avoir retrouvé son sang-froid avant d'entrer. Il fut tout de suite assailli par les accords d'une musique stridente, étrange et angoissante, qui provenait des enceintes de la stéréo. Son père était debout près de la chaîne, la tête tournée vers Romain qui fronçait les sourcils, attentif. Le son s'arrêta de façon abrupte, et Louis demanda :

— Alors ?

— C'est assez... curieux, dit prudemment le jeune homme.

— Il faut imaginer là-dessus des scènes sous-éclairées, poursuites dans des rues obscures, caméra à l'épaule, égorgements, flots de sang et tout ce qui s'ensuit...

Frédéric, dont personne n'avait remarqué la présence, avança dans la pièce et lança :

— J'arrive bien ! C'est la bande que tu rapportes de Los Angeles ?

Son père lui sourit, proposa de lui repasser le début.

— Non, non, pas la peine, moi tu sais, mon avis ou rien...

En principe, il était le premier à écouter ce que Louis composait. Leur existence solitaire, depuis des années, en avait fait des complices au-delà de l'affection. Et voilà que son père le trahissait, donnait la primeur d'un enregistrement à ce garçon qui n'était rien pour lui, sinon le rejeton de sa maîtresse.

— Salut, dit Romain à mi-voix.

Embarrassé, le jeune homme devinait la colère de Frédéric et ne voyait pas comment arranger les choses. Il aurait volontiers discuté avec Louis de cette hallucinante musique, mais il s'abstint de tout commentaire, par délicatesse.

— Ton avis m'intéresse toujours, tu le sais très bien, déclara Louis en sortant la bande du magnétophone. Et puisque j'ai deux jeunes sous la main, j'aimerais bien savoir ce que vous pensez de ça, c'est très différent...

Il prit une petite cassette qu'il inséra dans une autre platine. Quand il se retourna, il alla vers son fils dont il entoura les épaules d'un geste tendre. À contrecœur, Frédéric se laissa néanmoins entraîner à l'autre bout de l'auditorium. Une mélodie rythmée s'éleva dans la pièce et Louis en profita pour murmurer :

— Désolé, Fred, je n'avais pas imaginé que ça t'ennuierait...

Touché par cette gentillesse, l'adolescent secoua la tête en silence. Puis, quelques secondes plus tard, malgré lui, il se mit à fredonner.

— C'est quoi, ce truc ? maugréa-t-il.

— Tu aimes ?

— Très exotique... Et ça se retient en deux secondes. J'adore.

— N'exagère pas ! Disons que c'est un thème

assez entraînant, j'espère pouvoir en tirer quelque chose, un de ces jours.

– Vous composez aussi des chansons ? demanda Romain.

— Jamais.

— C'est l'occasion, alors ! Parce que ça devrait faire un malheur.

Amusé, Louis esquissa un sourire avant d'aller couper le magnétophone.

— Assez de musique pour ce soir, décida-t-il.

La susceptibilité de son fils et l'intérêt trop évident de Romain ne pouvaient que provoquer une querelle dont il ne voulait pas faire les frais.

— Je vais voir ce que devient France, c'est bientôt l'heure du dîner.

Laisser les deux garçons en tête à tête était peut-être imprudent, mais il faudrait bien s'y résoudre à un moment ou à un autre. La porte capitonnée menant à l'escalier de sa chambre se referma sans bruit.

— Super, ce morceau, déclara Romain pour engager la conversation.

— Oui, « ça devrait faire un malheur », parodia Frédéric en imitant la voix de l'autre. Dis donc, ça ne te crève pas trop de passer tes dimanches à fayoter ?

Romain lui tourna le dos et s'absorba dans la contemplation des centaines de disques compacts rangés sur les étagères, essayant de ne pas se laisser aller à la fureur. Autant Louis était un type vraiment agréable et chaleureux, autant son fils était odieux.

— D'après Richard, c'est pour bientôt, votre premier concert. Ah, vous pourrez le remercier, mon père !

— Oui, on ne s'en est pas privé... On joue dimanche prochain à la salle des fêtes de Bonnières. Tu veux venir ?

— Dieu me préserve, j'ai autre chose à foutre !

Romain fit volte-face et dévisagea Frédéric avant de lui lancer :

— On va leur pourrir la vie si on s'y prend comme ça !

— À qui ?

— À nos parents.

C'était un argument valable, auquel Frédéric aurait pu être sensible dans d'autres circonstances mais qu'il prit pour du chantage parce qu'il était toujours à cran.

— Laisse-les en dehors de tout ça, répliqua-t-il nerveusement. Mon père baise qui il veut, ta mère n'est pas la première ! Seulement, en général, les heureuses élues n'amènent pas leur petite famille à la maison !

Sous l'injure, Romain avait pâli, s'était décomposé, tandis que Frédéric commençait à regretter d'avoir été aussi loin. Jaloux, oui, il l'était, Hugues avait vu juste, il n'était pas prêt à céder le moindre pouce de terrain, ici il était chez lui. Quand son père disait « les jeunes », ça le concernait lui, personne d'autre, et tant pis s'il réagissait en fils unique, en enfant gâté.

— Pauvre mec ! laissa tomber Romain qui aurait volontiers quitté la pièce mais ne savait pas trop où aller.

Hors de cette maison, il n'aurait pas laissé insulter sa mère sans réagir, mais il était assez bien élevé pour comprendre qu'ici, il était coincé, il ne pouvait pas envoyer son poing dans la figure de Frédéric. Provoquer un drame mettrait France dans une situation impossible, et elle lui avait semblé tellement radieuse lorsqu'il était arrivé, deux heures plus tôt, qu'il était bien décidé à l'épargner. Jamais il n'aurait dû accepter de la rejoindre chez Louis, c'était là l'erreur.

Une des portes-fenêtres s'ouvrit brusquement et Grégoire entra, tout échevelé.

— Quel vilain temps ! grogna-t-il. Regardez ça, j'ai remis ma canadienne... Qu'est-ce que vous faites là, les jeunes ?

Frédéric connaissait assez bien son grand-père

pour ne pas croire à l'innocence de cette arrivée intempestive. Les avait-il aperçus, en longeant la galerie sur laquelle il aimait déambuler avant le dîner ? Leur expression ne devait laisser aucun doute sur le genre de douceurs qu'ils étaient en train d'échanger.

— Je crois que je vais préparer une flambée, même si ce n'est plus de saison.

Il hésitait à repartir en les laissant seuls à nouveau.

— Qui m'aime me suive, finit-il par dire à Frédéric avec un geste de la main.

Résigné, son petit-fils esquissa un sourire puis le précéda vers la porte. Une façon comme une autre de sortir la tête haute.

8

Richard faillit siffler d'admiration mais se retint au dernier moment. Ce n'était pas à un match de boxe qu'il assistait, et le public clairsemé, assis autour de lui sur les gradins, se contentait d'applaudir poliment, en connaisseur. La dernière touche réussie, à la limite de la ligne d'avertissement, venait de donner la victoire à Frédéric. Son fleuret dans une main, son masque dans l'autre, il quitta la piste après s'être débarrassé du fil électrique relié à l'enrouleur.

Quand Richard le rejoignit dans les vestiaires, il était déjà déshabillé, ruisselant de sueur et encore un peu essoufflé.

— « Roland eut Durandal, Charlemagne, Joyeuse... », déclama Richard en s'inclinant devant lui. Toi, comment as-tu baptisé ton épée ?

— C'est un fleuret, je te l'ai dit. Et arrête avec tes citations ! De qui, cette fois ?

— Henri de Bornier, personne ne le lit plus.

— Je vais me doucher.

Richard s'assit sur un banc pour l'attendre, regardant les autres escrimeurs qui s'équipaient. C'était la première fois qu'il suivait une compétition et il n'avait pas compris grand-chose aux règles, même s'il avait trouvé Frédéric magnifique. À son tour, il espérait pouvoir le persuader de venir à Bonnières le surlendemain, mais ce serait difficile. Avec un soupir, il s'appuya au mur, derrière lui, et ferma les yeux. Rien de plus pénible que d'être coincé entre le marteau et l'enclume. Ses deux meilleurs copains se haïssaient, la situation empirait chaque jour, d'autant plus qu'il était toujours pris à témoin et qu'approuver l'un revenait à trahir l'autre.

— Tu dors ? Le spectacle t'a fatigué ? interrogea la voix railleuse de Frédéric.

Il enfournait ses affaires dans son sac de sport, pressé de partir.

— C'était très impressionnant, déclara Richard en se levant. Le problème, c'est la vitesse, on n'a pas le temps de voir. Comme dirait Paul Morand, les...

— Arrête, par pitié ! Ta copie, au bac, ils vont en faire un sous-verre !

Déjà il s'éloignait vers la sortie des vestiaires. Richard se dépêcha de le rejoindre.

— Tu veux dîner à la maison ? proposa Frédéric alors qu'ils émergeaient sur le parking.

— Merci mais, tu sais, faut qu'on répète... À ce propos, je peux compter sur toi, dimanche ?

— Je ne crois pas, non.

— Écoute...

— J'ai des fiches à faire, Richard, je suis très en retard sur les groupements de textes, et je n'ai même pas lu *Électre* jusqu'au bout. Tout le monde ne s'empiffre pas de littérature comme toi !

— Tu m'avais promis que...

— Élise ! Qu'est-ce que tu fais là ?

Stupéfait, Frédéric venait de découvrir la jeune fille, debout à côté de son scooter.

— J'étais dans la salle, dit-elle avec un petit sourire, je suis arrivée à la fin. C'est génial, l'escrime, sauf que la tenue n'est pas vraiment seyante, hein ? Je te préfère au naturel. En tout cas, félicitations.

Frédéric sentit qu'il rougissait et il se trouva ridicule.

— Tu veux que je te raccompagne ? proposa-t-il en regardant ailleurs.

— Pourquoi pas ? Je suis venue à pied, et j'en ai marre de marcher.

Il lui tendit spontanément son casque, s'installa

sur le siège et attendit qu'elle prenne place derrière lui. Planté à côté d'eux, Richard restait muet, image même de la désapprobation.

— Tiens, tu me le rendras lundi ! lui cria Frédéric.

Par réflexe, Richard rattrapa le sac de sport qu'on lui lançait. Consterné, il suivit des yeux le scooter jaune qui slalomait pour quitter le parking. Si jamais il racontait ça à Romain, il y aurait un vrai drame. En déverrouillant la chaîne qui protégeait sa Mobylette, il se promit de ne pas être le premier à en parler.

Alix avait réagi avec une rapidité inouïe. Elle avait commencé par écouter la bande du film, déroutée par la violence et l'angoisse qui en émanaient. Si Franck James n'avait pas affirmé lui-même qu'il était ravi du travail de Louis, elle se serait inquiétée, mais là elle n'avait plus rien à dire et par conséquent elle décida que c'était très bien. En revanche, lorsqu'elle découvrit la cassette qu'il s'était amusé à enregistrer dans sa chambre d'hôtel, elle eut l'intuition immédiate du succès. Elle avait un flair infaillible dès qu'il s'agissait de réussite commerciale et populaire. Tout ce que Louis avait entendu dans les boîtes de jazz, de country ou autres pianos-bars semblait lui avoir donné une inspiration gaie et langoureuse, assez peu dans sa manière. Sans doute une récréation qu'il s'était accordée, pour soulager la pression de son affrontement avec Franck. En tout cas, son talent éclatait dans deux mélodies dont l'une, la plus simple, semblait à la fois très nouvelle et vieille comme le monde. Après l'avoir écoutée trois fois de suite, elle la connaissait par cœur, et sa secrétaire aussi.

Dès le lundi matin, Alix avait foncé à la maison de disques dont Louis dépendait, forçant la porte du directeur, Jean-Philippe, à qui elle avait imposé l'audition de la merveille sans délai. Ensuite, tout s'était passé très vite, exactement comme elle l'avait prévu. En début d'après-midi, le contrat était à la frappe. Seul impératif : graver le disque avant l'été et organiser en catastrophe une grande campagne de lancement. Dans la soirée, elle s'était rendue à Notre-Dame-de-la-Mer où elle avait réussi à persuader Louis d'orchestrer sa mélodie de toute urgence. Et de façon symphonique, ce serait l'atout majeur, une mise en valeur exceptionnelle de la ligne mélodique, ou comment sophistiquer la rengaine. D'abord amusé par l'exaltation de sa sœur, puis réticent, il avait discuté avec elle une partie de la nuit. Elle était prête à renverser des montagnes, survoltée et triomphante, certaine de tenir un tube, ce qui le força à céder, du bout des lèvres. Il suggéra toutefois de signer sous pseudonyme cette musique trop facile, comme s'il avait peur d'y associer son nom. Scandalisée, Alix lui fit comprendre en quelques phrases bien senties qu'il n'en était pas question. Que ça lui plaise ou non, Louis était un compositeur populaire. Certaines de ses musiques de films, en particulier les génériques, avaient déjà été classées dans des hit-parades, pourquoi donc voulait-il se priver de ce genre de gloire ? En revanche, le pseudonyme serait utile, voire indispensable, *si* un jour il parvenait à achever son mystérieux opéra ! Parce que dans ce domaine, sous le nom de Neuville, personne ne le prendrait plus au sérieux, c'était certain.

Avec un peu de rancœur, il finit par admettre qu'elle avait raison. Le succès, il l'avait déjà, et le mépris des critiques aussi. Lorsqu'il parviendrait à faire jouer une œuvre classique, il lui faudrait se cacher derrière l'anonymat, si absurde que soit le paradoxe.

Le mercredi, Louis donna son feu vert pour la réservation d'un studio d'enregistrement, après avoir annoncé qu'il avait besoin de trente-huit violons et altos, huit violoncelles, six contrebasses, douze cuivres, six bois, trois percussions, une harpe et un piano, soit soixante-quinze musiciens. Vingt minutes plus tard, elle le rappelait : tout serait prêt le vendredi à seize heures, au Palais des Congrès de la porte Maillot où il avait ses habitudes.

La première chose qui mit Alix de mauvaise humeur quand son frère arriva fut de constater qu'il n'était pas seul. France, qui s'était débrouillée pour se libérer, mourait d'envie d'assister à un enregistrement et ils avaient même profité de l'occasion pour déjeuner en tête à tête dans une brasserie. Louis semblait gai, juste un peu ironique devant ce déploiement de moyens pour ce qu'il continuait d'appeler « si peu de chose ».

Il alla d'abord saluer les musiciens qui commençaient à s'installer dans le studio, puis revint demander à France si elle préférait rester en cabine ou venir avec lui.

— Là où je gênerai le moins, répondit-elle, embarrassée par le regard insistant d'Alix.

— Près de l'orchestre, c'est plus amusant, décida-t-il pour elle.

Les techniciens étaient prêts, le directeur de la maison de disques faisait nerveusement les cent pas derrière les consoles, calculant sans doute ce que l'après-midi allait lui coûter, et Alix affichait un optimisme à toute épreuve.

— Je vais commencer la répétition, déclara Louis d'un ton calme. Ça ne devrait pas poser de gros problème, on mettra en boîte après la pause.

Il installa France au fond de la salle, à l'opposé des percussions, et il fit signe à Alix de le rejoindre près du pupitre.

— Tu es sûre de ce que tu fais, Al ? chuchota-t-il.

— Tout à fait. Et je ne suis pas la seule, je te rappelle que ce n'est pas moi qui paye ! Ce sera un sacré succès, Louis. Une version instrumentale, ça peut se vendre aux quatre coins de la planète. Tu verras, on va faire mieux que la *Lambada* !

Il haussa les épaules, vaguement agacé par sa remarque, dépassé par ce qu'elle lui faisait faire.

— C'est l'heure, annonça la voix d'un technicien dans un haut-parleur.

À plus de mille francs par personne, pour les trois heures à venir, il n'était pas question de perdre une minute. Alix sortit, la porte se referma, et une lumière rouge s'alluma.

— Mesdames, messieurs, vous avez tous la partition... On peut attaquer ?

France regarda Louis qui venait de prendre sa baguette, elle entendit une série de sons étranges et plaintifs tandis que les musiciens s'accordaient, puis il y eut un silence complet. Quelques mesures s'élevèrent, aussitôt interrompues par Louis qui lança une phrase incompréhensible aux premiers violons, sur sa gauche. Elle l'observait avec une immense curiosité car, à son pupitre, il était assez différent de l'homme qu'elle connaissait, plus autoritaire et plus distant, concentré, inaccessible. Fascinée, elle ne perdait pas un seul de ses gestes, ne prêtant aucune attention aux instrumentistes, qu'elle ne voyait que de dos.

— Non ! Vous entrez plus doucement que ça, pas avec des gros sabots ! protesta Louis en arrêtant l'orchestre une nouvelle fois. Si vous voulez bien, on reprend au début.

Il promena son regard sur les musiciens, s'adressa à l'un des flûtistes :

— Vous, je ne vous entends pas du tout.

Silence, nouvelle attaque. Même débitée en petites phrases musicales dix fois recommencées, la mélodie restait séduisante, donnait toujours autant envie de danser ou de chanter, mettait le cœur en joie. France se demanda combien de temps durerait la répétition et à quel moment Louis se déclarerait enfin satisfait. Derrière la vitre de la cabine technique, elle pouvait apercevoir Alix qui bavardait avec enthousiasme.

— On le refait comme ça, jusqu'au bout ? Peut-être un tout petit peu plus rapide, mais à peine.

Il ne lui avait pas jeté un seul coup d'œil, depuis le début, et elle commençait à se sentir mal à l'aise, abandonnée seule dans son coin. Qu'est-ce qu'elle faisait là, simple spectatrice au fond du studio, incapable d'apprécier le travail auquel tous ces gens participaient ? À défaut du regard de Louis, elle avait surpris à plusieurs reprises celui qu'Alix dardait sur elle sans chercher à dissimuler son antipathie. Alix avait une bonne raison d'être ici, elle qui veillait sur la carrière de son frère comme sur sa vie privée. Pire qu'une mère ou une rivale, cette sœur omniprésente s'était posée en ennemie dès le début.

— Je vous remercie. On s'arrête vingt minutes, et ensuite je pense que ça ira tout seul pour enregistrer.

Louis reposa sa baguette, chercha son paquet de cigarettes dans la poche de son jean noir. Durant quelques instants, il parut réfléchir, la tête penchée, puis il se dirigea vers France en souriant.

— Un peu fastidieux, non ?

— Pas vraiment. Et, décidément, j'aime beaucoup cet air.

— Au bout d'une heure et quart, tu le supportes encore ?

Sa voix était toujours très douce quand il s'adressait à elle, rien de comparable avec sa façon d'être devant les musiciens.

— On va boire un café, viens.

— Alors ? lança Alix qui s'était approchée d'eux. Tu es content ?

— Oui, c'est un excellent orchestre.

— Je te l'avais promis. Jean-Philippe n'a même pas discuté, c'est te dire s'il y croit. Tu vas faire un tabac, Louis !

— Peut-être... Enfin, je vous trouve très confiants, je ne comprends pas ce qui vous emballe.

Levant les yeux au ciel, elle prit son frère par le bras.

— Si tu t'asseyais cinq minutes ?

Toute son attitude indiquait que, pour elle, France n'existait pas, et il faillit se mettre colère.

— Pas maintenant, dit-il en se dégageant.

D'un pas résolu, il entraîna France vers la sortie du studio, indifférent au soupir éloquent que poussa Alix derrière lui. Une fois dans le hall, il s'arrêta près du distributeur de boissons devant lequel stationnaient un certain nombre de musiciens et il attendit patiemment son tour pour obtenir deux gobelets brûlants.

— Tu veux bien faire quelques pas ? proposa-t-il. Je préfère marcher qu'être assis.

Ils s'éloignèrent sans hâte vers l'autre bout du grand hall, leur café à la main. Elle ressentait le besoin de parler, aussi finit-elle par demander, un peu au hasard :

— C'est amusant de diriger ?

— Très ! En principe j'adore, mais ça dépend de la qualité de l'orchestre. Dans les pays de l'Est, où j'enregistre souvent, les types sont presque toujours formidables mais leurs instruments sonnent mal, ils sont de mauvaise fabrication, faute de moyens. En plus, j'ai besoin d'un interprète pour traduire toutes les indications, c'est assez pénible.

Il avait sauté sur l'occasion pour essayer de l'initier à ce monde inconnu auquel elle ne comprenait pas grand-chose et qu'il allait devoir lui expliquer en détail. Elle vit qu'il jetait un coup d'œil à sa montre puis vers l'entrée du studio. Machinalement, il sourit à un groupe de trois femmes qui l'observaient avec insistance, depuis quelques minutes, et qui en profitèrent aussitôt pour s'approcher.

— C'est toujours un plaisir de travailler avec vous, lui déclara une grande brune en qui France reconnut l'une des violonistes.

— Merci.

— Cet enregistrement d'aujourd'hui, c'est quoi ? Le prochain tube de l'été ? Vous allez vous lancer dans la chanson ?

Elles rirent ensemble, sans le quitter des yeux. Bronzé par son séjour en Californie, mince, élégant, il avait tout pour les séduire, en plus de son prestige de chef et de compositeur à succès.

— Je crois que la pause est finie, susurra l'une des jeunes femmes.

— Allez-y, je vous rejoins, répondit-il en s'appuyant au mur, derrière lui, décidé à les laisser partir seules.

Quand elles se furent éloignées, déçues, France essaya de plaisanter.

— C'est vrai, tu dois faire des ravages...

Le bras de Louis entoura ses épaules, elle sentit qu'il embrassait ses cheveux.

— Ne dis pas de bêtises.

Avec un sourire, il lui prit son gobelet des mains, l'expédia dans une poubelle.

— Il faut qu'on y retourne. J'espère que tu ne t'ennuies pas trop ? Installe-toi dans la cabine, pour changer, tu entendras tout aussi bien.

La compagnie d'Alix serait pénible, mais au moins elle pourrait voir les musiciens de face – surtout les musiciennes –, et surprendre les commentaires des techniciens. Louis l'accompagna, la confia à Jean-Philippe, puis regagna le studio et son pupitre.

— C'est quand vous voudrez, avertit l'ingénieur du son dans son micro.

Debout contre la double vitre, France se mit à détailler tous les visages levés vers Louis. La lumière rouge se ralluma, et quelques secondes plus tard la musique explosa à travers les haut-parleurs.

— Plus je l'écoute, plus je l'aime, c'est une rengaine dont on ne se lassera pas ! dit la voix satisfaite d'Alix derrière elle.

Ce n'était sûrement pas à France que la phrase s'adressait, aussi elle ne se retourna pas, trop occupée à étudier la silhouette de Louis. Ses gestes précis, souples, parfois l'éclair de son visage, de profil, sa parfaite immobilité quand il arriva à la fin du morceau.

— Bon pour moi, annonça un technicien.

— Non, on la refait, entendirent-ils en retour.

Louis parla aux percussionnistes puis, de nouveau, il y eut un silence. France regarda la rangée de consoles et de curseurs, les bandes quatre pistes qui recommençaient à tourner sur les magnétophones, Jean-Philippe et Alix côte à côte, comme deux rapaces. Elle songea que Louis était à la fois celui qui dirigeait soixante-quinze musiciens de main de maître et le poulain docile d'un monde d'argent auquel il ne pouvait pas échapper. Indépendant, peut-être, mais néanmoins soumis à un système. Il était bourré de contradictions, difficile à cerner, très secret car vulnérable, elle avait compris tout ça en peu de temps. Mais, à présent, comment allait-elle s'y prendre pour s'intégrer à son existence ? Pour lui devenir nécessaire, et pas seulement la nuit ? Pour l'aider, parce qu'il en avait besoin, elle en était certaine.

Elle vit les musiciens qui se levaient, dans le studio, et allaient serrer la main de Louis l'un après l'autre. Autour d'elle, tout le monde avait l'air content, Jean-Philippe tapotait gaiement l'épaule d'Alix, les techniciens rembobinaient les bandes en sifflotant le refrain. Elle s'écarta un peu de la vitre, étonnée que ce soit déjà fini. La porte de communication s'ouvrit sur Louis, cigarette aux lèvres, qui la cherchait des yeux.

— On va aller arroser l'événement quelque part ! annonça Alix.

— Je ne peux pas, répondit son frère, je dois rentrer.

Il avait promis à France qu'elle serait revenue à temps pour dîner avec Romain. De son côté, désolé d'avoir raté sa compétition d'escrime, il ne voulait pas laisser Frédéric seul.

— Alors on se verra dans la semaine, déclara

Jean-Philippe, on a beaucoup de choses à mettre au point. Et encore bravo !

— Autant que tu le saches maintenant, dit Alix, si c'est le succès que nous espérons, tu ne pourras pas continuer à te défiler comme ça !

Se tournant brusquement vers France qu'elle avait ignorée tout l'après-midi, elle ajouta :

— Vous allez devoir nous le prêter un peu !

— Je n'en suis pas propriétaire, riposta France d'un ton sec.

Louis, qui était en train de prendre congé des techniciens, revint tout de suite vers les deux femmes comme s'il voulait s'interposer, mais Alix était de nouveau souriante.

— Ne conduis pas trop vite pour rentrer et embrasse Fred. Je serai là demain en fin d'après-midi.

Sans lui laisser le temps de répondre, elle se lança à la poursuite de Jean-Philippe qui avait quitté la cabine.

Antoine jeta un regard furieux au groupe d'élèves vautrés sur la pelouse. Un spectacle inimaginable dix ans plus tôt, devenu banal désormais. Les barrettes de cannabis circulaient dans ce lycée comme des chewing-gums, et personne ne songeait plus à se cacher pour rouler son pétard. En prenant la direction de l'établissement, à la rentrée précédente, le nouveau proviseur s'était imaginé qu'il allait pouvoir y changer quelque chose, et bien entendu il s'était trouvé impuissant, comme ses prédécesseurs. C'est toute une mentalité qu'il aurait fallu modifier, on aurait dû éduquer les familles avant les adolescents.

Avec les années, Antoine s'était peu à peu aigri. La lutte syndicale, menée de façon enthousiaste dans sa jeunesse, ne lui avait apporté que des désillusions. Les directives des ministres successifs de l'Éducation nationale étaient souvent contradictoires, parfois aberrantes, comme si les pouvoirs publics n'avaient aucune notion de ce qui se passait réellement sur le terrain. Classes surchargées, absence de surveillants, programmes allégés en vain, et un laxisme qui conduisait droit à l'échec malgré les consignes de réussite scolaire pour tout le monde. Donner les mêmes chances à chacun était une idée qu'il avait été le premier à défendre, mais il constatait avec amertume que, hormis devant le *shit* que n'importe qui pouvait se procurer en toute impunité, l'égalité n'existait pas.

Parvenu en salle des professeurs, il eut la mauvaise surprise de découvrir que seule France s'y trouvait, occupée à faire des photocopies. Désinvolte, il lui adressa un petit salut et vint regarder par-dessus son épaule.

— Supervielle ? Tu ne ménages pas tes élèves !

Le ton était paternaliste, comme toujours quand il s'adressait à elle.

— Pourquoi ? se défendit-elle malgré elle. C'est original, plein de fantaisie, toujours tendre, je ne vois pas ce qui pourrait rebuter les jeunes là-dedans !

Il la détailla discrètement, se demandant ce qu'elle avait de changé. Un peu plus d'assurance peut-être, et davantage de gaieté. Et puis toujours cette sensualité sous l'apparence sage, qui évoquait des choses dont il ne voulait plus se souvenir.

— Tout va bien pour toi ? demanda-t-il du bout des lèvres. Romain ne te pose pas de problème ?

— Aucun. Il travaille bien, il paraît bien dans sa peau...

— C'est quoi, son truc de demain ?

Elle rabattit le couvercle de la photocopieuse, se tourna carrément vers lui.

— Avec les copains de son groupe, ils vont jouer en public à la salle des fêtes de Bonnières.

— Oh, oui... Leur musique à la con... C'est toujours à ça qu'il passe son temps, alors ?

— Ses loisirs seulement. Ça n'empiète pas sur le

reste. Tant qu'il aura de bonnes notes, je ne vois pas ce que nous pourrions trouver à redire.

Pour ne pas le vexer, elle avait utilisé le pluriel. Seule circonstance où elle s'associait encore à lui, leur rôle de parents. Elle ramassa les feuilles, rassembla ses affaires, soudain pressée de partir. Discuter de Romain avec Antoine la rendait nerveuse.

— Il m'a proposé d'y aller, mais je ne suis pas sûr de..., ajouta-t-il derrière elle.

S'il y avait bien une chose qu'elle n'accepterait plus jamais, c'était de se laisser manipuler par lui. À l'époque où il avait joué les Pygmalion avec elle, elle avait mis du temps à comprendre qu'il voulait seulement la garder sous sa coupe. Que savait-il exactement au sujet de Louis ? Dans quelle mesure allait-il la rendre responsable du moindre faux pas de leur fils ?

— Tu n'es pas sûr de pouvoir ou de vouloir y assister ? interrogea-t-elle de la façon la plus neutre possible.

— D'un côté, je crois que ça lui ferait plaisir, de l'autre, je ne tiens pas à cautionner ces bêtises.

— Pour lui, c'est sérieux.

— Gratter la guitare en secouant sa tignasse ? explosa-t-il.

— Si c'est pour lui dire ça, oui, c'est pas la peine d'y aller, répondit-elle calmement.

Comme il ne s'écartait pas, elle fut contrainte de le frôler en passant devant lui. Il la suivit des yeux, agacé de constater qu'elle pouvait encore lui faire perdre son sang-froid.

Louis rétrograda et le six cylindres rugit pour attaquer la courbe avec agressivité.

— Tu es aussi cinglé que ta sœur ! protesta Tom.

Ils revenaient de Bonnières où Louis avait assisté à la dernière répétition, donné quelques conseils sur la sono et sur l'enchaînement des morceaux. Romain, Richard et Damien ne tenaient pas en place mais ils avaient accepté toutes les suggestions sans discuter, trop heureux d'avoir l'avis d'un professionnel. France était restée là-bas, elle avait préparé des sandwiches pour les garçons et voulait leur tenir compagnie. Louis supposait qu'elle n'avait en réalité aucune envie de déjeuner à Notre-Dame-de-la-Mer et d'affronter l'hostilité grandissante de Frédéric et d'Alix.

— Ils sont marrants, ces jeunes, j'espère qu'ils auront un peu de monde, tout à l'heure, dit Tom qui s'accrochait à sa ceinture de sécurité.

— Leurs copains du lycée, déjà, ça devrait remplir la salle !

Bien entendu, Frédéric avait annoncé au petit déjeuner qu'il ne se rendrait pas à ce pseudo-concert, une attitude prévisible que Louis n'avait pas commentée.

— Tu y retournes cet après-midi ? s'enquit Tom.

— Bien obligé. Ne serait-ce que pour remercier le maire d'avoir prêté la salle, les chaises...

— J'irai avec toi, ça m'amuse.

Même si c'était faux, c'était gentil. Tom, exactement comme Hugues, avait pris le parti de Louis. Il ajouta, d'un ton suppliant :

— Roule moins vite !

— La nuit a été difficile ? plaisanta Louis en ralentissant un peu.

— Pas plus que d'habitude. J'affiche complet tous les soirs, le samedi n'est pas pire que les autres jours.

— Et tu n'es pas lassé de cette vie ?

— Non, ça me plaît encore. Peut-être vais-je vendre la boîte pour en ouvrir une autre. Je devrais réaliser une jolie plus-value, c'est le moment de lâcher. Et puis c'est drôle de lancer une affaire, ça me stimule.

Perplexe, Louis acquiesça d'un petit hochement de tête. Tom approchait de la cinquantaine, la fatigue des nuits blanches devait quand même se faire sentir. Cependant il avait sûrement besoin de se mobiliser sur quelque chose, de se lancer un défi, n'importe quoi qui parvienne à le distraire d'Alix. Des sentiments profonds qui l'attachaient à elle et qu'il tentait d'étouffer depuis quelque temps. Il ne faisait pas de confidences, mais Louis le comprenait très bien.

— Est-ce que ça t'amuserait de l'essayer ? proposa Louis en s'arrêtant sur le bas-côté.

— Non, dit Tom avec un grand sourire. Je n'ai pas votre folie des bagnoles.

— Pour le plaisir ! insista Louis qui était déjà descendu.

Ils se croisèrent devant le capot puis Tom s'installa au volant, avança un peu le siège, démarra lentement.

— Une vraie panthère, apprécia-t-il.

— Autre chose que la MG d'Alix, non ?

— Je ne sais pas, elle ne me l'a jamais confiée.

C'était une simple constatation, pas une plainte, mais qui dénotait la bizarrerie de ses rapports avec Alix.

— Elle est survoltée par le lancement de ton disque, dit-il sans quitter la route des yeux.

— Si tu veux tout savoir, ça me dépasse, soupira Louis.

— Je comprends. Mais fais-lui confiance, dans son métier elle ne craint personne.

Dans son métier, non, Louis en était persuadé ; en revanche, elle négligeait sa vie privée, empiétait sur celle des autres.

— Pour quelqu'un qui n'aime pas la vitesse..., dit-il, le doigt pointé vers le compteur.

Tom se mit à rire, freina doucement à deux cents mètres du portail. Ils trouvèrent la famille attablée dehors, sous de grands parasols qu'un soleil timide ne justifiait pas. Quand Frédéric vit que son père ne ramenait pas France avec lui, il se précipita à sa rencontre, se jeta sur son épaule.

— Viens vite, je t'ai gardé des bigorneaux et des bouquets, ils ont failli tout manger, ces goinfres !

Surpris par cet accès de tendresse, Louis ébouriffa gentiment les cheveux de son fils qui demandait, d'un ton pressant :

— Après déjeuner, on fait quelques passes ?

— Non, mon grand, tu deviens trop fort pour moi !

— S'il te plaît... Juste une demi-heure, rassure-toi, ça ne te prendra pas tout l'après-midi.

De nouveau braqué, l'adolescent faisait allusion à Romain, au temps que son père consacrait à cette ridicule exhibition musicale.

— D'accord, céda Louis en s'asseyant.

Il croisa le regard songeur d'Hugues, chercha son paquet de cigarettes dans sa poche.

— Tiens, dit Frédéric en poussant une assiette de fruits de mer devant lui. Mange, plutôt.

C'était maladroit, adorable, mais surtout le signe qu'il était mal dans sa peau, qu'il se sentait coupable. Incapable d'adopter France ou de tolérer Romain, il mettait son père dans une situation difficile, il le savait et il s'en voulait.

— Et du citron, tu m'en as sauvé ?

La voix de Louis était gaie, le regard qu'il posait sur Frédéric très malicieux.

— Tiens, attrape ! s'écria Grégoire, à l'autre bout de la table.

— Non, non, c'est moi qui lance ! exigea Tiphaine en tirant la manche de son grand-père.

Un demi-citron partit en vol plané et atterrit dans le bol de mayonnaise tandis que Sabine s'étranglait de rire.

Élise boudait, assise à l'extrémité de l'estrade. Elle s'était habillée avec soin, tee-shirt court et moulant, pantalon évasé, mais Romain ne lui avait pas accordé un regard. Jamais elle n'aurait dû lui dire la vérité, en tout cas pas avant le concert. Or la veille au soir, quand ils étaient sortis du cinéma, elle avait eu la mauvaise idée de tout lui avouer.

Qu'elle n'était pas sûre d'elle, qu'elle ne désirait pas aller plus loin pour le moment. Il aurait pu comprendre, se montrer patient, si elle n'avait pas ajouté, par défi, qu'elle ne voulait pas être cataloguée comme sa petite amie. Une façon de dire qu'elle souhaitait continuer à plaire à tout le monde et réserver son choix. Il n'avait pas apprécié du tout, et après l'avoir raccompagnée chez elle, sur son Solex, il l'avait plantée devant sa porte sans un mot.

Avec un soupir, elle baissa les yeux sur sa montre. Quelques groupes de jeunes commençaient d'arriver, apostrophant bruyamment Richard qui jouait les maîtres de cérémonie à l'entrée. France Capelan avait disparu, tant mieux, dès qu'elle était là, tout prenait des allures de salle de classe.

Élise quitta l'estrade où elle s'était ennuyée durant plus d'une heure, avança à travers les rangées et rejoignit Richard pour l'aider à accueillir les arrivants. Pendant quelques minutes, elle s'amusa à faire l'hôtesse en plaçant et déplaçant les spectateurs.

— C'est idiot d'avoir mis des chaises, fit-elle remarquer à Richard, si vous vous débrouillez bien, ils seront tous debout en cinq minutes !

— Oui, ben c'est pas moi qui décide ! répliqua-t-il, agacé. Et puis, dis-moi, qu'est-ce que tu lui as fait, à Romain ? Depuis ce matin, il est d'une humeur de chien. Vous êtes fâchés ou quoi ? J'espère que tu ne t'es pas vantée d'avoir mis les pieds à cette compét d'escrime ?

— Où ça ? demanda Romain d'une voix froide.

Ils ne l'avaient pas vu arriver derrière eux et furent aussi gênés l'un que l'autre.

— De toute façon, c'est sans importance maintenant, ajouta le jeune homme avec une indifférence marquée.

Il avait sa tête des mauvais jours, ça le prenait rarement mais, dans ces cas-là, il pouvait se montrer très désagréable. Richard espéra qu'il ne se vengerait pas sur sa guitare et il décida d'aller prévenir Damien, à tout hasard. Jusqu'ici, ils avaient eu beaucoup de chance, pas question de gâcher cette journée avec des histoires de filles.

À l'extérieur de la salle des fêtes, Louis et Tom avaient bavardé cinq minutes avec le maire, en échangeant des banalités à propos de la jeunesse. Puis Tom était allé réserver des chaises tandis que Louis attendait le retour de France, partie se changer chez elle. Quand il la vit enfin descendre de sa petite voiture, sur le parking, il se sentit brusquement attendri. Elle était vêtue d'un jean délavé et d'une chemise d'homme qui la faisaient paraître encore plus menue. On aurait pu la prendre pour n'importe laquelle de ses élèves. Elle ne venait ici ni comme la mère de Romain ni comme professeur, mais décidée à se fondre dans la foule des jeunes. De loin, elle lui sourit, agita la main, et il se dit qu'elle avait l'art de le bouleverser. Une sensation qu'il n'avait plus connue depuis trop longtemps. Il marcha droit sur elle, pressé de la tenir contre lui, sans prêter attention à un homme qui verrouillait sa portière, un peu plus loin.

— Tu es ravissante, dit-il en se penchant pour l'embrasser dans le cou.

L'odeur de son parfum provoqua instantanément un désir aigu, et il murmura :

— Tu dors avec moi, ce soir ?

— Écoute, Louis...

— Tu restes avec Romain ?

— Non, ils vont aller fêter ça entre copains. Moi, j'ai plein de copies en retard, et puis... Je ne veux pas envahir ta famille, ni me faire un ennemi de ton fils. Il faut qu'on fasse les choses doucement. Tu comprends ?

Il la serra davantage, plus malheureux qu'elle de constater que, chaque soir, ils allaient avoir le même problème.

— Rejoins-moi dans la nuit, alors.

L'idée la fit rire, tout autant que la gravité du ton. À regret, il la lâcha tandis qu'elle demandait :

— À une heure, tout le monde dort, chez toi ?

— Oui.

Mieux valait qu'elle aille à Notre-Dame-de-la-Mer. Dans son appartement, les cloisons étaient trop minces et Romain trop proche. D'autre part, Louis ne pouvait pas laisser Frédéric seul, après le départ des Parisiens, dans une gigantesque maison isolée.

À quelques pas d'eux, toujours immobile près de sa portière, Antoine continuait de les observer. Quand Louis était passé près de lui, filant vers France, il l'avait suivi des yeux. C'était donc ça le type avec lequel son ex-femme sortait ? Le fameux musicien dont Romain évitait de parler ? Antoine l'avait imaginé différemment. Pour lui, tous les artistes portaient les cheveux longs, une barbe de deux jours et des vêtements négligés. Celui-là avait une coupe nette, un blazer élégant, une silhouette de sportif. Et un insupportable air amoureux.

Antoine attendit que France le voie enfin pour s'avancer vers eux.

— Tu es venu quand même ? dit-elle avec un certain embarras. Romain sera content. Euh... Louis Neuville, et voilà Antoine, le père de Romain.

Les deux hommes se regardèrent, méfiants, sans songer à se saluer. Avec une petite moue dégoûtée, Antoine demanda :

— En tant que... *professionnel,* vous trouvez ça sérieux, leur bastringue ?

— Intéressant, en tout cas. Romain est assez doué.

Louis avait répondu un peu sèchement mais il ne semblait pas le regretter. Antoine eut un rire bref, dans lequel il mit tout le mépris possible.

— Doué ? J'aimerais autant qu'il ait des dons pour des choses plus constructives. Eh bien, on va aller écouter ça, mais pas de trop près, hein, pour ne pas y laisser nos tympans !

L'expression de Louis s'était durcie. Il éprouvait

une violente animosité envers Antoine dont l'attitude le hérissait.

— Vous venez ? ajouta celui-ci, narquois. Ne ratons pas le début, surtout !

D'un geste familier, il avait pris France par le coude et cherchait à l'entraîner.

— Tu te souviens quand même qu'on est à trois semaines des épreuves du bac français ? persifla-t-il. Les prochains week-ends, j'espère que mon fils va les passer à réviser.

Parce qu'il la tenait toujours, les doigts serrés sur la manche du chemisier, la colère submergea Louis qui dut lutter pour garder son calme. Bien sûr, cet homme lui déplaisait à cause de son assurance imbécile, de son dédain manifeste pour la musique, mais ce n'était pas le pire. Non, le plus inadmissible était l'idée que France et Antoine aient été amants, mariés, parents ; qu'ils aient partagé la même vie durant des années, se couchant et se réveillant ensemble, faisant la cuisine, l'amour et des projets. Cette vision le révoltait, le précipitait brutalement dans un accès de jalousie. Or il ignorait tout de ce sentiment, il ne l'avait ressenti pour personne jusque-là, et c'était plutôt désagréable.

Antoine tourna la tête vers lui, conscient et satisfait de ce qu'il venait de provoquer.

— Vous n'entrez pas ? interrogea-t-il d'un air faussement surpris.

France s'écarta de lui, croisa les bras.

— Allons-y, dit-elle à Louis.

Sa voix avait retrouvé sa fermeté. Les réflexions de son ex-mari ne l'atteignaient pas, sinon à travers la réaction de Louis dont le visage restait fermé mais qui se décida pourtant à la suivre, les mains enfouies dans les poches de sa veste, le regard absent.

À l'intérieur, seules une dizaine de chaises restaient libres, tout au fond. Tom était au bout de la rangée et il leur adressa un signe amical pour qu'ils le rejoignent, Louis d'abord, puis France, enfin

Antoine qui semblait résolu à ne pas les quitter. Sur la scène, les trois jeunes gens étaient en train de prendre place, accueillis par des cris de joie, des sifflets, des plaisanteries. Discrètement, France jeta un coup d'œil à Louis dont les mâchoires crispées creusaient les joues. Elle pencha un peu la tête vers lui pour chuchoter :

— Tu es beau quand tu es en colère...

Surpris, il esquissa un sourire, faillit lui répondre mais se ravisa. Le noir se fit dans la salle et, dès qu'il y eut un silence relatif, Romain attaqua un solo de guitare en guise d'ouverture. Profitant de l'obscurité, Louis se déplaça légèrement pour pouvoir observer Antoine. C'était son fils qui jouait, sans doute mort de trac, mais il continuait d'afficher le même air goguenard. Par bêtise ou par provocation ? France n'avait révélé que très peu de choses à son sujet. Elle l'évoquait seulement quand il était question de Romain, mais jamais pour dire ce qu'avait été leur vie de couple. Elle s'était mariée jeune, c'est tout ce dont Louis se souvenait. Jeune, amoureuse, inexpérimentée. Laissant supposer que c'était bien lui qui en avait fait la femme qu'elle était.

Richard se déchaînait à la batterie et Louis écouta quelques instants, sans cesser de détailler Antoine cependant. Les mains carrées posées sur les genoux, un grand front qui commençait à se dégarnir sur les côtés, l'estomac d'un buveur de bière. Un type sérieux, solide, pas drôle. Romain ne tenait pas de lui, physiquement du moins.

Au clavier du synthé, Damien aurait pu être meilleur. Néanmoins, les trois jeunes avaient l'habitude de jouer ensemble et n'étaient pas maladroits. Le public commençait à réagir, la salle se chauffait. À cet instant, Antoine s'inclina vers France, lui glissa à l'oreille quelques mots qui la firent hausser les épaules. Heureusement, car le geste avait ravivé l'exaspération de Louis. Si elle lui avait répondu ou même souri, il aurait été incapable de rester assis.

Il essaya de se raisonner, de penser à autre chose. Être jaloux du passé ne pourrait que le rendre bêtement malheureux. France avait vécu avant de le rencontrer, et si insupportable que soit cette idée, c'était dans le lit d'Antoine qu'elle avait appris le plaisir. Tout comme lui avait aimé Marianne, un sujet que France, plus sage que lui, ne s'était pas permis d'aborder.

Agacé par l'insistance de Louis, Antoine finit par tourner la tête, et leurs regards se croisèrent. Au bout de quelques instants, ce fut Antoine qui baissa les yeux, persuadé que France avait été mal inspirée de jeter son dévolu sur ce type-là. Coléreux, agressif, sans doute instable. Elle n'allait pas tarder à déchanter, tant pis pour elle.

— Arrête de le fixer comme ça ! chuchota Tom en donnant un coup de coude à Louis.

Des cris s'élevaient sur les derniers accords d'un morceau qui avait enthousiasmé les spectateurs.

— Qu'en penses-tu ? demanda France qui applaudissait, ravie.

— C'est bien, répondit-il machinalement.

Il comptait donner un avis plus nuancé à Romain, d'ici à quelques jours, mais ça ne regardait personne d'autre. Le jeune homme avait de réelles possibilités, un talent qui ne demandait qu'à s'exprimer, à condition d'être guidé. Hélas, il était probable que son père n'allait pas apprécier s'il s'obstinait dans la voie de la musique, en particulier si c'était Louis qui l'y encourageait.

Des jeunes commençaient à s'exciter, à quitter leurs chaises et, l'espace d'une seconde, il regretta l'absence de Frédéric. Est-ce qu'il n'y aurait donc jamais d'occasion pour France et lui de se réjouir ensemble de leurs fils respectifs ? Combien de temps allaient-ils devoir jouer à cache-cache en ménageant les susceptibilités ? À quel moment pourraient-ils enfin envisager un avenir ?

— Je vais fumer une cigarette dehors, de toute façon, on les entend de loin, dit-il à France.

Tendrement, il lui serra l'épaule avant de se dégager de la rangée, aussitôt suivi par Tom. À l'extérieur, où le bruit était plus supportable, ils s'assirent sur les marches.

— Qu'est-ce que tu as ? demanda Tom avec curiosité.

— Rien. Sauf que ce mec, Antoine, m'est affreusement antipathique.

— J'avais compris, oui. Et puis ?

— Je suis amoureux comme un gamin, Tom, et ça me rend jaloux.

Voilà, au moins il l'avait dit à quelqu'un et il se sentit soulagé.

— À ce point-là ? Attends un peu, Louis, ne précipite rien.

— Aucun risque, je suis déjà dans les ennuis avec Frédéric, je ne peux pas me permettre d'en rajouter.

Il écrasa son mégot, prêta soudain l'oreille à une série d'arpèges de la guitare.

— Écoute ça, c'est bien... Il ne lui manque qu'un peu de virtuosité, mais il y arrivera s'il le veut, il est très agile et il a des attaques précises...

Au moment où ils se relevaient, ils virent Antoine qui sortait à son tour.

— Même vous, ça vous fatigue ? leur lança-t-il en s'arrêtant devant eux.

— Pas du tout, riposta Louis, c'était juste la pause fumeur, on y retourne avec joie !

Pour éviter que la discussion ne s'envenime, Tom entraîna Louis sans laisser à Antoine le temps de trouver une repartie.

9

Les premiers jours du mois de juin furent marqués par une chaleur précoce, accablante. Dans les jardins du Luxembourg, Grégoire endormait ses rhumatismes au soleil en regardant passer les jeunes mamans, les filles au pair, les étudiantes. Le spectacle de toutes ces jupes courtes ou ces robes légères finit par lui donner l'envie de s'offrir une récréation et, sans le moindre scrupule, il se rendit deux fois de suite chez Monique. Il y avait ses habitudes, y était bien accueilli, et rien n'était sordide dans cette relation épisodique qu'il entretenait en secret depuis des années. Sa famille n'avait pas à connaître les détails de sa vie privée, estimait-il en toute bonne foi. Puisque Alix, Louis et Laura ne s'étaient pas demandé comment il avait pu supporter son veuvage durant tout ce temps, c'est que le sujet ne les intéressait pas. Ou qu'ils étaient trop prudes pour l'aborder avec leur père. À moins que, plus simplement, ils ne l'imaginent comme un vieillard. Or Grégoire avait des envies, voire des besoins, et l'âge n'y changeait pas grand-chose. Avec Monique, c'était tout simple.

Lors de sa dernière visite chez elle, tandis qu'il se rhabillait en prenant son temps, elle avait allumé la radio et il avait eu la surprise d'entendre une musique de Louis. Il l'avait reconnue sans peine, Alix lui ayant offert le disque dont elle était si fière, comme si c'était elle le compositeur. Quand il avait dit à Monique, désignant le transistor, qu'il s'agissait de son fils, elle s'était mise à rire. Il avait dû se fâcher pour qu'elle accepte de le croire, ensuite elle avait déclaré, avec une note de respect dans la voix, qu'il s'agissait d'un *tube*.

« Est-ce que Louis sera heureux d'avoir écrit un *tube* ? » s'était-il demandé sur le chemin du retour, amusé à l'idée que le succès pourrait bien faire rager cet incorrigible romantique. Depuis qu'elle avait pris sa carrière en main, Alix n'arrêtait pas de le contrarier, à tort ou à raison. Au moins elle l'enrichissait, c'était déjà bien. Sans elle, à quoi aurait servi le talent de Louis, sinon à empiler d'inutiles partitions sur le Steinway ? En revanche, elle manquait singulièrement de jugeote dès qu'il était question des femmes qui approchaient son frère. Ignorer France ne suffirait pas à la faire disparaître. Heureusement ! Grégoire avait toujours su qu'un jour ou l'autre Louis tomberait amoureux. Il était bien placé pour mesurer les ravages de la solitude, lui qui en connaissait par cœur la tristesse et la frustration. Pendant huit ans, Louis avait supporté sans broncher son rôle de père célibataire, ajouté à ses angoisses de créateur ses responsabilités, et il s'était contenté d'aventures éphémères. Il avait beaucoup donné sans rien chercher en échange, pourquoi s'étonner qu'aujourd'hui il soit en train de succomber ? D'autant plus que cette France Capelan avait exactement tout ce qu'il fallait pour le faire craquer. Aucune ressemblance avec Marianne : beaucoup d'énergie, de la volonté, mais surtout quelque chose de très sensuel que Grégoire avait discerné au premier coup d'œil. Une femme fatale sous une apparence sage, Louis ne pouvait que tomber sous le charme et, plus les jours passeraient, plus il s'attacherait à elle. Alix était stupide d'espérer le contraire. Déjà lorsqu'il était petit, Louis avait un terrible besoin d'aimer comme d'être aimé, d'éprouver et de provoquer des passions, d'avoir peur et d'être rassuré, mélange de force et de fragilité, garçon trop sensible qui cherchait toujours le point de rupture.

Le soleil et la marche avaient fatigué Grégoire, sans compter l'intermède Monique, et il fut soulagé d'arriver devant la porte de son immeuble. Sous le porche, une fraîcheur relative lui permit de souffler. Négligeant son exercice quotidien, il décida de prendre l'ascenseur, qu'il attendit sans impatience. En principe, il profiterait encore d'un peu de tranquillité avant le retour de Laura et des filles, vers six heures. Il aurait même le temps de savourer un thé glacé.

Parvenu au deuxième étage, il eut la surprise de découvrir Frédéric, assis en tailleur à même le paillasson, le menton dans les mains et l'air sinistre.

— C'est moi que tu espérais ? demanda-t-il avec un sourire inquiet.

— Oui, grand-père. Toi ou Laura.

— Tu as des ennuis, mon garçon ?

— Si on veut...

Le jeune homme s'était relevé et Grégoire le trouva très grand. Ou alors c'était lui qui se tassait avec l'âge.

— Eh bien, entrons, tu vas me raconter tes problèmes, ça ne regarde pas nos voisins de palier !

Il précéda son petit-fils à l'intérieur de l'appartement dont les volets étaient à demi fermés, en raison de la chaleur. Une fois dans le salon, il se laissa tomber sur l'un des fauteuils de velours et attendit tranquillement que Frédéric choisisse un siège.

— Ton père sait que tu es là ?

— Non, marmonna l'adolescent qui s'installa tout au bord d'une causeuse.

— Explique-moi ça. Vous vous êtes engueulés ?

— Pas vraiment.

Il paraissait si mal à l'aise que Grégoire décida de ne pas le bousculer. Il ouvrit un peu le col de sa chemise, étendit ses jambes, soupira et patienta jusqu'à ce que son petit-fils murmure :

— Je me suis tiré du lycée à deux heures, pour prendre un train.

— Oui, tu n'es pas venu à pied...

— Ce matin, papa m'a annoncé que France dînerait à la maison avec Romain.

— Et puis ?

— Pour moi, c'est simple, je ne veux pas les voir !

— Ni lui, ni elle ?

— Si ça commence comme ça, grand-père, ce sera tous les soirs. Je sais ce que papa a dans la tête, un de ces jours il va m'apprendre que les Capelan emménagent à la maison !

— Tu exagères, là.

— Mais non ! Quand on se retrouve à table, tous les deux, il est distrait, il est pressé... Il n'a qu'une hâte, être avec elle ! Oh, il fait des efforts pour essayer de m'en parler, sans insister, l'air innocent, et il s'imagine que je ne le vois pas venir...

L'amertume éclatait dans toutes ses phrases et Grégoire se garda bien de l'interrompre.

— Bon sang, je m'en fous, de ses maîtresses, ce que je ne peux pas supporter, c'est qu'il veuille changer notre vie du jour au lendemain !

Toujours silencieux, Grégoire fixait les motifs du tapis persan, et Frédéric reprit :

— Je sais, je suis égoïste, mais c'est mon père, ma maison, je ne partagerai pas avec ce petit mec à la con ! Pourquoi papa ne s'est pas dégotté une femme célibataire, hein ?

— Stop ! dit soudain Grégoire en levant la main. Avant que tu continues, je dois te dire quelque chose, j'espère que ça ne te fera pas de peine...

Interloqué, l'adolescent leva les yeux vers lui, le dévisagea avec curiosité.

— Quoi donc ?

— Tu es mon petit-fils, l'aîné de mes petits-enfants, tu as toujours été mon chouchou. Il faut que ce soit bien clair entre nous, quoi que tu fasses, je t'adore. Même si tu tuais quelqu'un, je soutiendrais aux gendarmes qu'à l'heure du crime on jouait à la pelote basque tous les deux... Seulement, il y a quelqu'un que j'aime encore plus que toi : mon fils.

Ce lien-là est plus fort que tout, c'est d'ailleurs exactement ce que Louis ressent pour toi. Je pensais justement à lui tout à l'heure, en revenant de chez... de... des jardins du Luxembourg, et je me réjouissais à l'idée qu'il puisse peut-être refaire sa vie un jour. Je ne voudrais pas qu'il rate cette occasion. Moi, je n'ai pas eu de chance, je n'ai rencontré personne pour remplacer ta grand-mère.

Frédéric quitta son siège et se mit à marcher de long en large, très nerveux, sans savoir qu'à cet instant il ressemblait à son père trait pour trait.

— Pourquoi « refaire » sa vie ? demanda-t-il d'une voix saccadée. Bien sûr qu'il a le droit de se toquer de n'importe qui ! Elle ou une autre, ça m'est égal, seulement ce n'est pas une raison pour vouloir réunir tout le monde sous le même toit. C'est au-dessus de mes forces. Si l'autre doit débarquer avec sa guitare, je préfère me tirer. Je peux habiter avec toi ?

— Naturellement. Sauf que tu n'en es pas là, tu as piqué ta crise trop tôt. Je suis certain que ton père ne t'a posé aucun ultimatum. Mon Dieu, tu ne te rends pas compte, il doit en être malade, pour toi et pour lui.

— Toi aussi, tu vas t'y mettre ? J'en ai assez d'entendre qu'il s'est sacrifié, que c'est un père modèle, que...

— Et ce n'est pas le cas ? interrogea sèchement Grégoire.

Il y eut un silence significatif, qui se prolongea jusqu'à ce que Grégoire consulte ostensiblement sa montre.

— À quelle heure devais-tu rentrer chez toi ?

— Vers cinq heures et demie.

— Est-ce qu'il commence à s'inquiéter, en ce moment ?

— Non, pas encore.

— Appelle-le. Dis-lui que tu es avec moi et, si jamais il t'embête, passe-le-moi.

Frédéric regarda le téléphone, sur la table basse, puis son grand-père qui lui souriait en ajoutant :

— Après, nous pourrons continuer à bavarder. Tes cousines ne vont pas tarder à débouler. Tu dors ici, bien sûr ? Alors, débarrasse-toi de ce coup de fil...

Partagé entre sa colère toujours vive et les remords qui commençaient pourtant à l'accabler, l'adolescent hésita un peu avant de se décider à composer le numéro. Louis décrocha à la première sonnerie.

— C'est moi, papa..., commença Frédéric en déglutissant.

— Où es-tu ?

La question, posée d'une voix froide, annonçait l'orage.

— Une certaine Élise a pris de tes nouvelles, tout à l'heure. Elle pensait que tu étais malade puisque tu n'étais pas au lycée cet après-midi.

Frédéric en resta muet. Élise ? Elle se souciait de lui à ce point-là ? C'était merveilleux, même si, forcément, son père s'était fait un sang d'encre.

— Je suis désolé, se força-t-il à dire.

— Pas tant que moi ! Alors, où es-tu ?

— Chez grand-père et Laura.

— Et tu as une bonne raison pour ça ?

— Je... j'ai besoin d'air, papa.

Conscient de sa maladresse, il tenta aussitôt de se rattraper.

— Tu comprends, tout ça m'emmerde, ça m'inquiète, je...

— « Ça », c'est moi ? Je t'ai fait quelque chose, Frédéric ?

Ni « Fred », ni « mon grand », « Frédéric », en détachant bien les trois syllabes.

— Vous serez beaucoup mieux sans moi, ce soir ! explosa l'adolescent. Vous parlerez musique entre connaisseurs, tu pourras même lui donner un cours particulier !

— Je ne veux pas entendre un mot de plus, tu

n'es pas en train de parler à un de tes copains. Quant à ta façon de fuir les problèmes, c'est lamentable, je n'aurais pas cru ça de toi. Et ton accès de jalousie est parfaitement déplacé. Romain n'est pas mon fils, il n'est rien pour moi. Ta petite fugue n'a pas de raison d'être. Tu veux me faire payer quoi, au juste ?

— Ne crie pas..., murmura Frédéric.

— Je ne crie pas ! hurla Louis.

D'un geste autoritaire, Grégoire désigna le téléphone.

— Donne.

Comme son petit-fils restait figé, pâle et sans réaction, il lui prit le combiné des doigts.

— Bonjour, Louis ! lança-t-il gaiement. Allez, calme-toi, tout ça n'est pas grave.

— Tu trouves ? Ce qui lui manque, à ce gosse, ce sont toutes les paires de claques que j'aurais dû lui donner. Mais il n'est pas trop tard pour bien faire !

— Je ne me suis jamais demandé combien il t'en manquait, à toi, ce n'est pas comme ça que je t'ai élevé. Et crois-moi, avant que tu lèves la main sur lui...

Le ton de Grégoire, tranquille mais ferme, contraignit Louis à se taire un instant.

— Qu'est-ce que je dois faire, à ton avis ? finit-il par demander, agressif.

— Rien du tout. Ce que tu avais prévu, ni plus ni moins. Fred va rester quelques jours avec nous.

— Papa ! Tu plaisantes ? Il passe son bac français dans une semaine !

— Et alors ? Je l'aiderai à réviser. D'ailleurs, il aura peut-être changé d'idée dès demain. Pour aujourd'hui, je trouve que ça suffit, vous deux. Tu es rassuré et...

— Comme tu veux ! ragea Louis qui raccrocha sans le laisser finir.

— Voilà, dit Grégoire à Frédéric, maintenant

c'est contre moi qu'il est en colère. Ça vaut mieux pour toi, il le prend très mal.

L'adolescent se détendit brusquement, risqua un sourire.

— Tu te rends compte qu'elle s'est fait du souci ?

— Qui ça ?

— Élise !

— C'est qui, Élise ?

— Je ne savais même pas qu'elle avait mon numéro... Je vais la rappeler. Il y a un Minitel quelque part ?

Stupéfait, son grand-père le dévisagea, sourcils froncés. Que son père soit inquiet était beaucoup moins important, a priori, que la sollicitude de cette Élise.

— Ah, jeunesse..., soupira-t-il en secouant la tête.

France quitta le bureau du proviseur les joues en feu. Elle s'était fait rappeler à l'ordre vertement et n'avait même pas pu se défendre. Mais comment expliquer le chahut qui commençait à régner dans ses cours avec la classe de première L2 ? Assis au dernier rang, Frédéric multipliait les insolences, provoquait des tempêtes de rire parmi les élèves, posait délibérément des questions ineptes. Il la narguait, sachant qu'elle n'était pas en position de réagir normalement contre lui, et se vengeait sur elle de ce qu'il n'osait pas reprocher à son père.

Pour comble de malheur, elle occupait une salle mitoyenne à celle d'Antoine, chaque jeudi matin, et à deux reprises il était venu voir ce qui se passait chez elle, sous prétexte qu'il ne pouvait pas travailler dans un bruit pareil.

Jusqu'ici, France n'avait jamais eu à affronter de pagaille. Elle savait remettre les jeunes gens à leur place quand il le fallait, et même les fortes têtes ne lui faisaient pas peur. Pourtant, dans cette circonstance précise, elle se trouvait démunie. Quoi qu'elle puisse dire, ça ne ferait qu'ajouter à la rancœur de Frédéric. Et si elle prenait des mesures extrêmes, jusqu'où était-il capable d'aller ? Il suffisait de trois fois rien, du plus petit incident, pour qu'une classe devienne odieuse, emmenée par la demi-douzaine d'inévitables cancres n'ayant rien à perdre. Frédéric leur offrait une occasion en or, ils en profitaient au maximum.

Marchant à grandes enjambées, elle essayait de se calmer. Qui avait alerté le proviseur ? Antoine lui-même ? Il en était capable, il lui en voulait toujours et mourait d'envie de lui donner une leçon.

Sur le parking, elle aperçut Romain qui l'attendait à côté de sa voiture et elle se souvint du dîner prévu à Notre-Dame-de-la-Mer. Louis avait pensé qu'un soir de semaine, sans le reste de la famille Neuville, les choses pourraient mieux se passer entre les deux adolescents. Entre eux, peut-être, mais pour sa part comment devrait-elle se comporter avec Frédéric ? Ne parler de rien ? Aborder la question devant son père ? Tout ça ne pouvait que jeter de l'huile sur le feu.

— Tu en fais une tête..., constata Romain quand elle arriva à sa hauteur.

Il se pencha pour l'embrasser puis ramassa le sac qu'il avait posé à ses pieds.

— Quelque chose ne va pas ? insista-t-il.

— Rien de grave, répondit-elle en ouvrant sa portière.

Une fois installée au volant, elle tourna le rétroviseur vers elle, s'examina d'un œil critique. Peut-être ferait-elle mieux de passer à l'appartement pour se remaquiller mais, d'un autre côté, profiter de la fin de journée sur la terrasse de Louis, un verre de champagne à la main, était beaucoup plus tentant. Il lui avait demandé d'arriver tôt, il devait avoir besoin d'aide pour préparer le repas et elle ne voulait pas le décevoir.

— Papa m'a dit que tu avais des problèmes avec une de tes classes ? demanda Romain gentiment.

— Il t'a dit ça ?

C'était le comble, elle sentit toute sa fureur revenir.

— Tes élèves te bordélisent ? Pourtant tu ne te laisses pas faire, d'habitude...

— C'est la fin de l'année, ils sont à cran. Et moi aussi !

— Maman ? Que se passe-t-il ?

Il avait posé sa main sur son bras, comme s'il voulait l'empêcher de démarrer tant qu'elle ne se serait pas confiée. Qu'est-ce qu'Antoine avait encore ajouté ? Que la fréquentation de Louis était la pire des choses pour elle ?

— N'invente pas un mensonge diplomatique, déclara Romain avec une certaine brusquerie. Richard m'a raconté. C'est Frédéric, hein ?

Bien sûr, il avait voulu savoir. Il adorait sa mère, se faisait un devoir de la protéger depuis qu'ils vivaient seuls tous les deux, et il s'était renseigné. À bout de nerfs, elle se laissa aller contre l'appuie-tête et sentit les larmes lui monter aux yeux. Elle était fatiguée par les nuits sans sommeil, les quelques heures qu'ils parvenaient à voler, Louis et elle, toutes les questions sans réponse qui l'accablaient.

— Tu veux que je lui parle, à ce petit con ? proposa-t-il. Je peux très bien le prendre à part, ce soir, et lui remonter les bretelles un bon coup.

— Non, ne fais pas ça. Surtout pas.

Reprenant instantanément le contrôle d'elle-même, elle sourit à Romain et mit le moteur en route.

— On va essayer de passer une soirée tranquille, d'accord ? D'abord je voudrais être certaine que, de ton côté, la situation est supportable.

— Tu parles de Louis ? Je n'ai rien contre.

— Mais rien pour ?

— Oh, si ! Forcément...

Il y avait une nuance de regret dans sa voix. Trouver Louis sympathique, c'était trahir Antoine, elle le comprenait.

— J'ai beaucoup d'admiration pour lui, mais c'était avant même que tu le rencontres. En plus, il est gentil, ça se voit. Et je comprends qu'il t'ait tapé dans l'œil, c'est un beau mec, il va bien avec toi. C'est en train de devenir sérieux entre vous ?

Au lieu de lui répondre, elle préféra demander :

— Est-ce que ça t'ennuierait ?

— Non, maman. Mignonne comme tu es, ce serait dommage que tu restes seule. Et les trucs de passage, à ton âge, c'est plutôt glauque.

— Glauque ? s'indigna-t-elle. Qu'est-ce que c'est que ce machisme, Romain ?

— Pardon. Mais tu es ma mère, je préfère voir un seul homme à tes pieds, avec des fleurs, plutôt qu'un défilé.

Elle eut envie de rire mais parvint heureusement à se retenir tandis qu'il poursuivait, très sérieux :

— J'imagine que vous faites des projets d'avenir ?

À cette question-là, elle n'avait pas de réponse, pour l'instant. L'attitude de Frédéric ne leur facilitait pas les choses.

— Tu voudrais vivre là-bas ? insista Romain.

— Eh bien...

— Il te l'a proposé ou pas ?

— Oui. Mais vraiment, c'est hors de question.

— T'as pas envie ? C'est super, chez lui !

Là, il tâtait le terrain, elle le connaissait trop pour tomber dans le piège.

— Tu t'y vois, toi ?

— Non. Comme dit le proverbe, un petit chez-soi vaut mieux qu'un grand chez les autres. Et Frédéric, je finirais par le décalquer contre un mur.

C'était sans appel. Pourtant il ajouta, avec beaucoup de tendresse :

— Seulement c'est pas moi qui décide, m'man.

Si c'est ton bonheur, je ne vais pas me mettre en travers.

Elle donna un brusque coup de frein, se rangea sur le bas-côté. Ils n'étaient plus qu'à un kilomètre de chez Louis et elle voulait avoir le temps de finir cette conversation cruciale.

— Tu n'es pas en train de m'expliquer que, dans ce cas, tu irais chez ton père ?

La phrase, qui était partie toute seule, pouvait être mal interprétée et elle se hâta de la corriger.

— À moins que tu le désires, bien sûr. Je ne suis pas une mère abusive, je ne te garderai pas contre ton gré ! Mais je sais que tu ne t'entends pas très bien avec Antoine... que vous ne partagez pas les mêmes idées... que vous finiriez par vous bouffer le nez et...

— Te fatigue pas, maman, je suis d'accord là-dessus. Je préfère vivre avec toi, seulement je ne veux pas être un poids.

— Toi ? Tu plaisantes, j'espère ?

Elle le prit par le cou, l'obligea à s'incliner vers elle et l'embrassa sur la joue.

— Tu es ce que j'ai de plus précieux, Romain. Compris ?

Quand elle le lâcha, il se sentit tout bête, attendri comme un petit garçon.

— On y va ? bougonna-t-il.

Deux minutes plus tard, ils entraient chez Louis, dont le portail était grand ouvert. En descendant de voiture, ils le virent sortir de la maison, un plateau à la main, et il vint les accueillir avec un sourire un peu crispé.

— J'ai installé les meubles de jardin sous les arbres, il fait encore trop chaud sur la terrasse.

Le regard qu'il posait sur France trahissait un certain désarroi.

— Tu as besoin d'un coup de main pour préparer le dîner ? demanda-t-elle gaiement.

— Non, non... Je crois que ça ira, si vous n'êtes

pas trop exigeants. D'ailleurs, on a le temps d'y penser, allons boire quelque chose d'abord.

Il confia le plateau à Romain et mit son bras autour des épaules de France.

— Champagne, ça te va ? Et vous, Romain ?

— Vous pouvez me tutoyer, suggéra le jeune homme.

Ils s'installèrent autour de la vieille table de fer forgé, à l'abri des marronniers. La nervosité de Louis intriguait France. Elle le regarda allumer une cigarette, inspirer une profonde bouffée, croiser et décroiser les jambes. Finalement, il s'adressa à Romain.

— Est-ce que vous... tu veux bien aller chercher des biscuits apéritif ? Choisis ce que tu aimes, j'en ai laissé plein sur la table de la cuisine. Tu vois où c'est ?

Romain acquiesça en silence et fila vers la maison.

— Il s'est passé quelque chose ? interrogea France qui fixait toujours Louis.

— Rien de terrible mais, pour la tentative de conciliation, c'est raté, Fred n'est pas là. Il a séché les cours cet après-midi et il est allé rejoindre son grand-père à Paris. Je suis complètement... désemparé par tout ça. Excuse-moi.

Il ne disait pas le souci qu'il avait pu se faire après le coup de téléphone d'Élise, ni la fureur provoquée par Grégoire, ni la profonde tristesse qu'il ressentait depuis, cependant elle devina son malaise.

— Je suis désolée, murmura-t-elle.

D'un bond, il quitta son siège et vint s'agenouiller près d'elle.

— Tu n'y es pour rien, moi non plus, ça passera, déclara-t-il très vite.

Son mouvement d'abandon, alors, appuyant sa tête contre elle, les yeux fermés, l'émut profondément. Du bout des doigts, elle caressa ses cheveux très courts, brillants et soyeux, puis sa nuque.

— Voilà de quoi grignoter, prévint-elle.

Il se redressa au moment où Romain arrivait et réussit à prendre un air enjoué.

— Vous faites un sacré tabac avec *Pacific*, lui dit le jeune homme. On l'entend partout, c'est vraiment le truc à la mode.

— Je suis le premier surpris, répondit Louis qui préféra éluder le sujet avec un geste vague.

L'idée de ce succès le dépassait, ne lui procurait aucun plaisir réel et il se sentait très injuste.

— Si ça t'amuse d'assister à un enregistrement, un jour, ou même d'y participer...

Romain resta saisi par l'énormité de la proposition que Louis regrettait déjà. Si Frédéric l'apprenait, il risquait d'en faire un malheur. Romain dans un studio avec son père, Romain clamant partout sa chance : de quoi alimenter leur antagonisme pour des mois. Comment les choses avaient-elles pu devenir aussi compliquées ?

Louis servit le champagne et tendit une coupe à France. Un petit vent tiède s'était levé, faisant onduler l'herbe trop haute autour d'eux. Il faudrait penser à tondre la pelouse, mais en général c'était Frédéric qui s'en chargeait, ravi d'utiliser le petit tracteur.

France but quelques gorgées, leva les yeux vers Louis qui était resté debout à côté d'elle. Devant Romain, il ne savait pas quelle attitude prendre ni ce qu'il pouvait se permettre. En tout cas pas de la serrer dans ses bras pour l'embrasser, comme il en mourait d'envie.

— Je reviens, murmura-t-elle soudain.

Déjà debout, elle posa sa coupe sur la table et se dirigea vers l'une des portes-fenêtres. Louis la suivit du regard jusqu'à ce qu'elle ait disparu dans la maison, ensuite il se tourna vers Romain qui l'observait.

— Excuse-moi, je t'ai oublié...

Il remplit deux coupes, en prit une et offrit l'autre au jeune homme.

— À ton avenir, dit-il en vidant la sienne d'un trait.

Les bulles le firent tousser puis rire. Un peu détendu, il alla s'asseoir en face de Romain.

— Je suis éperdument amoureux de ta mère, ça ne s'arrange pas. Entre Frédéric et toi, c'est vraiment la guerre ?

Sa façon de parler était si directe que Romain répondit sur le même ton.

— Oui, j'en ai peur.

— À cause d'une fille ?

— Pas uniquement.

— Quoi d'autre ?

— Demandez-le-lui. Il n'est pas là, ce soir ?

— Non. De toute façon, il ne me le dirait pas. Toi, tu peux.

— Mais je ne veux pas.

Le sourire spontané de Louis surprit Romain qui avait eu peur d'être trop sec.

— Très bien. Et dormir là, tu veux ? Il y a des chambres d'ami partout.

C'était une demande assez abrupte, pourtant Romain fut heureux d'être traité en adulte, presque en complice. De toute façon, il en avait assez d'entendre sa mère partir en pleine nuit pour revenir à l'aube. Il accepta d'un petit hochement de tête et Louis murmura :

— Merci.

Il était soulagé à l'idée que France ne s'en irait pas après le dîner, ainsi ils auraient enfin le temps de se regarder, se parler, s'aimer. Romain ne se comportait pas en fils jaloux, en enfant gâté, il semblait très mûr pour son âge, bien dans sa peau. Et cette constatation ramenait Louis à son propre fils, avec un sentiment de culpabilité lancinant. Chaque élan de Louis vers Romain serait ressenti comme un affront par Frédéric, chaque intrusion de France comme une menace. Impossible d'ignorer sa voix pitoyable, au téléphone, quand il avait prétendu avoir « besoin d'air ». L'expression était tellement désagréable que Louis ne voulait plus y penser.

— On va mettre le couvert, décida-t-il en se levant. Tu m'aides ?

Ces gestes-là, depuis longtemps, c'était avec son petit garçon qu'il avait l'habitude de les faire. Couverts jetés à la va-vite, surgelés dans le four, cassettes vidéo, leur vie quotidienne. De nouveau très nerveux, Louis s'obligea à sourire et précéda Romain vers la cuisine.

Un peu avant six heures, le lendemain matin, les oiseaux commencèrent à se déchaîner dans les arbres du parc. Un vrai paradis pour eux, cette propriété où personne ne répandait d'insecticide, où aucune tronçonneuse ne détruisait les branches chargées de nids, où les fruits n'étaient que très rarement cueillis.

Dans la chambre où il venait de se réveiller, surpris par le concert des étourneaux, Romain examinait le décor avec intérêt. La veille, il avait eu beaucoup de mal à trouver le sommeil. Le silence de la grande maison l'avait presque gêné et, quand il en avait eu assez de penser à Élise, il était descendu boire un verre d'eau, essayant de se repérer à travers les couloirs et les escaliers.

Son regard s'attarda sur les volets intérieurs, qu'il n'avait fermés qu'à moitié, sur le rocking-chair puis sur le vieux coffre sculpté. La pièce était peinte en bleu pâle et jaune vif, très douillette. Il s'étira un moment et repoussa la couette pour se lever. Dans la petite salle de bains adjacente, il prit une douche rapide avant de remettre ses vêtements. Cette fois, il ne pourrait plus jouer les innocents vis-à-vis de son père, c'était bel et bien lui qui facilitait les rencontres de sa mère avec Louis.

De retour dans la chambre, il se demanda s'il devait refaire le lit ou au contraire plier les draps. Finalement, il tapota les oreillers, remit la couette en place et vérifia d'un coup d'œil qu'il n'avait pas laissé de désordre. Ensuite il sortit. Il se sentait affamé et Louis avait précisé qu'il n'y avait rien de secret ni de privé dans la maison, que, s'il souffrait d'insomnie, il pouvait bien aller se promener où bon lui semblerait.

Au rez-de-chaussée, il eut la curiosité de passer une tête dans la salle à manger, puis traversa le grand et le petit salon, se retrouvant devant la bibliothèque. La disposition des lieux était originale mais un peu compliquée à comprendre. Il longea l'auditorium sans chercher à y entrer, se souvenant que cette pièce-là communiquait avec la chambre de Louis par un escalier.

Quand il eut achevé son exploration, il remonta au premier, incapable de dominer plus longtemps son envie de savoir à quoi ressemblait la chambre de Frédéric. Sur le palier, la plupart des portes étaient ouvertes, c'était tout à fait conforme à la manière de vivre des Neuville, et il n'eut aucun mal à repérer l'endroit choisi par le fils de la maison. Au milieu d'un désordre ahurissant, il aperçut la batterie dont Richard lui avait parlé, un petit synthé, et même une guitare électrique poussiéreuse. Toute cette panoplie d'enfant gâté trahissait les efforts de Louis pour faire aimer la musique à un Frédéric réticent. La pièce était très vaste, très encombrée, et Romain sourit en songeant à sa mère. Elle qui ne tolérait pas qu'il laisse traîner des vêtements, qu'il ne fasse pas son lit ou qu'il ne vide pas sa corbeille à papier, comment réagirait-elle devant ce chaos ?

Conscient d'être indiscret mais irrésistiblement attiré, il fit quelques pas vers la cheminée au-dessus de laquelle étaient accrochés plusieurs fleurets. Il en prit un délicatement, surpris par sa légèreté, esquissa un geste maladroit puis le remit en place. Compétition d'escrime, une rareté pour des garçons de leur âge : Élise avait dû être épatée. Elle ne savait pas ce qu'elle voulait et il ne tenait pas à se rendre malade en pensant à elle tout le temps. De nouveau, il regarda autour de lui, se demanda ce qu'elle ressentirait si Frédéric l'invitait un jour chez lui.

Avec un gros soupir, il quitta la chambre en laissant la porte ouverte et descendit à la cuisine où il commença à préparer du café. Comment sa mère ne serait-elle pas tentée de vivre ici ? C'était un endroit merveilleux, presque magique, une de ces maisons de famille discrètement cossues, marquée par l'empreinte de plusieurs générations, avec une séduction sereine sous une patine de bon ton, et qui pouvait faire rêver n'importe qui, Romain compris.

Il sortit et marcha jusqu'au vieux banc sur lequel il s'installa, son bol à la main, se demandant où était passé Frédéric. Parti dormir chez Richard pour ne pas avoir à affronter les Capelan chez lui ?

— Quel sale petit con..., marmonna Romain avant de souffler sur son café.

Qu'on puisse rejeter sa mère le mettait déjà hors de lui, mais si en plus Frédéric essayait de la tyranniser en cours, il allait le lui faire regretter. Et il en profiterait, au passage, pour régler l'histoire d'Élise une bonne fois.

Comme le soleil se levait, il s'allongea carrément sur le banc, ferma les yeux pour ne pas être ébloui. Deux minutes plus tard il dormait, le bol vide posé dans l'herbe, et il ne vit pas France ouvrir la fenêtre d'une salle de bains. Quand elle le découvrit, elle eut un sourire attendri puis s'absorba dans la contemplation du ciel pâle. Encore une belle journée en perspective même si elle devait comporter, comme les précédentes, son lot de soucis.

Après un dernier regard à son fils, elle regagna la chambre sur la pointe des pieds. Il était encore trop tôt pour réveiller Louis et elle se glissa sans bruit à côté de lui. Dans son sommeil, il remua un peu, passa un bras autour d'elle, murmura quelque chose d'incompréhensible. Ils avaient fait l'amour longtemps, incapables de se rassasier l'un de l'autre, chacun refusant d'être le premier à crier grâce. Une fois de plus, elle avait eu conscience de la véritable fascination qu'elle exerçait sur lui. Attentif et inquiet, il était sensible à chacun de ses gestes, prêt à suivre la moindre de ses envies. Contrairement à Antoine, il ne cherchait pas à la dominer mais à la comprendre, et il la laissait mener le jeu à sa guise.

— France, chuchota-t-il en la serrant contre lui.

Il émergeait lentement, ravi de la découvrir là. De sa main gauche, il tâtonna pour trouver sa montre, risqua un coup d'œil.

— Il faut déjà se lever ? interrogea-t-il.

— Dans un quart d'heure, ça ira.

S'appuyant sur un coude, il lui embrassa le bout du nez, enfouit ses doigts dans les boucles blondes.

— Je voudrais que ce soit comme ça tous les matins, dit-il avec regret.

Il se rallongea, à plat ventre, tandis qu'elle se mettait à caresser doucement son dos.

— Ne fais pas ça, gémit-il. Un quart d'heure, c'est dérisoire...

Penchée au-dessus de lui, elle étudia un moment son profil sur l'oreiller.

— Qu'est-ce que tu regardes ? s'inquiéta-t-il.

— Toi. Je te trouve tentant. Inespéré.

Sous ses doigts, elle le sentait frémir, et elle ne résista pas au plaisir d'insister un peu, jusqu'à ce qu'il se retourne, vaincu.

Frédéric s'était réveillé lui aussi dans une chambre inhabituelle. L'appartement de son grand-père était une véritable caverne d'Ali Baba, empli de meubles anciens et de souvenirs de toutes sortes. Il lui était arrivé de dormir là, quand il était petit, les soirs où ses parents le confiaient à Grégoire. Ils sortaient beaucoup, à une certaine époque. C'était le début de la carrière de Louis, et Marianne le traînait dans les cocktails, les premières et les vernissages.

Sur le mur, au-dessus du lit, une série de photos était exposée dans de petits cadres dorés, et Frédéric se leva pour les examiner. Son père aux Victoires de la Musique puis au festival de Cannes. Sa mère sur une plage, avec lui tout bébé. Son père jeune homme, recevant ses prix au conservatoire. La sortie de l'église, le jour de leur mariage. Aussi beaux l'un que l'autre, ils souriaient à l'objectif. Une autre église, pour son baptême, où Marianne semblait radieuse.

Qui avait encadré tous ces clichés ? Grégoire ou Laura ? Les deux dernières photos avaient été prises à Notre-Dame-de-la-Mer, au début des travaux. Sur la première, Marianne était vraiment belle, la main posée sur l'épaule de son petit garçon ; sur la seconde, elle était assise à table, dehors, et regardait quelqu'un qu'on ne voyait pas. Probablement son mari, à en croire l'expression de son visage.

Il se laissa tomber en travers des oreillers, prit une profonde inspiration en essayant de bloquer l'émotion qu'il sentait monter. Pour se rappeler précisément les traits de sa mère, il avait presque toujours recours aux photos. Et celles-ci respiraient le bonheur. Un bonheur perdu que son père avait dû regretter chaque nuit, depuis des années. Et qu'il ne retrouverait pas près de cette France Capelan !

Il entendit frapper, vit la porte s'ouvrir sur Laura. Pour son petit déjeuner, elle lui avait confectionné un véritable repas avec des œufs au jambon, cuits sur des crêpes de blé noir, des oranges pressées, du café et des yaourts.

— Ton grand-père est parti se promener, annonça-t-elle en allant ouvrir les rideaux, et Hugues a embarqué les filles pour l'école. Il est dix heures et quart.

Une fois le grand plateau posé en équilibre sur ses genoux, il constata que le couvert était mis pour deux. Elle vint s'asseoir face à lui, au pied du lit.

— Eh bien, mon neveu, on a toute la journée devant nous !

Lors du dîner de la veille, personne n'avait parlé de rien. Sabine et Tiphaine avaient joué avec lui, Grégoire et Hugues avaient discuté politique, l'ambiance était restée exactement celle des week-ends à Notre-Dame-de-la-Mer, même si Laura avait remarqué le manque d'appétit de Frédéric.

— Allez, attaque, tu dois mourir de faim. Tu as bien dormi ?

— Est-ce que papa a appelé ? demanda-t-il malgré lui.

Heureuse de ne pas avoir à lui mentir, elle secoua la tête.

— Non.

C'était Frédéric qui était parti, ce serait à lui de faire le premier pas, pas le contraire.

— Tu crois que je devrais lui téléphoner ?

— Eh bien, ça dépend de ce que tu veux lui dire. Si c'est pour vous disputer, mieux vaut attendre un peu.

Le silence de son père l'angoissait, elle le comprit mais ne fit aucun commentaire.

— Tu veux réviser avec moi ? se borna-t-elle à proposer.

— Oh, tu sais, le français, ça ne se révise pas vraiment. De toute façon, je n'ai pas mes bouquins.

— Ce n'est pas grave, on peut parler des œuvres de ton programme.

— De la psychologie des personnages, par exemple ? Quelque chose de bien dans tes cordes !

Il souriait, un peu détendu, et il attaqua ses œufs avec voracité.

— Tu as décidé combien de temps tu restais ici ?

— Non...

— Je suppose que ce sera proportionnel à la rancune que tu éprouves envers lui ?

Ouvrant de grands yeux, il cessa de mastiquer.

— Mais, Laura, bafouilla-t-il, non, pas du tout... Il ne m'a rien fait !

— Ah... Tu en conviens ?

Comme d'habitude, elle l'avait piégé, et il leva

les yeux au ciel. Sur le tee-shirt froissé dans lequel il avait dormi s'étalait le nom d'une université américaine. Le doigt pointé vers l'inscription, elle demanda :

— Est-ce que tu sais ce que tu veux faire, plus tard ?

— J'ai encore un an pour y réfléchir. *Au moins* un an, comme dirait papa !

Décidément, il y revenait, il avait besoin de parler de Louis, de se déculpabiliser. Elle le regarda entamer un yaourt mais, au moment où elle allait répliquer, un coup de sonnette les fit sursauter.

— Sûrement le courrier, déclara-t-elle d'un ton apaisant. J'y vais.

Il resta assis sans bouger, la cuillère en l'air, attentif à la voix de Laura dans les profondeurs de l'appartement. Quand il entendit des bruits de pas, le long du couloir, il fut pris de panique mais n'eut pas le temps d'esquisser un geste, Louis était déjà entré.

— Bonjour ! lança-t-il d'une voix froide, englobant dans le même coup d'œil son fils et le plateau du petit déjeuner.

— Veux-tu une tasse de café ? dit doucement Laura derrière lui.

— Non merci, je suis pressé.

D'un mouvement d'épaule, il se débarrassa de son sac de voyage.

— Je t'ai apporté tes livres, je suppose que tu en auras besoin, et aussi quelques vêtements. À plus tard.

Son regard sombre croisa celui de Frédéric, juste une seconde, puis il se détourna, écarta Laura pour sortir. Navrée, elle le suivit jusqu'au vestibule.

— Je te tiens au courant, murmura-t-elle.

— Oui, s'il te plaît.

— Ne sois pas dur avec lui.

— J'en suis incapable, c'est bien le problème !

Elle connaissait suffisamment son frère pour voir à quel point il était bouleversé sous son apparente désinvolture. Il n'avait rien exigé, n'avait même pas demandé d'explications, mais il n'avait pas laissé à Frédéric une seule chance de lui sauter au cou. À pas lents, elle revint vers la chambre, et comme elle s'y attendait, elle trouva l'adolescent debout devant la fenêtre, qui suivait des yeux la silhouette de son père sur le trottoir, avec une expression ravagée.

de sa voiture. Il n'avait rien exigé, n'avait même pas demandé d'explications, mais il n'avait pas laissé à Frédéric une seule chance de lui sauter au cou. A pas lents, elle revint vers la chambre, et comme elle s'y attendait, elle trouva l'adolescent debout devant la fenêtre, qui suivait des yeux la silhouette de son père sur le trottoir, avec une expression ravagée.

10

Avant de monter dans le taxi, Jean-Philippe répéta à Alix, pour la dixième fois de la soirée, à quel point il était heureux. Enfin il s'installa, claqua la portière et fit encore de grands signes à travers la vitre.

— Il est saoulant, soupira Tom.

Ils se mirent à remonter le boulevard du Montparnasse pour récupérer la voiture qu'Alix avait garée deux cents mètres plus haut. La nuit était chaude, presque moite, de nombreux promeneurs flânaient encore malgré l'heure tardive. Le dîner somptueux, à La Coupole, avait été consacré à la gloire de Louis, la chance de Louis, accessoirement la musique de Louis, et tout l'argent que ça rapportait.

— Il est aux anges, reprit Alix. C'est l'affaire de sa vie ! On est en train de vendre *Pacific* à la terre entière, tous les matins il rédige un nouveau contrat. Les Américains ont craqué les premiers, puis la moitié de l'Europe, et maintenant c'est au tour du Japon. Comment veux-tu qu'une maison de disques ne jubile pas, dans ces circonstances ?

Mais c'était bien elle qui triomphait le plus. Elle et son flair, elle et son frère, la litanie finissait par user la patience de Tom, en particulier quand il songeait à l'opinion de Louis sur cette rengaine.

— Et Louis ? Il est heureux aussi ? demanda-t-il avec une certaine perfidie.

— Il le serait s'il en avait le loisir ! Seulement, à cause de cette bonne femme, il s'est mis dans les ennuis jusqu'au cou. Fred lui en fait voir de toutes les couleurs, il aurait besoin d'un savon que Laura ou papa sont bien incapables de lui passer. Il est installé dans leur appartement comme un coq en pâte pendant que Louis se désespère !

Tom connaissait l'histoire, comme il connaissait presque tous les détails de la vie des Neuville. Y compris la très grande tendresse d'Alix pour son neveu, mais qui ne pesait plus rien si on attaquait son jumeau.

— Quand serons-nous débarrassés de cette femme ? poursuivit-elle avec la même hargne. Si tu l'avais vue au studio, l'autre jour ! Grands dieux, on aurait cru qu'il sortait une cousine de province... Avec tout ce qu'il a à faire ces jours-ci, j'espère qu'elle ne va pas le suivre partout, il ne peut pas traîner un boulet pareil.

— Elle m'est très sympathique, je ne sais pas ce que vous avez contre elle, Frédéric et toi. En tout cas, avec elle, il prend son pied, il n'y a qu'à le regarder pour comprendre qu'il grimpe aux murs et qu'il adore ça !

Son rire et sa remarque eurent sur Alix l'effet escompté. Elle s'arrêta net pour foudroyer Tom du regard.

— Tu es d'une vulgarité...

— Mais non, ça crève les yeux ! Ton frère n'est pas qu'un pur esprit, en ce moment il se fait plaisir, je trouve qu'il a de la chance.

Et il le pensait sincèrement. « Amoureux comme un gamin », avait avoué Louis sur les marches de la salle des fêtes. Pour sa part, Tom se sentait amoureux comme un vieux, usé et sans illusions. Alix était tellement occupée ces derniers temps qu'ils n'avaient pas fait l'amour depuis une éternité. Ni même dormi ensemble, sauf à Notre-Dame-de-la-Mer, où elle prétextait la fatigue pour fermer les yeux à peine couchée. Or il la désirait toujours. Il était fatigué de ses discours, mais pas de son corps.

— De la chance ? Avec cette blondasse coincée ?

— À t'entendre, c'est drôle, on te croirait jalouse.

Son insistance allait le conduire droit à une dispute, il le savait, mais c'était plus fort que lui. Elle était repartie, accélérant le pas sous le coup de la colère. Trois mètres derrière elle, Tom ne changea rien à son rythme, et elle dut se retourner pour l'attendre. Elle portait une jupe longue, fendue sur le côté, et de fines chaussures à talons hauts qui la faisaient paraître encore plus grande. Il trouva qu'elle avait beaucoup d'allure, une élégance qui n'appartenait qu'à elle.

— Si tu dois me faire une scène, pas sur le trottoir ! ragea-t-elle.

— Une scène de quoi ? De rupture ?

Tout de suite, il regretta le mot, mais c'était trop tard. Sa clef de voiture à la main, elle le toisait, incrédule.

— C'est ce que tu souhaites ? dit-elle d'une voix sourde.

— Écoute, Alix, si seulement nous avions trois heures de tête-à-tête...

— Et où veux-tu que je les trouve ? Je suis en retard pour tout ! Les clients de l'agence me harcèlent, mais comme je passe un temps fou à m'occuper de Louis, à...

— Trop de temps, vraiment trop.

— Merde, c'est mon métier ! explosa-t-elle.

— Et ta satisfaction personnelle, aussi. Ton frère, c'est ton grand fantasme. J'en ai assez de ramer derrière, il y a longtemps que je voulais te le dire.

La dernière fois qu'ils avaient abordé le sujet, plusieurs années auparavant, elle l'avait quitté et il n'avait pas pu le supporter, il était revenu en rendant les armes. Il espéra que c'était enfin le bon moment, qu'il aurait la force de le faire.

— Fantasme ? répéta-t-elle lentement.

— Tu n'es plus une enfant, il n'est plus ton double. Tu n'as pas besoin de le protéger, encore moins de l'asphyxier. Tu as un problème avec lui, Alix, que tu aurais dû régler depuis longtemps. Et c'est ça qui t'empêche d'avoir une vie à toi.

— Parce que si ma vie ce n'est pas *toi*, ce n'est plus rien ?

Elle espérait peut-être faire diversion en utilisant l'attaque, mais il refusa de se laisser distraire. Au moment où elle introduisait la clef dans la serrure, il lui saisit le poignet sans douceur.

— Est-ce que tu m'aimes encore, Alix ?

— Et toi ?

— Ne réponds pas à une question par une autre. Je te parle de toi.

— Tu en parles mal !

Ils étaient si près l'un de l'autre qu'il sentit son parfum et qu'il faillit fléchir. Elle en profita pour se dégager d'un coup sec. Il était plus fort qu'elle, mais il ne chercha pas à résister quand elle le repoussa loin.

— Il y a des façons plus dignes de se séparer, Tom !

Le mépris d'Alix le mit tellement hors de lui qu'il chercha une riposte méchante.

— Celle-là ou une autre, en tout cas c'est fait, bon débarras.

Les mots dépassaient de très loin sa pensée et il se mordit les lèvres. Il la vit se décomposer, serrer les dents puis relever la tête. Elle ne s'avouait jamais battue, il n'aurait pas dû l'oublier.

— Eh bien, au revoir, alors ! lui lança-t-elle avec arrogance.

Elle s'installa au volant, baissa les vitres pour avoir un peu d'air, mit le contact. Cloué sur le trottoir, il entendit le moteur rugir tandis qu'elle manœuvrait afin de se dégager. Il réalisa qu'il n'avait plus que quelques secondes pour éviter le pire, qu'il tenait à elle par-dessus tout, quoi qu'il ait voulu croire.

— Où vas-tu ? dit-il en s'accrochant à sa portière.

— Chez mon frère, naturellement. C'est mon obsession, souviens-toi ! Et c'est bien plus grave que tu ne le penses, mon pauvre chéri, mais tu n'as jamais eu beaucoup d'imagination...

Au mépris du pare-chocs de sa MG, elle réussit à quitter sa place et à filer, le laissant stupéfait. Plus grave que quoi ? À quoi avait-elle fait allusion ? À son jumeau ou à leur rupture ?

Comme des passants commençaient à le regarder de travers, il reprit sa marche, se dirigeant machinalement vers une station de taxis. Il donna au premier chauffeur de la file l'adresse de sa boîte de nuit, puis essaya de remettre un peu d'ordre dans toutes les pensées contradictoires qui l'assaillaient. Voilà, il venait de quitter Alix, de mettre un terme à une liaison qui ne le rendait plus heureux depuis un certain temps. Il aurait dû se sentir soulagé, libéré, mais il n'éprouvait qu'une horrible angoisse. Durant tout le dîner, il s'était promis que plus jamais il n'aurait à subir un pareil pensum. Entendre chanter les louanges de Louis était carrément indigeste, il avait l'impression de ne plus compter, d'être devenu transparent. Or il existait plein de filles qui ne demandaient qu'à tomber dans ses bras, des filles qui ne parlaient pas de leur frangin à tout bout de champ. Dans sa discothèque, il n'avait qu'à lever le petit doigt, il était l'un des rois de la nuit, on se battait pour entrer chez lui.

Il se fit déposer devant la porte de service afin de gagner son bureau sans passer par les salles. Malgré l'insonorisation, le martèlement des basses lui parvenait nettement et il regarda sa montre. Une heure du matin, la soirée commençait à peine. Alix devait rouler à tombeau ouvert sur l'autoroute de l'Ouest. Qu'est-ce qu'elle ferait, une fois arrivée à Notre-Dame-de-la-Mer ? Réveiller Louis pour pleurer sur son épaule ? Non, elle était bien incapable de verser une larme, il en était persuadé. Peut-être allait-elle se contenter de lui rappeler son planning, de boire un dernier verre avec lui avant d'aller se coucher.

La tête dans les mains, les yeux fermés, il tenta de repousser la vision d'Alix. Formidablement belle, tout à l'heure sur ce trottoir, hautaine et désirable pendant qu'il lui débitait des horreurs. « Bon débarras »... Comment avait-il pu dire une chose pareille ? Tout juste s'il ne l'avait pas accusée de coucher avec son frère !

Très mal à l'aise, il se mit à faire les cent pas. Aucune des petites dindes qui devaient s'agiter sur la piste, un étage en dessous, ne possédait la moitié de la classe d'Alix. Il n'allait quand même pas la remplacer par une gamine de vingt ans, ou alors c'était lui qui avait des fantasmes tordus. Arrivé à la cinquantaine, avec tout ce qu'il avait vu dans sa vie, il n'était plus un naïf. Pour aimer, il avait besoin d'une partenaire à sa hauteur, et Alix l'était, elle. Emmerdeuse, sûrement, mais aussi battante, intelligente, bourrée de charme. Une sacrée personnalité, une femme qu'il avait toujours été fier de sortir.

Là-bas, Louis était seul, sans même Frédéric dans la maison, il aurait tout loisir de consoler sa sœur. Malgré son affection pour Tom, il lui donnerait raison à elle. C'était leur façon d'être, ils avaient beau se chamailler tout le temps, ils faisaient systématiquement bloc contre les autres. Grégoire avait souvent souligné la force du lien qui unissait les jumeaux, leur comportement insupportable depuis qu'ils étaient nés, leur mystérieuse complicité. Laura avait dû se sentir très seule, tant les deux autres étaient soudés !

Mais si France était là ? Alors, Alix serait condamnée à ruminer seule sa rage. Il se demanda ce qu'il préférait, l'imaginer dans sa chambre de jeune fille, passant sa fureur sur des dossiers en retard, ou dans les bras de Louis.

Dans les bras de Louis... Curieuse idée. Si désagréable qu'il sortit en claquant la porte et descendit droit au bar. Il y avait déjà beaucoup de monde, de nombreuses bouteilles sur les tables, un nuage de fumée qui saturait la ventilation. Dans le vacarme de la sono, le barman lui affirma qu'il n'y avait eu aucun appel pour lui. Qu'est-ce qu'il avait donc espéré ? Elle n'allait sûrement pas le relancer ici, d'ailleurs elle ne devait même plus penser à lui.

Pendant près d'une heure, il alla saluer des habitués, trouva le courage de plaisanter et d'offrir des tournées, sans pour autant parvenir à se libérer des questions lancinantes, insidieuses, qui continuaient de le miner. Pour trouver un dérivatif, il flirta pendant dix minutes avec une ravissante jeune femme qu'il finit par abandonner devant une coupe de champagne quand il s'aperçut qu'il ne ressentait pas le moindre désir.

Finalement, il remonta dans son bureau, rôda autour du téléphone un moment, puis décida d'en avoir le cœur net. C'était grotesque de sa part, il allait se ridiculiser, mais il n'avait plus rien à perdre. De toute façon, elle ne lui pardonnerait jamais la scène de ce soir, alors un peu plus ou un peu moins de rancune ne changerait rien, il voulait savoir. En fait, il y avait des années qu'il voulait savoir et qu'il s'obligeait à penser à autre chose.

Il reprit un taxi pour rentrer chez lui et alla directement récupérer sa voiture au troisième sous-sol du parking. Le périphérique puis l'autoroute, quasiment déserts à cette heure, ne lui prirent que quarante minutes. Sur la petite route montant à Notre-Dame-de-la-Mer, il eut une ultime hésitation mais continua de rouler jusqu'au portail fermé. Il connaissait suffisamment les lieux pour s'y repérer la nuit et escalada le mur là où il était le plus accessible.

Lorsqu'il retomba dans l'herbe haute, il fut surpris de constater qu'il y avait de la lumière dans l'auditorium. Pourtant le silence était complet, aucune note de piano ne se faisait entendre. D'un coup d'œil, il vérifia que la MG était garée juste à côté de l'Alfa, dans l'allée, puis il s'approcha d'une des portes-fenêtres entrebâillées. Louis était assis devant le Steinway, cigarette aux lèvres, complètement absorbé dans la lecture d'une partition ouverte sur le pupitre.

Avec le sentiment d'être un intrus, doublé d'un imbécile, Tom frappa un coup léger sur la vitre avant d'entrer.

— Ah, quand même..., dit Louis en levant la tête.

Il quitta son tabouret, avança vers Tom. Il était pieds nus, son peignoir bleu nuit négligemment noué, l'air fatigué.

— Où est Alix ? interrogea Tom d'une voix rauque.

— Dans mon lit.

La réponse lui parut incongrue ; pourtant, au fond de lui, c'était bien celle-là qu'il attendait.

— Dans *ton* lit..., répéta-t-il.

La vague de fureur qui le submergea soudain l'effraya lui-même. Dégoût, rage, rancune, il faillit se jeter sur Louis mais il avait d'abord autre chose à faire. Il se précipita vers l'escalier qui conduisait à la chambre, grimpa les marches quatre à quatre. Une des lampes de chevet était allumée et il vit tout de suite Alix, endormie en travers du lit, son pyjama de soie ivoire sagement boutonné.

— Qu'est-ce qui te prend, Tom ? dit Louis à voix basse, dans son dos. Laisse-la se reposer, elle a pleuré pendant une heure, j'ai cru que je n'arriverais jamais à la calmer.

Les paupières d'Alix étaient effectivement gonflées, ses mains crispées sur l'oreiller. Une bouteille d'eau était posée par terre, à côté du cendrier plein. Tom eut du mal à retrouver son souffle, tellement il avait honte, puis il sentit que Louis le prenait par l'épaule.

— Sors d'ici, vous vous êtes assez disputés comme ça.

— Pleuré ? bredouilla-t-il, un peu hagard. Oh, mon Dieu, Louis, je suis désolé...

— Tu as bu ou quoi ? s'énerva Louis qui commençait à trouver son attitude très étrange.

Il le bouscula et Tom se laissa entraîner, horriblement gêné. Il descendit l'escalier le premier, incapable de fournir une raison valable à son intrusion.

— J'étais certain que tu viendrais, déclara Louis. Elle tient beaucoup à toi, mais tu ne changeras jamais son caractère. Depuis le temps, je croyais que tu t'étais fait une raison.

Il refermait les portes avec soin et Tom se retourna pour lui faire face. Il se racla la gorge.

— Il faut que je te le dise, c'est moche mais j'ai cru que..., commença-t-il.

La sonnerie du téléphone l'interrompit net au milieu de son élan.

— C'est quoi, encore ? grogna Louis. Il est quatre heures du matin, tu parles d'une nuit !

Se précipitant pour décrocher l'appareil, il écouta, sourcils froncés.

— Lou-iss ! hurla une voix familière. C'est bien toi ? Oh, j'adore ton accent, redis-moi : « Allô » !

— Salut, Franck. Tu as une idée de l'heure qu'il est, chez nous ? demanda-t-il, en anglais.

— Aucune. C'est trop petit, la France, pour avoir des horaires. Ici, le ciel est bleu, la mer est calme. Tu es toujours aussi conventionnel, hein ? Et tu sais quoi ? Je viens d'entendre ton *Pacific* en avant-première. Une nouveauté qui va faire un malheur, prétend mon copain de la radio. Il a reçu le pilote du disque ce matin mais, avant même qu'il m'ait donné le nom du compositeur, j'étais sûr que c'était toi.

— Trop aimable...

— Tu as pianoté un truc de ce genre devant moi, j'en jurerais. Ça se retient !

— Et tu aimes ?

— Je déteste ! Beurk ! C'est du sirop brésilien travesti en danse hongroise, comment as-tu osé ?

— Ah, tu es vraiment un ami, Franck ! Et un connaisseur...

Louis riait, soudain très gai, et Tom voulut savoir

à qui il parlait. À l'autre bout de la ligne, Franck réagit sur-le-champ.

— C'était bien une voix d'homme, à côté de toi ? Oh, Lou-iss, tu as viré ta cuti ? Tu as un mec dans ta vie ?

— Calme-toi, c'est mon ex-futur-beau-frère, pas un basketteur.

— Dommage pour toi. Bon, dis-moi, je débarque à Paris dans quinze jours, il faut absolument que je te voie. J'ai un scénario à te faire lire.

— Encore les bas-fonds ? Sexe et violence ? C'est non d'avance, Franck !

— Pas du tout. Un truc romantique, comme toi. Le vrai mélo, et ça se passe en Europe. C'est pour ça que je préfère m'adresser à toi plutôt qu'à John Williams ! Depuis qu'il travaille pour Spielberg...

— Tu ne peux plus te l'offrir, c'est ça ? Tant pis pour toi, mais figure-toi que quand j'entends la musique de *La Liste de Schindler,* je pleure.

— Tu es beaucoup trop sensible. Alors, c'est oui ?

— Évidemment ! Est-ce que tu veux le tapis rouge, à Charles-de-Gaulle ?

— Non, j'ai des tas de copains français plus intéressants que toi à voir d'abord.

— Mais tu me réserves tes dernières vingt-quatre heures ? Je t'invite chez moi.

— J'en ai des frissons d'avance !

— Seulement, je te préviens, je n'ai pas de piscine.

— Quelques glaçons me suffiront, dans un grand verre. Celui que tu me dois toujours, tu t'en souviens ?

— Je paierai ma dette avec les intérêts.

— J'y compte bien ! Je serai au Plaza-Athénée à partir du 16 juin. Allez, rendors-toi et embrasse ta blonde. Ciao !

Toujours hilare, Louis raccrocha, puis son sourire s'effaça lentement et il resta songeur quelques instants avant de lever les yeux sur Tom qui l'observait, bouche bée.

— C'est ton metteur en scène américain ?

— Franck James, oui.

— Je croyais que tu le détestais ? Tu es revenu de Los Angeles furieux.

— Avec le recul, je me suis aperçu qu'on avait fait du bon travail, même si je l'ai haï sur le moment.

Il resserra la ceinture de son peignoir, prit son paquet de cigarettes dans sa poche.

— Tous les réalisateurs ont leur musicien fétiche. Si je deviens celui de Franck, je ne serai pas le plus à plaindre !

Un papillon de nuit était entré et Louis le pourchassa pour le remettre dehors, par habitude, parce que Frédéric en avait peur quand il était petit. Ensuite, il revint se planter devant Tom.

— Qu'est-ce qu'on disait, avant ce coup de fil ?

— Je ne sais plus...

Le regard sombre de Louis le scrutait, et il se sentit de nouveau très embarrassé.

— Des conneries, je crois bien, marmonna-t-il en baissant les yeux.

Il n'aimait pas mentir et, cinq minutes plus tôt, il avait failli avouer pourquoi il était là. Mais il n'en avait plus le courage, persuadé que Louis lui sauterait à la gorge s'il déballait les vraies raisons de sa présence. Il releva la tête, esquissa un sourire piteux.

— Si j'ai bien traduit ton anglais approximatif, tu m'as appelé « ex-futur-beau-frère » ?

— J'aimerais que tu le sois, oui, mais je te rappelle que tu as quitté ma sœur ! La maison te reste ouverte, bien sûr...

Louis continuait de le fixer, toujours perplexe, et Tom proposa :

— Je vais attendre qu'elle se réveille, et ensuite j'essaierai de me faire pardonner. Tu crois que c'est réparable ?

— Tom ! Tu es inconscient ou quoi ? Tu sais bien qu'elle ne supporte pas qu'on lui monte sur les pieds !

— Mais si ça lui fait de la peine, qu'on se sépare, et à moi aussi ?

— D'accord, recolle les morceaux si tu peux, seulement prépare-toi à en baver, elle va te le faire payer cher.

— Oh, de toute façon, elle n'a jamais été facile à vivre... Bon, je vais te laisser, je t'empêche d'aller te coucher.

— Il n'y a pas que toi, elle prend toute la place ! Tu ne veux pas qu'on se fasse du café, plutôt ? Et après, une petite balade au belvédère pour regarder le lever du soleil.

Tom lui adressa un regard reconnaissant, très soulagé de pouvoir rester, d'être toujours considéré comme un ami. Il avait bien fait de ne rien dire, Louis n'aurait pas compris.

Frédéric avait passé toute la semaine à Paris, d'abord calfeutré dans l'appartement à attendre désespérément un appel de son père, ensuite traîné par son grand-père aux jardins du Luxembourg pour y réviser ses fiches au grand air.

Le vendredi soir, quand tout le monde fut sur le point de partir à Notre-Dame-de-la-Mer pour le traditionnel week-end, Frédéric alla trouver Hugues, à qui il demanda du secours. Il avait envie de rentrer chez lui mais ne savait pas comment s'y prendre, et il fallut toute la finesse de son oncle pour le convaincre que le plus simple était de monter dans la voiture avec eux. Une fois sur place, il aviserait, inutile de préparer des discours à l'avance.

Tassé à l'arrière du break, entre Grégoire et ses cousines, Frédéric eut une heure pour réfléchir. Le silence de son père, compréhensible au début, lui avait semblé de plus en plus inexplicable. Ils n'avaient jamais connu de dispute sérieuse, juste quelques accrochages au quotidien, vite oubliés, et il se rendait bien compte qu'il n'aurait pas dû laisser cette querelle-là prendre autant d'ampleur. Ses conversations avec Laura ou avec Grégoire avaient toutes abouti à la même conclusion : la balle était dans son camp, c'était à lui de décider comment sortir du conflit. Ou s'y enliser.

Lorsqu'ils s'arrêtèrent devant la maison, Frédéric fut le premier à descendre. Sans attendre personne, il fonça vers le hall qu'il traversa au pas de charge, puis les deux salons, enfin il poussa la porte de l'auditorium qui était désert. Un rapide coup d'œil par l'une des fenêtres lui confirma que la voiture de son père était rangée à sa place et qu'il n'y en avait pas d'autre, hormis le break d'Hugues, donc il était bien là, et probablement seul. Il s'élança dans l'escalier, déboucha dans la grande chambre vide, repartit en courant à travers les couloirs. Finalement il revint sur ses pas, fila jusqu'à la salle de bains de son père devant laquelle il s'arrêta, essoufflé. Le bruit de la douche lui parut tellement rassurant qu'il entra aussitôt. Louis était de dos, ruisselant d'eau savonneuse, et il l'observa en silence quelques instants.

— Papa ?

Il le vit tendre la main vers les robinets, couper l'eau avant de se retourner.

— Ah, c'est toi, Fred ! J'avais envie de me rafraîchir un peu en vous attendant, il a fait si chaud aujourd'hui...

La douceur de la voix autant que le sourire adorable firent craquer Frédéric qui se précipita vers lui comme un chien fou, s'écroula sur son épaule.

— Je suis désolé, papa, je ne sais pas quoi dire. Tu m'en veux ? J'ai pas osé t'appeler...

— C'est mieux de se parler face à face. Passe-moi une serviette.

Frédéric s'écarta un peu, le tee-shirt trempé, et saisit un drap de bain qu'il lui tendit. Louis se sécha en vitesse, enfila un peignoir, puis il prit son fils par le cou pour le secouer gentiment.

— Je suis content de te voir. Très, très. On a des choses à régler, tous les deux. On s'en débarrasse maintenant ?

— Oui, ce sera fait !

Il y avait encore un peu de tension entre eux mais ils étaient aussi heureux l'un que l'autre de se retrouver, chacun le devinait.

— Allons dans ta chambre, proposa Louis. La femme de ménage l'a rangée, c'était une porcherie.

Ce débat-là n'était pas nouveau et ne présentait aucun danger, contrairement à ce qui allait suivre. Frédéric ne se faisait aucune illusion, son père viderait l'abcès jusqu'au bout.

— C'est plus agréable comme ça, non ?

Heureux de se retrouver chez lui, l'adolescent regarda son bureau bien rangé, son lit fait, le parquet ciré. Il s'assit sur un tabouret tandis que son père prenait place dans le seul fauteuil de la pièce.

— Tu as travaillé, à Paris ?

— Le jour avec grand-père, le soir avec Laura ou Hugues.

— Tu comptes y retourner lundi ?

— Non.

— Alors, tu as rapporté tes affaires ?

— Oui.

— Parfait. Ça me fait plaisir. En revanche, il y a des choses qui m'ont beaucoup peiné, tu t'en doutes ? Que tu puisses t'en aller sans un mot, comme si tu ne supportais plus la maison, c'est dur à digérer. J'ai reçu France et Romain une fois, en ton absence, c'était prévu.

La tête baissée, Frédéric écoutait avec attention. Il préférait, de très loin, que son père prenne l'initiative de la discussion.

— France est la femme que j'aime, Fred, je n'y peux rien. J'ai quarante ans, c'est vieux pour toi mais ce n'est pas effrayant en soi, et j'ai encore des tas d'envies, entre autres celle d'être heureux en amour. Toutefois, il s'agit d'une... histoire récente, et je ne veux rien bousculer. Surtout pas toi ! Je ne vais pas l'épouser cet été, ni adopter Romain, qui d'ailleurs a un père. Mais je ne vais pas non plus la larguer sous prétexte que tu la trouves antipathique. Il n'est pas question que je t'oblige ou que tu fasses semblant, tu es mon fils, je te mets au-dessus de tout, et tu es ici chez toi. Seulement... laisse-moi vivre aussi.

Il se tut, reprit son souffle. Frédéric n'avait rien de précis à répondre à cette tirade et le silence s'installa jusqu'au moment où Louis se décida à poursuivre.

— C'est un peu l'impasse, hein ? J'y ai beaucoup réfléchi, je n'ai pas de solution miracle. Tu pars le 20 juillet pour l'Angleterre, nous étions d'accord là-dessus toi et moi, ça tombe bien puisque tu as besoin d'air...

Gêné, l'adolescent s'agita un peu sur son tabouret. Son père n'était pas rancunier, mais il avait de la mémoire et certains mots ne seraient pas effacées de sitôt.

— Ce séjour de trois semaines, on peut le prolonger si tu préfères ?

— Non, non...

— Ou alors, tu peux t'organiser un truc avec des copains ? À moins que tu ne veuilles rejoindre Laura et tes cousines en Bretagne ?

Frédéric secoua la tête, l'air buté. Il laissa errer son regard autour de lui, posters accrochés aux murs, objets familiers sur les étagères d'acajou, peluches rescapées de son enfance, puis il revint au visage de son père. Ce n'était pas le même homme que celui des photos chez Grégoire. Plus âgé, plus grave, plus émacié, même si le sourire restait juvénile. Mais il pouvait plaire à qui il voulait, c'était ridicule de prétendre, comme Alix, que les femmes ne s'intéressaient à lui que parce qu'il était riche et célèbre. Frédéric ne voulait pas se montrer injuste, d'autant plus qu'il était à l'origine du coup de cœur pour France, il ne l'avait pas oublié. Il s'était cru assez mûr pour agir en grand fils complice et pousser son père dans les bras de quelqu'un, puis soudain il voulait l'en tirer, une attitude dont Hugues avait souligné la cruauté et l'infantilisme.

— Tu sais, papa, je peux m'en arranger, de France... Ce n'est pas rédhibitoire.

La tête penchée sur le côté, Louis attendait, sans se départir de son calme.

— Si elle n'est pas là tous les jours, si elle ne se croit pas en pays conquis, je suppose qu'on peut apprendre à se connaître.

— C'est très gentil de ta part, dit Louis sérieusement.

— Pour Romain, faut pas trop m'en demander. Au mieux... je vais l'ignorer.

Conscient de l'effort accompli de part et d'autre, ils restèrent silencieux un moment. Puis Louis quitta son fauteuil, s'approcha de son fils, tendit la main vers les cheveux bruns qu'il ébouriffa, par habitude, et brusquement se pencha vers lui pour l'embrasser sur la joue.

— Ma petite tête de pioche, marmonna-t-il en le serrant un peu trop fort.

France prit la pile de fiches, mit un élastique autour avant de la ranger dans le tiroir de son bureau. L'année scolaire était finie, les derniers conseils de classe avaient été bouclés la veille, et elle n'aurait plus jamais besoin des détails patiemment notés sur chacun de ses élèves. La prochaine rentrée lui amènerait son contingent de nouvelles têtes.

Septembre... Échéance lointaine à laquelle elle préférait ne pas penser pour l'instant. Elle s'était juré qu'elle ne serait pas professeur toute sa vie mais, à présent, elle n'était plus sûre de rien. Avant de rencontrer Louis, elle avait pris tous les renseignements nécessaires sur le concours permettant d'accéder au rang de chef d'établissement. En quittant Antoine, son ambition était de devenir proviseur, elle s'était donné trois ans pour y parvenir. Désormais, c'était une option inconciliable avec sa vie privée. Préparer un concours exigeait beaucoup de disponibilité. Pis encore pour diriger un collège ou un lycée, avec logement de fonction sur place. Sans compter les éventualités de mutation dans n'importe quel département. Elle pouvait aussi reprendre ses études pour passer un doctorat et enseigner les lettres en faculté. À Rouen, l'académie dont elle dépendait.

Dans sa chambre, Romain s'acharnait sur un air de flamenco très cadencé qu'il reprenait sans cesse. Ils avaient déjeuné rapidement, dans la petite cuisine, puis il avait promis qu'il consacrerait la fin de l'après-midi et tout le dimanche à ses révisions de français, en compagnie d'Antoine, mais d'abord il voulait jouer une heure ou deux pour se détendre.

France ouvrit la porte de sa penderie, hésita un moment entre plusieurs tenues. Louis n'allait pas tarder à sonner, ponctuel comme toujours, ensuite ils iraient se promener et il faudrait bien qu'elle lui parle du catastrophique bulletin trimestriel de Frédéric. En tant que professeur principal, elle avait essayé de limiter les dégâts, mais les appréciations étaient vraiment mauvaises et le redoublement fortement conseillé. Ce qui lui avait rappelé ce samedi où Louis était entré dans sa classe, presque intimidé, si séduisant et si inaccessible qu'elle en était tombée amoureuse dans l'instant.

La chaleur était telle que le temps finirait par tourner à l'orage avant la fin de la journée, néanmoins elle choisit un débardeur à fines bretelles, porté à même la peau sur une petite jupe trapèze. Parce qu'ils ne passeraient pas la soirée ensemble, elle avait d'autant plus envie de lui laisser des regrets. Bien sûr, elle comprenait sa position, il venait juste de récupérer son fils et voulait laisser aux choses le temps de rentrer dans l'ordre. Vulnérable et impatient comme il l'était, il souffrait sans doute plus qu'elle de cette situation dont il essayait de conserver le contrôle sans froisser personne, mais elle ne pouvait pas s'empêcher d'être inquiète.

Le bruit caractéristique du moteur de l'Alfa la fit se recoiffer en hâte, ajouter un peu de brillant à lèvres. Elle alla lui ouvrir avant qu'il sonne, surprise de le trouver déjà sur le palier, des roses à la main. Il l'enlaça tout de suite, la retint contre lui, malgré les fleurs entre eux.

— Pour me consoler de la soirée solitaire ? demanda-t-elle gaiement en prenant le bouquet.

C'était juste une plaisanterie, pas un reproche, mais elle le sentit se raidir.

— Louis... Je voulais rire, viens.

Elle le précéda jusqu'au living où il s'assit sur l'accoudoir du canapé, aussi à l'aise que s'il était chez lui. Jamais il n'avait fait la moindre remarque sur l'appartement et elle lui en était reconnaissante.

— Un petit café avant de partir ?

— Volontiers mais, dis-moi, qu'est-ce qu'il travaille, là, ton fils ?

Attentif, il écoutait le son de la guitare qui franchissait sans mal la mince cloison.

— Je peux ? interrogea-t-il en se relevant.

Il alla droit à la chambre de Romain, poussa doucement la porte et se tint un moment sur le seuil.

— Bonjour ! lança-t-il quand le jeune homme s'interrompit. Tu t'es embarqué dans la *soleà* ? C'est pas tout simple...

— Non, admit Romain avec un sourire, je rame.

— Tu sais, le son flamenco, c'est avant tout le pouce en attaque butée. Tu as déjà entendu des enregistrements de Paco de Lucia ? Achètes-en, ils sont remarquables. Refais-moi cet accord en *do* majeur ? Non, ce sont des cycles de douze temps, n'oublie pas... Difficile, la cadence andalouse, hein ?

Romain recommença cinq fois de suite, jusqu'à ce que Louis lui accorde un hochement de tête.

— Oui, pas mal.

Après une brève hésitation, il avança d'un pas dans la chambre, s'appuya au mur.

— Je n'ai pas eu l'occasion de te parler depuis que je t'ai entendu à Bonnières... Tu es doué. Je ne sais pas ce que tu veux en faire, ni si tu as envie d'en faire quelque chose de précis, mais tu ressens très bien l'instrument, tu as un vrai contact avec, c'est plutôt rare. Enfin, je ne suis pas guitariste, c'est juste un avis comme ça...

Le rire franc de Romain prit Louis au dépourvu.

— Vous êtes incroyable ! s'esclaffa le jeune homme. Et très gentil, merci.

— Après ton bac, l'année prochaine, si tu as envie d'entrer au conservatoire, je connais encore des gens là-bas. C'est la meilleure école et ça ne t'empêche pas de faire autre chose à côté. Enfin, tu verras bien, je crois que ton père n'est pas très... enthousiaste ?

Ce rôle-là, Louis l'abordait de façon maladroite et il s'en voulut. France devait connaître les mêmes difficultés, face à Frédéric, et se sentir aussi démunie que lui. Les adolescents exigeaient beaucoup de doigté, de diplomatie, parce qu'ils appréhendaient forcément l'arrivée d'un intrus dans leurs vies.

— Je te laisse. À bientôt, Romain.

Il rejoignit France à la cuisine, but son café debout.

— Allons nous balader, on meurt de chaud, proposa-t-il aussitôt.

Sur la table, les roses étaient disposées dans un vase trop petit pour leurs longues tiges. Il l'imagina dînant là seule, dans quelques heures, peut-être avec la radio pour compagnie, et il eut une seconde de véritable angoisse.

— Viens, lui dit-il d'une voix rauque.

Il fallait qu'il retrouve sa voiture, qu'il l'emmène loin d'ici, qu'il prenne le temps de lui expliquer à quel point il tenait à elle. Aurait-il la force et la patience de tout arranger entre eux, saurait-il le faire ? Il ne savait même pas ce qu'elle attendait de lui.

Sûrement pas une liaison en pointillés, à la manière d'Alix et de Tom, ni un bouleversement complet de leurs existences, au détriment de leurs deux fils.

— Qu'est-ce que tu as ? demanda-t-elle en le dévisageant.

— Rien.

Un ton qu'elle connaissait et dont elle se méfiait, qui signifiait qu'il venait de rentrer dans sa coquille. Elle alla se placer devant lui, se mit sur la pointe des pieds pour pouvoir l'embrasser.

— Si tu préfères retourner chez toi, je comprendrai...

Elle n'eut pas le temps de finir, il la prit dans ses bras avec une telle force qu'elle eut le souffle coupé. Au lieu de lutter, elle se laissa aller, appuya sa joue contre lui, décidée à attendre qu'il se calme. Elle devinait beaucoup de choses, le comprenait sans qu'il ait besoin de se confier. Dès les premiers moments passés avec lui, elle avait perçu son extrême sensibilité, qu'elle considérait comme une qualité. Il était tout le contraire d'Antoine, il n'avait aucune certitude, même pas dans sa musique. Ses relations avec les femmes étaient complexes, à cause d'Alix peut-être, ou du décès de la mère de Frédéric, mais France déchiffrait très bien ses attitudes contradictoires et elle avait tout de suite su, d'instinct, comment le rendre amoureux. Il était fait pour elle, peu importaient les obstacles dressés devant eux.

— Ça va mieux ? demanda-t-elle au bout d'un moment.

— Non, dit-il d'une voix redevenue gaie, maintenant c'est pire, j'ai envie de toi.

Des groupes de jeunes, surexcités et anxieux, s'étaient formés très tôt aux abords du lycée. Les pronostics allaient bon train quant aux sujets qui leur seraient proposés pour l'épreuve écrite du bac français. Certains élèves avaient déjà passé l'oral dans les jours précédents et distribuaient des conseils à ceux qui devaient encore attendre.

Coincé contre la grille entre Romain et Damien, Richard subissait un feu roulant de plaisanteries.

— Si, si, affirma une adolescente, je préparais pendant qu'il passait, et je vous jure qu'il a littéralement cloué le bec à l'examinateur !

— Tu lui en as casé combien, des citations ? demanda Romain en riant.

— Plein ! admit Richard.

— Et sur le nombre, tu en as inventé beaucoup ? Parce que, au bout d'un moment, plus personne peut suivre, même un agrégé !

Du coin de l'œil, Romain observait Élise qui bavardait avec deux filles, juste à côté d'eux. Elle était particulièrement jolie, déjà bronzée et toujours très sûre d'elle, habillée à la dernière mode. Il l'évitait avec soin depuis qu'elle lui avait expliqué son désir d'indépendance, même s'il ne parvenait pas à l'oublier pour autant.

— Pourvu que le commentaire composé soit simple, soupira un des garçons de leur groupe.

— C'est antinomique, ce que tu dis, fit remarquer Richard. En ce qui me concerne, je compte prendre la dissert.

— Tu seras le seul de toute la session, prédit Damien d'un ton dégoûté, dans la France entière, DOM-TOM compris.

Une main en visière, Élise regardait vers l'autre bout du parking, au-delà des cars scolaires qui arrivaient avec leurs contingents d'élèves. Romain aperçut la voiture de Louis, dont Frédéric venait de claquer la portière. Ils s'étaient retrouvés ensemble à l'oral et ne s'étaient pas adressé la parole. Avec curiosité, il suivit la progression de Frédéric qui s'était arrêté pour bavarder avec quelques copains de sa classe. Les portes ne s'ouvriraient pas avant un bon quart d'heure et quelques joints commençaient à circuler. Romain tira une bouffée au passage, tandis que Frédéric s'approchait d'Élise. Il les vit échanger un sourire, s'embrasser sur les joues. Autour de lui, tout le monde s'était mis à parler des vacances avec entrain. Il songea qu'il devait passer quinze jours en Bretagne avec son père, début août, et il se sentit vaguement découragé par cette perspective. Antoine adorait la pêche, les crêperies et le cidre, le petit restaurant sur le port, où il avait ses habitudes. L'eau serait froide, comme toujours, et les conversations tourneraient autour de l'avenir de Romain. Par bonheur, avant ce pensum, il s'était organisé avec Richard une virée à La Rochelle, pendant les Francofolies, où ils pourraient écouter un certain nombre de groupes français. En principe, il avait mis de côté assez d'argent pour tenir une semaine.

Quelqu'un lui tapa sur l'épaule et il baissa les yeux vers Élise qui venait de se rapprocher. Frédéric n'était plus à côté d'elle.

— Comment ça va, toi ? demanda-t-elle d'un air boudeur. Il faut vraiment que ce soit moi qui vienne te dire bonjour ! Tu ne me vois plus, tu ne me parles plus, tu fais même un détour quand tu m'aperçois ! Là, je t'ai piégé, tu étais perdu dans tes pensées... Tu flippes ?

— Non, pas vraiment.

— Oh oui, j'imagine que ta mère s'est occupée de tes révisions ?

Le sourire malicieux d'Élise ne suffit pas à le dérider. Il n'oubliait pas qu'elle avait soutenu activement le chahut orchestré par Frédéric.

— Laisse ma mère tranquille, tu veux ?

— Oh, ne sois donc pas si susceptible, l'année est finie !

Il se détourna pour ne plus voir à quel point elle était ravissante.

— Richard m'a invitée à sa petite fête de samedi, tu y seras ? insista-t-elle.

Par surprise, elle glissa sa main dans la sienne, juste une seconde, et il se sentit tout bête. Avant qu'il ait pu réagir, le flot des adolescents commença à s'ébranler vers les portes et ils furent séparés.

Tom sourit en écoutant la commande d'Alix. Elle avait choisi ce qu'il y avait de plus cher sur la carte, foie gras frais suivi d'un homard, c'était de bonne guerre. Ce dîner allait lui coûter une fortune, ainsi qu'il l'avait prévu. Mais elle n'avait accepté de le rejoindre au restaurant qu'après une très longue discussion conclue par l'injonction de réserver au Grand Véfour pour vingt et une heures. Elle connaissait bien les tarifs des grandes maisons parisiennes et n'avait pas lancé ce nom-là au hasard.

Avec un sourire mordant, elle demanda au sommelier de la guider pour la meilleure année du bourgogne blanc, sur lequel elle avait jeté son dévolu. Comme elle était arrivée avec vingt minutes de retard, Tom avait eu le temps de siroter une coupe de champagne en guettant son entrée. Très remarquée, d'ailleurs, par la plupart des convives. Un ensemble de soie bleu nuit, qu'il ne lui connaissait pas, la mettait particulièrement en valeur, ainsi que sa nouvelle coiffure, floue et dégradée, avec quelques mèches cendrées. À son habitude, elle avait réagi à leur rupture de la façon la plus énergique qui soit, en s'occupant d'elle-même.

— Tu es... superbe, s'était-il contenté de dire après s'être levé pour l'accueillir.

Ensuite elle s'était plongée dans la carte, hautaine, pressée, et il avait pu l'observer à loisir. Ce ne fut que lorsqu'ils se retrouvèrent seuls, après le départ du maître d'hôtel, qu'elle se décida enfin à le regarder, sans la moindre bienveillance.

— Depuis combien de temps n'as-tu pas dormi ? lui lança-t-elle.

C'était une allusion un peu lourde aux traits tirés de Tom, à son air abattu.

— Un moment...

Des nuits blanches trop arrosées, suivies des

insomnies de l'aube, tout cela dans une insupportable sensation de solitude. Il avait fait des efforts inouïs pour ne pas l'appeler pendant toute une semaine, mais il avait fini par craquer. Sur les conseils de Louis, huit jours plus tôt, il avait quitté Notre-Dame-de-la-Mer avant qu'elle se réveille, puis avait attendu en vain qu'elle se manifeste.

— J'ai envie d'une cure de thalasso ou quelque chose de ce genre pour me remettre en forme, soupira-t-il.

— Tu as raison, ça te fera le plus grand bien !

Avant d'être un noctambule, Tom avait été assez sportif mais ce n'était plus qu'un souvenir. Et, avant Alix, il avait été assez inconstant pour collectionner les aventures malgré deux mariages ratés.

— Tu dois crouler sous le travail ? interrogea-t-il avec une certaine prudence.

— Oh oui ! L'été arrive et il y a toutes les tournées, tous les festivals, j'ai dû discuter pied à pied je ne sais combien de contrats. J'en viens à me demander si les comédiens ne sont pas assez stupides pour jouer à n'importe quel tarif du moment qu'ils peuvent monter sur les planches ! En revanche, j'ai décroché un truc mirobolant pour mon jeune premier, tu te souviens de lui ? Un beau rôle dans un film italien qui pourrait bien le lancer.

Intarissable dès qu'il s'agissait de son métier, elle s'était animée en parlant. Il continuait de l'observer, partagé entre l'admiration et l'agacement, comme toujours.

— Le clip de *Pacific* est magnifique ! Tu l'as vu ?

— Je suis rarement devant la télévision, rappela-t-il patiemment.

— Inutile de te dire que Louis n'y a mis aucune bonne volonté.

Elle eut un petit rire de gorge, nullement gênée d'avoir abordé le sujet la première. Son frère restait sa grande préoccupation et elle ne s'en cacherait jamais.

— J'aurais voulu quelques images de lui au piano, juste un ou deux fondus, parce que c'est dommage de ne pas exploiter son physique, il aurait pu faire craquer toute la clientèle féminine. Mais il a refusé net, tu le connais, on aurait cru que je lui demandais un numéro de strip-tease ! Le commerce et lui, ça fait deux... Du coup, on n'a que des danseurs sur fond d'océan... C'est très beau quand même, heureusement que le réalisateur avait du génie !

Nouveau rire, suivi d'une pause durant laquelle le sommelier vint leur faire goûter le vin.

— Si je comprends bien, tu n'auras pas le temps de prendre des vacances ?

— Bien sûr que non !

— Même pas trois jours ?

Cette fois, elle lui décocha un vrai regard de curiosité.

— Pourquoi veux-tu le savoir ?

— Pour t'inviter.

— Où ça ?

— Où tu veux, ma chérie.

Leur dernière occasion de partir ensemble remontait à plus de trois ans. Alix détestait les vacances, s'ennuyait loin de son agence. Ses seules escapades étaient accomplies pour des raisons professionnelles, et dans ce cas-là elle adorait voyager.

— Impossible, Tom, dit-elle d'une voix nette.

Il avait prévu son refus, mais il insista quand même pour être sans regret.

— Tu ne veux pas ou tu ne peux vraiment pas ?

— Les deux.

C'était lui qui avait essayé de rompre, de la rejeter, elle n'allait pas passer l'éponge comme ça. Brusquement, il se sentit très las. Pourquoi s'obstinait-il à vouloir la reconquérir ? Elle ne lui donnerait jamais ce qu'il espérait.

— Tant pis pour moi... Est-ce que nous sommes toujours fâchés, Alix ?

Le jeu ne l'amusait plus, il avait envie de savoir

où ils en étaient exactement. Avec les larmes versées sur l'épaule de Louis, peut-être avait-elle tiré un trait définitif, elle en était capable.

— Plus fâchés, non, puisque nous dînons ensemble, mais séparés, tu l'as voulu.

— J'ai eu tort.

— Mais non ! Tu trouveras sans peine une femme plus disponible que moi. Plus jeune, aussi, avec qui tu pourrais avoir un enfant, pourquoi pas ?

— Tu as dix ans de moins que moi, c'est déjà une grande différence. Et je n'ai jamais voulu d'enfant de personne, sauf de toi.

Ils en avaient parlé, au début de leur liaison, puis il avait dû abandonner l'idée parce qu'elle ne faisait qu'en rire. En huit ans, il ne lui avait rien imposé, c'était lui qui avait cédé sur tous les terrains. La volonté d'indépendance d'Alix n'était pas une pause qu'elle prenait mais une réalité qu'elle vivait avec satisfaction.

— Oublions la scène de l'autre soir, proposa-t-il, à court d'arguments.

— Comme tu y vas ! Ce n'est pas toi qui as été largué sur un trottoir par un mufle. En réalité... Tiens, je vais te faire un compliment, ça m'a flanqué un coup. Au moral, à l'orgueil...

— Et au cœur ?

— Aussi. Je me suis promis qu'on ne m'y reprendrait plus.

Pour une fois, elle ne le narguait pas, elle était sincère.

— Je suis solide, oui, tout le monde me voit comme ça, reprit-elle, mais quand même, il y a des choses qui m'atteignent. Toi, je ne croyais pas que tu pourrais me parler un jour avec une telle méchanceté. « Bon débarras »... Pourquoi pas : « Bon débarras, la grosse » ?

— Alix..., murmura-t-il.

Il s'était décomposé mais elle continuait de le regarder en face, beaucoup plus à l'aise que lui. La pire injure qu'il ait pu lui faire, c'était cette souffrance qu'elle avait ressentie l'espace de quelques heures. Elle s'en était remise, apparemment, tandis qu'il était condamné à expier.

— Laisse-moi une chance, dit-il d'une voix à peine audible.

Sans se donner la peine de répondre, elle prit délicatement un toast, qu'un serveur lui présentait sous une serviette blanche, et s'attaqua à son foie gras. Il s'aperçut qu'il avait autant envie de fuir que de rester, de lui renverser la table sur les genoux, pour en finir une bonne fois, que de s'obstiner toute la nuit jusqu'à ce qu'elle lui pardonne.

11

— Et ça ? demanda Louis au bout de quelques mesures.

— Du café ! répondit Laura, plus rapide que les autres.

— Purcell, marmonna Grégoire.

— C'est pas le jeu des compositeurs, c'est le jeu des publicités, rappela Frédéric.

— Heureusement pour vous, riposta son grand-père, sinon personne n'aurait marqué le moindre point !

À cause de l'orage, ils avaient dû abandonner la partie de croquet improvisée le long d'une allée du parc et ils s'étaient tous réfugiés dans l'auditorium où ils s'amusaient aux devinettes. De mémoire, Louis jouait quelque chose, et les autres devaient trouver de quoi il s'agissait.

— En attendant, je gagne, fit remarquer Laura.

Louis attaqua un nouvel air, et tout le monde hurla en même temps :

— Jambon d'Aoste !

— Verdi, *Rigoletto*, précisa Grégoire.

— Bon, plus difficile, maintenant...

Ils écoutèrent attentivement jusqu'à ce que France propose :

— Une voiture ?

— Bravo, c'est la musique de la pub pour Alfa Romeo.

— On peut vous accorder le point, jolie madame, et au passage, j'ai reconnu Mozart, réussit à placer Grégoire.

— Papa, tu nous uses les nerfs, soupira Louis. D'ailleurs, tiens, je vais te coller !

Il se lança dans un morceau qu'il eut le loisir de jouer pendant une minute sans que personne ne l'interrompe.

— Assurance, je crois bien, finit par décider Tiphaine de sa voix fluette.

— Gagné, la puce ! Et ton grand-père, il n'a rien à ajouter cette fois ?

Louis souriait à Grégoire qui haussa les épaules, impuissant.

— Chostakovitch, voyons !

Un violent coup de tonnerre fit trembler toutes les vitres, et l'intensité des halogènes faiblit une seconde. Sabine se rapprocha de Laura tandis que Tiphaine se bouchait les oreilles. Il n'était que six heures, mais le ciel devenait tellement sombre que la nuit semblait déjà installée au-dehors.

— J'ai laissé ma fenêtre ouverte, je vais la fermer ! s'exclama Frédéric.

— Vérifie les autres ! lui cria Louis tandis qu'il sortait en courant.

Romain, assis à l'écart, n'avait presque pas participé au jeu, trop occupé à observer la manière dont Louis s'amusait avec son piano. Pour le jeune homme, sa virtuosité avait quelque chose de décourageant. À l'évidence, la technique était irréprochable, mais la fantaisie des improvisations venait en plus, et il ne regardait même pas le clavier.

Traversant la pièce, Romain vint se placer derrière Louis pour mieux voir ses mains.

— Une dernière ? lui demanda-t-il un peu timidement.

— D'accord.

La sonorité du Steinway était exceptionnelle, pourtant Louis ne faisait qu'effleurer les touches, la tête tournée vers l'adolescent pour guetter sa réaction.

— Parfum, murmura Romain.

— Gagné. L'auteur ?

— Euh... Prokofiev ?

— Magnifique ! Tu as des notions de classique, on dirait ?

Romain se contenta d'un petit sourire, puis il rejoignit sa mère. Il estimait que Frédéric avait une chance incroyable, dont il ne profitait même pas. Son comportement d'enfant gâté lui avait fait rejeter le solfège comme une contrainte et le piano comme un pensum – il s'en vantait –, alors que Romain aurait donné n'importe quoi pour grandir dans une atmosphère semblable. À Notre-Dame-de-la-Mer, la musique n'était pas seulement le métier de Louis, mais aussi une réjouissance familiale, le moyen de se réunir et de se divertir. Tout à l'heure, Sabine avait frappé sauvagement quelques notes discordantes, juchée sur les genoux de son oncle, et il avait juste guidé sa petite main en riant aux éclats. Combien valait ce Steinway de concert et combien de fois Louis faisait-il venir l'accordeur ?

Ce qu'éprouvait Romain n'était ni de la jalousie ni de l'amertume. Il aimait beaucoup ses parents, sa mère surtout, et ne pensait pas qu'il avait à se plaindre de quoi que ce soit. Il ne faisait pas d'inutiles comparaisons, cependant il était sensible à l'ambiance de cette maison, au talent de Louis et à sa personnalité même, à l'ensemble des instruments ou du matériel technique sophistiqué emplissant l'auditorium. De quoi le faire rêver quand il songeait à son unique guitare, au prix des cours, aux réticences de son père.

— À quelle heure veux-tu que je te dépose chez Richard ? lui demanda France à mi-voix.

Jusque-là, il n'avait guère songé à la soirée qui l'attendait. Honnête, Richard l'avait prévenu que Frédéric serait invité, avec la quasi-totalité des élèves de 1re L2, Élise comprise. Peut-être l'occasion de régler leur différend une fois pour toutes, en terrain neutre. Depuis quelques jours, ils s'ignoraient chaque fois qu'ils se rencontraient, évitaient même de se regarder. Sans ostentation mais sans hypocrisie non plus, France et Louis déjeunaient ou dînaient ensemble, parfois elle restait dormir et, de temps en temps, Romain venait passer un moment. Personne n'imposait rien aux deux adolescents, sinon une élémentaire politesse. Jusqu'aux résultats du bac français puis au départ en vacances de l'un ou de l'autre, le statu quo serait maintenu, en tout cas en présence des adultes.

— Vers sept heures, je dois l'aider à déplacer les meubles et à choisir les disques.

Elle lui sourit, complice, et il eut un élan de tendresse pour elle. C'était une mère assez stricte, mais qui savait se montrer compréhensive quand il le fallait. Elle ne lui faisait aucune réflexion sur ses cheveux qui arrivaient maintenant aux épaules, ni sur toutes les heures durant lesquelles il devait lui casser les oreilles avec sa guitare, ni sur les soirées d'où il rentrait souvent plus tard que promis. Elle exigeait seulement de bonnes notes au lycée, une chambre rangée et jamais de drogue. Sur ce dernier point, il lui mentait, car il n'y avait aucune discussion possible avec elle là-dessus. Elle avait déclaré une fois pour toutes qu'elle ne tolérerait rien, pas un seul joint, pas même une bouffée, et il n'avait pas eu la possibilité de lui expliquer à quel point c'était une pratique banale pour les jeunes de son âge. Refuser le pétard revenait parfois à passer pour un crétin.

Deux longs éclairs précédèrent une formidable déflagration qui les fit tous sursauter.

— La foudre n'est pas tombée loin ! s'exclama Laura avec un petit frisson.

Les orages d'été, violents et soudains, l'avaient toujours effrayée. Ils en avaient connu un certain nombre, à Notre-Dame-de-la-Mer, et lorsqu'elle était encore une petite fille, elle filait se réfugier près d'Alix et de Louis. Sa terreur amusait les jumeaux qui, une fois n'était pas coutume, l'acceptaient entre eux. Ils interrompaient alors leurs confidences pour la cajoler comme une poupée et, dès le beau temps revenu, ils la renvoyaient jouer ailleurs.

— Tu as toujours la trouille ? s'étonna Alix, ironique.

— Il y a un excellent paratonnerre sur le toit, rappela Louis d'un ton calme.

L'averse arriva d'un coup, portée par des rafales de vent, et l'électricité s'éteignit au moment où Frédéric revenait.

— Je me demande si je ne devrais pas faire une flambée dans le salon, maugréa Grégoire, ce serait tout de même plus gai. Et si vous aviez des bougies...

France s'approcha de Louis et lui glissa à l'oreille qu'elle s'absentait une demi-heure pour accompagner Romain.

— Tu ne vas pas rouler là-dessous ? s'indigna-t-il.

Un rideau de pluie s'abattait en biais sur les vitres qui ruisselaient dans la pénombre. France esquissa un petit geste désinvolte, mais Louis la retint par le poignet.

— J'y vais, si tu veux bien.

Il conduisait sûrement mieux qu'elle, toutefois elle ne voulait pas qu'il se charge de la corvée, imaginant d'avance ce que les autres en penseraient. Elle secoua la tête, mais Louis fit signe à Romain.

— Dis à ta mère de rester à l'abri et viens avec moi.

L'adolescent le rejoignit tout de suite et ils traversèrent la maison jusqu'au hall d'entrée. Quand Louis ouvrit la porte, un grand coup de vent faillit la lui arracher des mains. Ils gagnèrent l'Alfa en trois enjambées, claquèrent ensemble les portières, déjà trempés. Des trombes d'eau se déversaient sur le pare-brise et Louis mit ses essuie-glaces en route, puis ses phares antibrouillard, avant de remonter lentement l'allée sous le déluge.

— On n'y voit pas à trois mètres, soupira-t-il.

Malgré le dégivrage, de la buée obscurcissait le pare-brise et Romain l'essuya avec sa manche.

— Très belle voiture, apprécia-t-il en jetant un coup d'œil au tableau de bord.

— Je l'adore ! En fait, je suis fou de voitures, c'est complètement immature...

Le sourire qui accompagnait l'aveu était effectivement celui d'un gosse. Une fois encore, et bien malgré lui, Romain ne put s'empêcher de le trouver sympathique.

— Gros problème..., dit soudain Louis qui regardait le portail fermé, juste devant eux. Il y a bien un système mécanique pour l'ouvrir, en cas de panne, mais il va falloir qu'on sorte...

Ils échangèrent un coup d'œil puis se mirent à rire ensemble.

— Le boîtier est dans le pilier gauche, et j'espère que la manivelle n'est pas rouillée !

À l'intérieur de la maison, Grégoire s'était posté devant une des portes-fenêtres et il observait les feux arrière de l'Alfa, immobilisée dans l'allée.

— Quelle idée ridicule d'avoir électrifié ce portail ! ronchonna-t-il.

Occupé à mettre des bougies dans tous les chandeliers disponibles, à la grande joie de ses deux cousines, Frédéric n'entendit pas la réflexion. Pourtant c'était bien à cause de lui, pour qu'il n'ait pas à descendre de voiture, que son père avait fait installer ce dispositif. Grégoire retourna vers la cheminée, ajouta une grosse bûche sur l'échafaudage de petit bois et de papier journal, puis il frotta une allumette. Hugues et Alix décidèrent de commencer une crapette sur la table à jeux, tandis que Laura et France gagnaient la cuisine.

— Si le courant n'est pas rétabli, je ne vois pas ce qu'on va manger ! dit gaiement Laura, le doigt pointé vers les plaques de cuisson et le four électriques.

— Des pommes de terre sous la cendre ? suggéra France.

— Malin, ça... Avec un plat de charcuterie et une salade, ce sera parfait. De toute façon, le problème n'est pas nouveau, nous sommes en bout de ligne ici, et à chaque orage tout saute. Pour toi, c'est encore l'heure d'une tasse de thé ou déjà celle du kir ?

— Un thé m'irait très bien... sauf qu'on ne peut pas chauffer d'eau !

— La question est réglée.

Laura sortit la bouteille de cassis, celle de vin blanc, deux verres, et demanda à France de servir pendant qu'elle cherchait des lampes à pétrole dans un placard. Dehors, la pluie était toujours diluvienne mais l'orage semblait s'éloigner.

— Je ne voulais pas que Louis se dérange, murmura France comme si elle cherchait une excuse.

— Pourquoi ? Hugues ne m'aurait jamais laissée sortir par un temps pareil, je trouve ça normal. Je vais laver les pommes de terre, ça ne t'ennuie pas de me découper du papier d'alu ?

Debout devant l'évier, alors qu'elle tournait le dos à France, elle ajouta :

— Est-ce que ça s'arrange un peu, avec Fred ?

— J'aimerais beaucoup, mais je n'en sais rien. Et surtout, je ne sais pas par quel bout le prendre. Si seulement je n'avais pas été, en plus, son professeur de français...

— C'est vraiment un mauvais élève ?

— Il est très intelligent, mais aussi très paresseux. Pas motivé du tout.

Elle n'avait pas raconté à Louis les révoltes de Frédéric en classe, et elle ne comptait pas le faire, le dernier bulletin trimestriel l'avait suffisamment hérissé, il s'était étranglé devant les résultats.

— Et Romain ?

— C'est différent. Il est plus mûr que Frédéric et plus bûcheur. Nous l'avons élevé comme ça, son père et moi.

Laura coupa l'eau, revint près de la table pour déclarer :

— Louis a fait ce qu'il a pu, il l'a sans doute trop protégé, trop gâté, et nous tous avec lui...

Aussitôt France se troubla, navrée d'avoir été maladroite.

— Non, attends ! Je n'ai jamais voulu dire que... Enfin, c'est forcément un avantage quand papa et maman sont profs, et quand on n'a subi aucun deuil. Je ne jugeais pas Louis en tant que père. D'ailleurs, la première fois, je l'ai rencontré parce que je l'avais convoqué au sujet de Frédéric, et il avait l'air tellement effaré, tellement concerné...

Ce souvenir-là, elle ne l'avait livré à personne mais il était si naturel de se confier à Laura qu'elle ne songea pas à le regretter. D'autant plus que celle-ci ajoutait :

— Je suis contente qu'il t'ait trouvée, il était resté seul trop longtemps.

— J'ai du mal à comprendre pourquoi, murmura France. Pourquoi la place était libre, et pourquoi il m'a choisie, moi !

Une question qu'elle s'était posée dès le début et dont elle ne connaissait toujours pas la réponse.

— Vous allez bien ensemble, déclara Laura avec un grand sourire.

— Tu crois ? Je ne suis pas très remarquable, lui oui.

— Tu as tort de te sous-estimer. Louis est séduisant mais il n'est pas charmeur, il est passionné mais beaucoup trop réservé, il a du talent mais il est caractériel, et aussi très fragile, ça peut faire peur. Toi, tu as les pieds sur terre, tu rayonnes. Et tu as su le prendre... Car en fait, il n'était pas réellement disponible pour une femme.

France écoutait, les coudes sur la table et le menton dans les mains, négligeant son kir.

— Je ne te suis pas, avoua-t-elle.

— Eh bien, il s'était installé dans cette situation de père célibataire, content d'être seul avec Fred et avec sa musique. Je suis sûre qu'il n'avait aucune envie que ça change, même s'il n'était pas vraiment heureux. À vrai dire, ses rapports avec les femmes ne sont pas très simples, alors il se préserve, il ne veut pas se faire manger tout cru et il faut déjà qu'il se défende d'Alix. Elle ne se rend pas compte de la façon dont elle pèse sur la vie de Louis. Pour elle, c'est normal, c'est son jumeau, elle ne s'interroge pas. Mais elle est omniprésente ! Elle veut tout diriger, occuper toute la place disponible autour de lui. Autant te prévenir, elle ne sera pas tendre en ce qui te concerne.

— Oui, j'avais compris.

Une vingtaine de pommes de terre emmaillotées s'étalaient entre elles deux. Machinalement, France lissait du doigt un morceau d'alu, attentive à la voix posée de Laura, à ses mises en garde.

— Ils ont besoin l'un de l'autre mais Alix est la plus dépendante, malgré ses airs autoritaires. Louis peut exister sans elle, il l'a déjà prouvé avec Marianne, puis avec toi maintenant, et il peut aussi se réfugier dans la musique s'il se sent trop en danger.

— Drôle de relation...

Qu'Alix soit sa pire ennemie, France n'en doutait pas. En revanche, elle savait aussi qu'elle pouvait combattre sur un autre terrain, auquel Alix n'avait pas accès, celui de la sensualité. Une arme utilisée d'instinct, au début, qui lui avait attaché Louis dès la première nuit.

— Je ne crois pas qu'Alix ait choisi le métier d'agent par hasard, poursuivit Laura. Elle a fait des études brillantes, elle aurait pu être avocate ou même magistrat. Seulement, dans ce cas-là, comment inclure Louis ? En devenant son imprésario, elle a réglé la question, elle peut le voir tous les jours, l'engueuler ou lui tresser des lauriers selon son humeur, écarter les gens qui s'approchent trop près, bref, le garder pour elle.

— Et qu'est-ce qu'elle en fait ?

— Rien, mais elle ne raisonne pas, elle agit. Si Marianne n'avait pas disparu dans cet horrible accident, les choses auraient évolué d'elles-mêmes. Alix venait de rencontrer Tom et elle était sur le point de lui accorder une place dans sa vie, hélas Louis s'est retrouvé tout seul, au bord du gouffre, alors elle a volé à son secours avec joie et Tom est retourné au rang des accessoires. Dommage pour tout le monde.

Les paroles de Laura étaient un véritable cadeau, un sésame pour France si elle voulait comprendre la famille Neuville et s'y intégrer. Le problème posé par Frédéric s'atténuerait sans doute avec du temps et de la patience, mais en ce qui concernait Alix, un mode d'emploi n'était pas superflu.

— C'est ton point de vue de psychologue ?

— De sœur, aussi. Je te raconte ça parce que Louis ne le fera pas, il est trop secret pour ça.

Le tonnerre grondait encore au loin, ce qui arracha un sourire à Laura.

— L'orage m'a toujours rendue bavarde ! Je t'aime bien, France, j'espère vraiment que vos garçons finiront par s'entendre.

France eut l'impression que Laura avait deviné la moindre de ses pensées.

— C'est le seul truc qui m'effraie, admit-elle. Pour le reste, je me sens solide.

— Oh, je n'en doute pas une seconde.

— Ma Laura ne connaît jamais le doute, dit la voix douce de Louis.

Elles tournèrent la tête ensemble vers la porte ouverte, le découvrirent appuyé au chambranle, sa chemise trempée plaquée sur ses épaules. Peut-être se tenait-il là depuis un moment, en tout cas il n'avait fait aucun bruit.

— Tu es très indiscret, lui reprocha Laura, nous parlions entre femmes.

— Merci d'avoir accompagné Romain, murmura France.

— Oh, ça m'a permis de repérer l'endroit, puisque j'y retourne tout à l'heure. Fred veut y aller vers dix heures et il n'est pas question que ce soit sur son scooter !

Il s'avança dans la cuisine et jeta un coup d'œil sur la table.

— C'est le dîner ?

— À condition qu'il y ait suffisamment de fraises, oui.

— Pour une fois, le feu de papa va servir à quelque chose ! Est-ce qu'on aura assez de bougies pour tenir toute la soirée ? J'ai téléphoné à EDF, ils ne peuvent pas réparer dans l'immédiat.

Debout derrière France, il passa délicatement la main dans ses boucles blondes. Le geste était léger, plein d'une tendresse contenue qui émut Laura. Elle les observa quelques instants puis se leva, empoigna l'une des lampes à pétrole et quitta la cuisine afin d'aller rejoindre les autres au salon. Louis en profita pour se pencher sur France, croisant ses bras autour d'elle.

— Laura ne t'a pas dit des choses trop terribles à mon sujet ? Elle a un œil redoutable, très professionnel, rien ne lui échappe... Mais c'est la plus chic fille de la terre !

Elle appuya sa nuque contre lui, sentit le tissu mouillé.

— Tu devrais aller te changer.

— Tu montes avec moi ?

— Est-ce que c'est une proposition honnête ?

— Mon Dieu, non !

Il riait mais la serra plus fort avant de glisser une main sous son tee-shirt.

— J'adore ta peau, soupira-t-il.

Un bruit de voix, dans le hall, le fit se redresser. Il remit le tee-shirt en place tandis que Frédéric entrait, suivi de ses cousines.

— On est censé mettre le couvert, vous nous aidez ? lança le jeune homme à son père et à France.

Le pluriel utilisé représentait une sorte de concession. Jusqu'ici, il s'était arrangé pour les dissocier ou pour l'ignorer, elle.

— Volontiers, répondit gaiement France.

Quand elle se leva, Frédéric lui tendit un plateau sur lequel il commença d'entasser des couverts.

Un peu après minuit, l'ambiance était vraiment bonne. Ceux qui préféraient fumer leurs joints étaient vautrés sur des coussins, à même le sol, les yeux dans le vague et l'air béat, ceux qui avaient envie de danser se déchaînaient à l'autre bout du living.

Avec l'aide de Romain, Richard avait prudemment vidé la pièce de ses meubles, enfermé les bibelots dans un placard. Pour une fois que ses parents lui confiaient la maison, il ne voulait pas leur rendre un chantier et il savait très bien comment ce genre de soirée finissait. Afin de limiter les dégâts, ils avaient installé une table à tréteaux qui faisait office de bar, et ils avaient servi les verres eux-mêmes en début de soirée. Comme toujours, il semblait que chacun cherchait à se saouler le plus vite possible, ingurgitant indifféremment de grandes rasades de tequila ou de gin.

Damien, qui s'était promu disc-jockey, décida soudain qu'il était temps de passer quelques slows. Du coin de l'œil, il avait repéré Romain et Élise plongés dans une grande conversation, un peu à l'écart, et il estimait que l'heure de la réconciliation avait sonné pour eux. D'autant plus que Frédéric n'était pas en vue, occupé à bavarder à la cuisine où quelques copains dévoraient des restes de pizza. Le *shit* ouvrait l'appétit de façon incroyable, c'était bien connu, et il n'était pas certain que Richard ait prévu assez de nourriture pour tout le monde.

Dès les premières mesures, Élise entraîna Romain, plaquée contre lui, la tête sur son épaule. Elle était arrivée vers onze heures, un peu trop maquillée mais ravissante quand même, apparemment décidée à faire des ravages. D'abord elle avait bu, ensuite elle avait dansé avec les autres sur de la techno, enfin elle avait coincé Romain et ne l'avait plus lâché.

Sans le savoir, il avait adopté la meilleure des attitudes en ne s'intéressant plus à elle, depuis quelques semaines. Qu'un garçon qui avait été à ses pieds puisse même ne plus la regarder piquait son orgueil et provoquait un irrésistible besoin de reconquête. D'ailleurs, en y réfléchissant, et à force de comparer tous les garçons de son entourage, elle finissait par regretter d'avoir abandonné Romain. Quitte à franchir le pas, il était plus rassurant que n'importe quel autre, et d'ici la prochaine rentrée il se serait peut-être trouvé une copine en titre. Bien sûr, il y avait Frédéric, pour lequel elle ressentait une certaine attirance, mais qu'elle trouvait moins mûr que Romain, plus imprévisible, et parfois trop fils à papa.

— Je croyais que tu ne voulais pas être cataloguée comme ma petite amie ? ironisa-t-il, la bouche contre son oreille.

En guise de réponse, elle se colla davantage à lui, ses hanches bougeant lentement au rythme de la musique. Un peu surpris, il la laissa poursuivre son numéro de charme, curieux de savoir jusqu'où elle pousserait le jeu.

— Pour quelqu'un qui ne veut pas aller trop loin, tu en fais beaucoup, dit-il au bout d'un moment.

Sa voix avait tremblé, il était en train de perdre toute son assurance. Il essaya de la ramener vers le buffet mais elle refusait de bouger.

— Si tu m'embrassais ? demanda-t-elle seulement, la tête levée vers lui.

Malgré les apparences, ils étaient aussi intimidés l'un que l'autre car ils commençaient à ressentir un réel désir.

— Ça va décevoir tes admirateurs, murmura-t-il.

Penché sur elle, il eut la brusque certitude qu'il allait se passer quelque chose d'important entre eux. Elle paraissait tellement déterminée qu'il s'affola. Son unique expérience, un an plus tôt, avait été trop bâclée pour lui donner confiance. Il se souvenait bien de la fille, plus âgée que lui et pas du tout romantique, de la plage où ils avaient fait un feu de camp avec des copains, de la barrière de rochers derrière laquelle elle l'avait emmené. Gestes hâtifs et maladroits dans l'obscurité, fulgurance d'un plaisir ingrat. Ce serait différent avec Élise, il allait devoir se montrer à la hauteur. Ils avaient flirté pendant trois mois, depuis cette soirée de décembre où il l'avait embrassée la première fois, et il connaissait certaines de ses réactions, presque toutes les courbes de son corps, mais ce ne serait pas suffisant pour être un bon amant. D'autant plus qu'il serait le premier pour elle, il en était certain.

— On pourrait trouver un endroit moins bruyant ? proposa-t-il avec un sourire crispé.

Il la prit par la taille, la conduisit au buffet où Richard servait toujours à boire.

— Je te l'emprunte, dit-il en saisissant une bouteille de gin.

Les deux garçons échangèrent un regard puis Richard lança d'un ton désinvolte :

— Allez bavarder dans ma piaule si vous voulez être tranquilles.

C'était le moment ou jamais, l'occasion idéale qui ne se représenterait pas de sitôt. Malgré ses inquiétudes, Romain se sentit soudain très heureux. Il s'était désespéré en croyant avoir perdu Élise, il avait tout fait pour ne plus penser à elle, mais il en était vraiment amoureux, il pouvait enfin se l'avouer.

— Tu danses ?

La question avait fusé, agressive, juste derrière eux, et Élise se retourna la première vers Frédéric. Elle en était encore à chercher une réponse appropriée quand Romain intervint :

— Non, sûrement pas !

Il tenait toujours la jeune fille d'une main, la bouteille de l'autre.

— Elle peut refuser elle-même, je suppose ? dit Frédéric avec une ironie glacée.

— Écoute, commença-t-elle, non je... j'ai pas envie, merci.

Le sourire embarrassé qu'elle lui adressa n'arrangea rien. Ce n'était plus le moment de se poser des questions, cette fois elle avait fait son choix, il était trop tard.

Elle avança d'un pas sans que Frédéric bouge et elle fut obligée de s'arrêter. Il s'était pourtant promis de ne rien dire, de ne pas gâcher la soirée de Richard quoi qu'il arrive, mais il ne pouvait pas supporter l'idée de ce qui allait suivre. Les intentions de Romain étaient claires, il voulait entraîner Élise là-haut, boire avec elle et faire l'amour.

— Vous n'allez pas déserter maintenant ? s'exclama-t-il. C'est beaucoup trop tôt !

La musique venait de changer, Damien ayant décidé de programmer du rock français pour remettre de l'ambiance, et avant que quiconque ait pu réagir, Frédéric saisit Élise par la main. Machinalement, elle faillit le suivre parce que le rythme du morceau était excellent, mais Romain s'interposa entre eux, très menaçant.

— Tu nous fous la paix, mon bonhomme ! lança-t-il rageusement.

La seconde d'après, ils s'étaient empoignés et basculaient sur la table à tréteaux qui s'effondra dans un affreux bruit de verre brisé.

Avec toute la pluie qui était tombée durant des heures, une vapeur désagréable s'élevait du sol détrempé. De nouveau, l'air était lourd, accablant, et quelques éclairs provoquaient des lueurs blafardes sur la route. Louis conduisait les vitres baissées, pieds nus dans ses mocassins. L'appel de Frédéric, plus tôt que prévu, était assez mal tombé mais France avait ri, amusée par l'interruption, alors que lui s'était senti complètement frustré.

Il aborda le dernier rond-point, s'engagea dans la rue bordée de petites maisons et aperçut la silhouette de son fils près d'une cabine téléphonique, à deux cents mètres de chez Richard. La soirée n'avait pas dû lui plaire pour qu'il l'écourte aussi vite, à moins qu'il n'ait trop bu ou qu'il se soit querellé avec ses copains. Louis se rangea le long du trottoir, et quand Frédéric s'assit sur le siège passager, il resta sans voix. Sa chemise était entièrement déchirée, il avait une profonde coupure sur la tempe, où le sang s'était coagulé en séchant. Le pire était son air hagard, une expression que Louis ne lui connaissait pas.

Au lieu de redémarrer, il mit son frein à main et prit une profonde inspiration.

— Tu peux me dire ce qui t'arrive, mon grand ? demanda-t-il posément.

Avant même que Frédéric n'ouvre la bouche, il connaissait une partie de la réponse. Comment avait-il pu être assez inconséquent pour ne pas s'inquiéter ? Au lieu de se laisser aller dans les bras de France, il aurait mieux fait de s'interroger sur la façon dont les deux garçons allaient se comporter loin de toute surveillance. Qu'ils fassent bonne figure devant eux, contraints et forcés, n'excluait pas un règlement de comptes ailleurs. Au contraire, même.

— Qu'est-ce qui s'est passé ? insista-t-il.

— Tu t'en doutes ! répliqua Frédéric d'un ton rogue.

— Oh oui ! Je sais bien que je ne suis pas au bout de mes soucis avec toi !

— Pourquoi moi ? Et lui, alors ?

— Je te rappelle que je ne suis pas chargé de l'éducation de Romain. De la tienne, oui. Alors ?

— Alors... rien.

Buté, parce qu'il était conscient d'être dans son tort, Frédéric cherchait en vain une explication plausible pour son père. Or tout ce qu'il avait fait ce soir tenait plus de l'attaque que de la défense, et il était entièrement responsable de la bagarre. Il se raccrocha à la seule issue possible.

— Tout ça ne te concerne pas, tu n'es pas dans le coup et France non plus. C'est un truc entre nous.

— Un truc qui s'appelle Élise ?

Frédéric se mordit la lèvre, ce qui le fit grimacer car tout son visage était endolori.

— Démarre, papa, ne reste pas là.

En principe, personne n'allait sortir de chez Richard avant un bon moment, mais il ne voulait pas prendre le risque d'être vu par les autres en train de s'engueuler avec son père.

— Non, répondit Louis qui en profita pour couper le contact et élever le ton. Je veux savoir très exactement ce qui est arrivé.

— On s'est foutus sur la gueule ! Tu es content ?

— Ravi ! Je trouve ça formidable ; c'est bien simple, ça arrange tout !

Maintenant qu'ils avaient crié l'un comme l'autre, ils étaient en colère. Louis fit un effort pour rester calme et il se pencha vers la boîte à gants, en sortit un paquet de cigarettes.

— Fred, rappela-t-il, tu m'avais fait une promesse, tu devais l'ignorer. Il t'a agressé ?

— Non, c'est plutôt moi.

— Pourquoi ?

La vérité n'était pas facile à dire, mais Frédéric résuma honnêtement la fin de sa soirée. La rage qui l'avait aveuglé devant cette victoire inattendue de Romain, leur plongeon sur la table à tréteaux, l'intervention rapide de tous leurs copains qui les avaient séparés et copieusement engueulés.

— Vous avez nettoyé les dégâts ?

— Oui, c'est du parquet chez Richard, il mettra un coup de cire...

Fatigué, déçu, humilié, il se laissa aller contre l'appuie-tête. Son père alluma le plafonnier et examina d'un œil critique la coupure de sa tempe, mais il ne fit aucun commentaire et finit par éteindre.

— C'est quand même une belle garce, soupira

Frédéric. En principe elle l'avait plaqué, ils ne se parlaient même plus...

— Tout le monde a le droit de changer d'avis.

— En tout cas, je leur ai cassé leur coup, ce ne sera pas pour ce soir. Et pas sous mon nez !

— Ne sois pas trop mesquin, Fred. On n'obtient jamais rien par la force et tu t'es conduit comme un gamin.

— J'ai eu le dessus ! Je te garantis que demain, il va se réveiller avec un bel œil au beurre noir. Il est peut-être plus baraqué que moi, mais il n'est pas assez rapide.

En fait, ils avaient eu le temps d'échanger une demi-douzaine de coups sévères avant que les autres ne se jettent sur eux. Quand le calme était revenu, Élise lui avait lancé un regard assassin puis elle était allée soigner Romain dans la salle de bains. Richard s'était occupé de lui à la cuisine, lavant la plaie au-dessus de l'évier tout en l'injuriant. Par bonheur, l'incident, loin de gâcher la soirée, avait électrisé l'ambiance et, à peine les débris de verre jetés dans le container, Damien avait remis la musique à fond. Frédéric en avait profité pour partir discrètement, après avoir réitéré ses excuses à Richard.

— Tu dois apprendre à te dominer, déclara Louis qui venait de démarrer.

Un peu d'air tiède entra dans la voiture, mais la chaleur restait étouffante pour une nuit de juin.

— On ne règle pas ses comptes à coups de poing, mon bonhomme...

Cette même expression, deux fois en une heure, aurait dû exaspérer Frédéric. Seulement son père la prononçait avec sa douceur habituelle, son inépuisable gentillesse.

— Je suis désolé, papa. Tu vas en parler à France ? Elle est à la maison ?

— Oui, elle est là... Pour le moment, elle accepte encore de dormir avec moi. Mais bientôt nous serons brouillés, à cause de vous deux...

— C'est idiot !

— Oh oui !

— Vous n'avez qu'à...

— Quoi ? Faire comme si vous n'existiez pas ? France prendra le parti de Romain, elle voudra le protéger et le défendre, c'est normal, bien entendu je ferai exactement la même chose pour toi, et donc nous n'aurons aucun terrain d'entente possible. On peut aussi attendre quelques années, le temps que vous voliez de vos propres ailes.

Pour finir, Louis avait utilisé un ton de dérision auquel l'adolescent fut sensible. En se laissant aller à sa fureur, tout à l'heure, il n'avait évidemment pas songé à son père, ni même à ce pauvre Richard, et d'ailleurs à peine à Élise, il s'était focalisé sur Romain, cible idéale de tous ses problèmes du moment. À présent que l'excitation était retombée, il se sentait coupable.

— De toute façon, papa, cette histoire-là est finie, j'ai fait une croix sur Élise, il peut se la garder !

La plaie de sa tempe avait recommencé à saigner et il chercha un mouchoir dans la poche de son jean pour essuyer sa joue. Une fille le lui avait donné au moment où il partait, mais il n'arrivait pas à se souvenir de son prénom. Elle n'était pas dans sa classe, pourtant il la connaissait, il l'avait croisée cent fois au lycée. Sympa, pour une scientifique, avec de remarquables yeux gris. Le mouchoir sentait le parfum, et il l'examina à la lueur du tableau de bord. Il s'agissait plutôt d'un petit foulard de soie, qu'il décida de conserver une fois qu'il l'aurait lavé. Peut-être pourrait-il le lui rendre un jour ? Richard savait forcément qui elle était, ce serait facile d'obtenir son numéro de téléphone.

La façon de conduire de son père trahissait sa nervosité comme son désarroi. Il devait penser à ce qu'il allait dire à France. Au moment où il quittait la nationale pour s'engager sur la route montant vers

Notre-Dame-de-la-Mer, il étouffa un soupir et Frédéric tendit la main vers lui, toucha son bras.

— Tu m'en veux, papa ?

— Non, il n'est pas question de rancune, c'est seulement que je... je me voyais bien vivre avec elle un de ces jours, et là c'est compromis.

Un peu plus tôt dans la soirée, quand ils s'étaient retrouvés seuls dans sa chambre, il avait même évoqué cette possibilité. Qu'elle vienne habiter chez lui d'ici quelques mois, à condition que Romain accepte, que Frédéric se calme. Elle n'avait pas dit non, elle était simplement restée songeuse, pas tout à fait convaincue, pas hostile non plus.

Le portail était toujours ouvert, l'électricité n'avait donc pas été rétablie.

— Tu es à jour de tes vaccinations, tétanos compris ? demanda Louis par acquit de conscience.

Il n'avait jamais rien négligé, concernant la santé de son fils, et les rendez-vous chez le médecin n'étaient pas le genre de choses qu'il pouvait oublier.

— Ta coupure ne me paraît pas trop profonde, mais on verra ça demain matin. Désinfecte-la avant de te coucher. Et jette ta chemise.

Quand ils descendirent de voiture, Louis leva les yeux vers la façade. Aucune lueur de bougie ne brillait, toutes les fenêtres étaient noires. Si France s'était endormie, il se garderait bien de la réveiller, il en profiterait pour se réfugier dans son auditorium. Une belle nuit pour composer, lourde et menaçante.

— J'ai laissé une lampe torche dans l'entrée, dit-il à voix basse.

La terre était trempée, il y avait des flaques sur la terrasse et l'air semblait moite autour d'eux. Le ululement d'une chouette s'éleva des profondeurs du parc, quelque part sur leur gauche, et ils s'immobilisèrent, l'oreille tendue.

— Tu crois que l'orage va revenir ? demanda Frédéric.

— C'est probable. Il tourne depuis un moment.

Quelques années plus tôt, pour amuser son fils, Louis avait organisé des nuits à la belle étoile où toute la famille avait accepté de dormir sous la tente, à l'exception de Grégoire. Mais l'idée n'était pas neuve, les jumeaux et Laura l'avaient déjà fait dans leur enfance. Le temps passait trop vite, décidément.

— Rentrons, soupira-t-il, je crois que j'ai besoin d'un verre. Pas toi ?

Dans l'obscurité, il ne vit pas l'émotion de Frédéric qu'il venait de prendre par les épaules et qu'il poussait gentiment vers la maison.

Antoine était furieux. L'arrivée de France l'avait surpris car elle ne venait jamais jusqu'au pavillon depuis que Romain avait son Solex et pouvait se déplacer seul. Il était en train de jardiner quand elle s'était garée dans la rue et il l'avait regardée pendant qu'elle ouvrait la barrière, avec une curieuse impression de déjà vu. À l'époque où elle vivait encore avec lui, elle avait ce même geste pour entrer.

Après l'avoir embrassé sur la joue, un peu distante comme toujours, elle s'était lancée dans des explications qu'il avait eu du mal à comprendre. Romain s'était battu avec un garçon, dans une de ces soirées ineptes dont les adolescents avaient le secret, et il se retrouvait avec un œil au beurre noir, une lèvre fendue, rien de grave d'après elle.

— Bien sûr ! s'exclama-t-il, les yeux au ciel. L'alcool, le *shit*, la musique à fond et ensuite la violence, c'est ce qu'ils appellent s'amuser, et toi tu donnes ta bénédiction ! Rien de grave, mais non !

— Il est en vacances, Antoine, il a le droit de sortir. Une bagarre, à son âge, ce n'est pas méchant.

— À quand la nuit au commissariat ? Et avec qui s'est-il querellé ? Il a une bonne raison ? Il s'en souvient, au moins ?

Elle était venue pour ça, elle savait qu'il poserait la question. Romain avait proposé de ne rien dire, mais elle s'y était opposée. Mentir à son père pour la préserver n'était pas acceptable, il valait mieux s'en tenir à la vérité.

— Avec le fils de Louis.

— Quel Louis ? Ah, Louis Neuville, ton mec...

Antoine s'était appuyé sur son râteau pour mieux toiser France.

— C'est quoi, cette histoire ?

— Son fils, Frédéric, qui était d'ailleurs un de mes élèves cette année, s'est engueulé avec Romain au sujet d'une fille. C'est tout ce que je sais, et il n'y a pas de quoi en faire un drame.

— Tu crois ça ? Ils sont combien de garçons, au bahut, à rivaliser pour les beaux yeux d'une petite mignonne ? Des centaines ! Heureusement, ils ne se battent pas tous.

Elle pouvait deviner ce qu'il allait dire, au mot près. Il était toujours en train de donner des leçons ou de faire la morale, et l'occasion était vraiment trop belle.

— Une fille ou autre chose, je suppose que le premier prétexte a fait l'affaire ! Que *mon* fils ne s'entende pas avec le gamin de *ton* amant, ça ne m'étonne pas ! À leur âge, ils sont toujours plus ou moins en concurrence, je ne t'apprends rien !

Il transpirait, en plein soleil, et il se pencha pour ramasser une casquette de toile blanche qui était posée dans la brouette au milieu des outils. Elle constata qu'il avait bien arrangé le jardin depuis quelques mois.

— Alors comme ça, ils se tapent dessus ? reprit-il d'un ton traînant. Qu'est-ce que tu espérais donc, ma pauvre ? Aller habiter chez ce type et obliger Romain à te suivre ? La famille recomposée qui nage dans le bonheur, laisse-moi rire...

Ce qu'il fit aussitôt, de façon désagréable, pourtant France resta impassible. Antoine ne pouvait pas lui dire de choses pires que ce qu'elle pensait elle-même. L'avenir avec Louis n'était pas envisageable pour l'instant, si douloureux à accepter que ce soit. Lorsqu'elle s'était réveillée, le matin même, les oiseaux s'égosillaient dans le parc, un rayon de soleil s'infiltrait entre les rideaux. Seule dans le grand lit, elle avait somnolé, persuadée que Louis était déjà rivé à son piano. Ensuite elle était allée prendre une douche, fenêtre grande ouverte, avant de retourner s'allonger pour paresser un peu. Elle aimait cette chambre, comme toutes les autres pièces. Jamais elle n'avait vécu dans une maison comparable, avec autant d'espace et de confort. Tout la séduisait, les longs couloirs et les trois escaliers, les paliers meublés comme de petits boudoirs, les innombrables fenêtres qui laissaient entrer la lumière dans le moindre recoin, et même le gentil désordre qui régnait partout. Un endroit plein de vie, démesuré mais douillet, le contraire de ce qu'elle avait connu jusque-là. Quand Louis était apparu, avec le plateau du petit déjeuner, elle s'était sentie profondément heureuse. Jusqu'à ce qu'il lui raconte ce qui était arrivé entre Romain et Frédéric. Rien d'irréparable, peut-être, mais un sérieux coup de frein au rêve qu'elle était en train d'échafauder malgré elle. Cinq minutes plus tard, elle était habillée, très pressée de rentrer chez elle. Quand elle avait vu la tête de Romain, elle avait jugé plus prudent d'aller elle-même chez Antoine.

— Je vais être très clair, France, il n'est pas question que mon fils habite un jour chez ce musicien à la manque !

Voilà, il l'avait dit, c'était logique. Musicien, artiste, il imaginait le pire sans se forcer, pour lui, ces gens vivaient en marge de la société. Comme elle n'était pas venue, hélas, pour lui annoncer son déménagement, elle put riposter, sereine :

— Effectivement, il n'en est pas question ! Du moins, pas tout de suite. Mais ne sois pas grotesque, Louis n'est pas un saltimbanque.

— Je me fous de ce qu'il est ! Je ne veux pas

voir Romain dans ce monde-là, c'est tout. Pas question de le pervertir et de le transformer en cabotin.

— Mais enfin, Antoine...

— Je suis son père, j'ai mon mot à dire, bordel ! Tu lui as laissé la tête dans les étoiles, avec sa foutue guitare, et maintenant tu veux lui faire miroiter quoi ? L'argent facile, le luxe ? Ton bouffon, avec sa voiture de sport et ses tubes à la radio, tu penses que c'est un modèle pour un adolescent ?

Il ne se contrôlait plus, il hurlait d'indignation, mais elle se contenta de hausser les épaules, pas du tout impressionnée.

— Louis est compositeur, c'est un métier comme un autre. Il gagne bien sa vie, oui, mais il travaille beaucoup. Je ne vois pas en quoi il serait un mauvais exemple pour Romain.

— Ah non ? Eh bien, je ne prends pas le risque ! Pour moi, Romain habite chez sa mère, pas ailleurs, ou alors chez moi. Tant qu'il est mineur, ce sera comme ça, et si tu n'es pas contente, on ira devant un juge des familles.

Cette fois, il avait visé juste, elle était en train de perdre son calme. Elle se demanda comment elle aurait pris sa réaction si elle avait vraiment cherché à obtenir son accord. Heureusement, ce n'était pas d'actualité. Pour l'instant, elle voulait juste qu'il laisse Romain tranquille, qu'il ne jette pas d'huile sur le feu. Bien sûr, il était vexé. Que son successeur auprès d'elle soit un homme comme Louis ne pouvait que l'exaspérer. Il s'était toujours moqué de ses ambitions, de ce qu'il appelait ses châteaux en Espagne. Quand elle disait qu'elle rêvait d'une autre vie, il ironisait. Pas méchamment, non, avec tout son bon sens, ses certitudes, ses limites. Aujourd'hui elle avait Louis, Antoine n'y pouvait plus rien, la vie lui avait accordé un cadeau extraordinaire et inattendu qu'elle était bien décidée à conserver.

Il lâcha brusquement son râteau, qui tomba sur la pelouse, et il la poussa vers l'ombre de la maison.

— Ne reste pas en plein soleil, ça tape... Écoute, France, il n'y a pas que Romain, il y a toi, aussi. Tu t'es laissé éblouir, je te connais... Nous sommes divorcés, tu fais ce que tu veux, mais ne t'embarque pas dans cette galère sans réfléchir un peu ! Combien de temps avant que ce type te largue ? Qu'est-ce que tu vas aller faire dans un milieu pareil ? Tu crois que tu y seras à l'aise ? Fais attention à toi, tu vas tomber de haut. Ici, tu es à ta place...

Sa conviction avait quelque chose de désarmant. Peut-être s'inquiétait-il vraiment pour elle, il en était capable.

— Je ne compte pas changer quoi que ce soit à mon existence pour le moment, répondit-elle en essayant de lui sourire. Je garde mon travail et je garde l'appartement. Seulement ce ne sera pas toujours comme ça, c'est ce que je voulais te dire.

Discuter plus longtemps ne servirait à rien. Le problème n'était pas Antoine mais Romain et Frédéric. En plus, risquaient de s'y ajouter, désormais, les questions insidieuses qu'Antoine venait de poser. Des choses auxquelles elle avait refusé de penser jusqu'ici. Le souvenir de l'enregistrement de *Pacific* l'inquiétait et lui donnait la preuve qu'elle aurait beaucoup de mal à pénétrer l'univers de Louis.

— Bon, je me sauve, décida-t-elle.

— Tu ne veux pas boire quelque chose ?

Elle secoua la tête, puis se pencha vers lui et effleura de nouveau sa joue. Quand elle se détourna, elle considéra le jardin, le râteau abandonné, le barbecue éteint.

— Romain viendra ce soir, comme prévu, ajouta-t-elle alors qu'elle était presque à la barrière.

Une fois dans sa voiture, elle jeta un dernier regard à la silhouette d'Antoine qui n'avait pas bougé, au pavillon de crépi blanc, derrière lui. Elle avait vécu là des années, d'abord assez heureuse pour ne pas voir passer le temps. La petite enfance de Romain, ses débuts d'enseignante au lycée dont elle avait été le plus jeune professeur, des moments agréables qui s'étaient figés peu à peu. Lorsqu'elle avait compris que rien ne changerait jamais, elle avait commencé à s'ennuyer. Antoine avait besoin d'un ordre établi autour de lui, il détestait les bouleversements. Il l'avait souvent découragée, lui avait fait perdre le goût de l'imprévu, du risque, du rire, mais ce n'était pas sa faute, il était comme ça depuis toujours. Elle avait compris trop tard, elle aurait dû avoir le courage de partir bien avant, tant pis pour elle. À présent, elle devait assumer ses choix.

12

Assis carrément sur le coin du bureau, Louis écoutait Alix avec un petit sourire poli qui trahissait sa distraction. Tout ce qu'elle lui énumérait ne parvenait pas à l'intéresser. Le succès inouï de *Pacific* avait fait affluer à l'agence les propositions les plus insensées, qu'il déclinait les unes après les autres.

— Je ne veux pas composer de chansons, rappela-t-il.

— Alors fais un album tout seul, c'est le moment ou jamais !

— Un album de quoi ? Variété, classique, avant-garde, néogothique ? Tu voudrais que je te fabrique des petits morceaux comme ça, au hasard ?

— Qu'est-ce que c'est d'autre, *Pacific* ? Un morceau de quatre minutes quinze !

— Surtout un hasard, Alix. Un coup de chance, un concours de circonstances. En réalité, une réaction à quinze nuits dans des bars californiens.

Il écrasa sa cigarette, en alluma aussitôt une nouvelle.

— Tu es fou de fumer autant.

— Tu me rends nerveux, je te sens prête à me vendre n'importe comment !

— Bien sûr ! Je veux que tu profites au maximum de ta popularité, ça n'arrive pas dix fois dans une carrière, prends le train en marche ! Il te suffit de te mettre au piano et de trouver quelques thèmes qui...

— Ah, tu crois qu'il « suffit de » ? Eh bien, non,

je ne sais pas le faire ! J'ai besoin d'une histoire pour inventer une musique.

Il était en train de se buter, elle décida d'utiliser une autre tactique.

— Toi, dans deux secondes, tu vas me parler de Puccini, ironisa-t-elle gentiment.

— Oui, et alors ? Il ne pouvait pas travailler autrement qu'à partir d'un livret parce qu'il *racontait* quelque chose en composant, tu comprends ça ? Ce sont les situations et les mots qui suggèrent les mélodies. C'est pour ça que je trouve facile d'illustrer un film, l'intrigue existe déjà quand on fait appel à moi. Prends n'importe quel opéra, tu verras l'importance du sujet et du traitement dramatique...

— Je t'en supplie, ne recommence pas avec tes chimères, Louis ! protesta-t-elle, les mains levées pour le faire taire. Ou alors écris-le une bonne fois, ton foutu opéra, prends un pseudonyme à consonance slave et envoie la partition au Metropolitan ou au Bolchoï ! Ensuite, on pourra peut-être revenir à nos affaires ?

D'un geste rageur, elle fouilla les dossiers qui encombraient son bureau.

— Résumons-nous, reprit-elle sèchement. Depuis une heure, tu refuses tout ce que je te propose, sous un prétexte ou un autre. Est-ce que par hasard tu comptes prendre une année sabbatique ?

— Non, absolument pas. Je veux bien rencontrer les gens de Gaumont, ils sont sérieux et leur projet me plaît, tu peux prévoir ça la semaine prochaine.

Avec un sourire satisfait, elle nota quelque chose sur son agenda pendant qu'il poursuivait :

— Mais d'abord je dois voir Franck James, il est à Paris.

— James ? répéta-t-elle, ébahie. Pourquoi ne me l'as-tu pas dit plus tôt ?

— Pour pouvoir lire son scénario en paix, sans que tu m'obliges à signer les yeux fermés. J'ai rendez-vous après-demain.

— C'est fantastique ! Oh, j'irai avec toi, je

meurs d'envie de le connaître ! D'ailleurs, tu ne sais pas négocier tout seul.

— Nous n'en sommes pas encore au stade du contrat, c'est juste un dîner entre amis, et puis j'emmène France.

La nouvelle rendit Alix muette durant quelques instants. Il ne pouvait rien lui infliger de pire que ce qu'il venait de dire. Dans ce genre de circonstances, c'était toujours elle qui l'avait accompagné jusque-là. L'idée de se faire supplanter par la petite blonde l'exaspéra.

— Tu n'es pas sérieux ? Tu vas vraiment la traîner partout avec toi ? Je rêve... Oh, après tout, fais-le, tu t'en dégoûteras plus vite !

Interloqué, il la dévisagea puis quitta le rebord du bureau et marcha jusqu'à la fenêtre. Il jeta un coup d'œil machinal dans la rue, revint se planter devant sa sœur.

— Il va couler de l'eau sous les ponts avant que je me détache d'elle.

Il l'énonçait avec plaisir, comme si cette constatation le charmait, pourtant Alix répliqua :

— Tu t'apercevras tout seul que tu ne peux pas la sortir dans ce genre de soirée. Si elle te fait honte, tu seras très malheureux.

— Honte ? Enfin, Alix, tu plaisantes ?

Elle ne pouvait guère aller plus loin, déjà l'expression de Louis avait changé, s'était durcie, et elle savait très bien ce que ça signifiait.

— Qui produit le film ? se borna-t-elle à demander.

— La Warner, répondit-il d'un ton froid.

— Ils sont coriaces, il faudra que je sois vigilante. En tout cas, ne fais rien sans moi.

Cette dernière phrase était très révélatrice de son état d'esprit. L'idée que Louis puisse délibérément l'écarter de ses affaires lui était intolérable. En ce qui concernait France, elle ne mentait pas, elle s'inquiétait pour de bon. Au moins, Marianne avait été une femme représentative, qu'on pouvait exhiber partout, son métier de styliste l'ayant rompue aux mondanités. Mais celle-là ! Obscur professeur de français d'un lycée de province, elle n'avait sans doute jamais mis les pieds dans un cocktail parisien, elle ne connaissait strictement rien à l'univers du show-business et à ses vacheries. Elle allait être un vrai boulet pour Louis, or elle n'avait même pas un physique de mannequin pour se faire pardonner ! Pourquoi était-il tombé amoureux d'elle aussi vite et autant ?

— Que devient Tom, Alix ?

La question la prit au dépourvu. Louis était toujours debout devant le bureau mais il avait déjà sa clef de voiture à la main.

— On ne le voit plus, c'est dommage, ajouta-t-il. Mais, bien sûr, ça ne me regarde pas...

Sans attendre la réponse – et sans même l'embrasser –, il fit demi-tour et quitta la pièce, négligeant de refermer la porte.

— C'est ton père qui joue ? répéta la jeune fille.

La stupeur agrandissait ses superbes yeux gris et elle secoua la tête.

— La vache, qu'est-ce qu'il se débrouille bien !

À cause des portes-fenêtres ouvertes, les accords du piano étaient perceptibles depuis la terrasse où les trois jeunes avaient pris place.

— Il ne se « débrouille » pas, corrigea Richard, c'est un professionnel. Un compositeur. Je vais même te dire mieux, *Pacific*, c'est lui.

— Non ?

Cette fois, elle se tourna vers Frédéric et le considéra avec intérêt, comme s'il était lui-même l'auteur de ce succès. Il réprima un sourire, ravi de constater qu'elle avait tout ignoré de la célébrité de son père jusque-là et que, au moins, elle n'était pas là pour ça. Richard avait débarqué à Notre-Dame-de-la-Mer une demi-heure plus tôt, escorté de la ravissante Nadège, avec un sourire de parfaite innocence et un prétexte cousu de fil blanc. À présent, leurs deux vélos étaient abandonnés dans l'allée, appuyés contre des marronniers.

— C'est fabuleux, chez toi..., dit Nadège qui observait la maison. J'aurais une baraque comme la tienne, je ne partirais pas en vacances.

— Je n'ai pas le choix, soupira Frédéric, j'ai droit au séjour linguistique fin juillet !

— Et d'ici là ?

Elle le regardait en souriant, ce qui le fit bafouiller.

— Rien du tout... Et toi ?

— Mois d'août, La Baule.

Richard sirotait son coca d'un air indifférent, secrètement amusé de les voir si bien s'entendre. Dès le lendemain de sa soirée, Nadège l'avait appelé pour qu'il lui organise une rencontre avec le mignon brun bagarreur, et il avait sauté sur l'occasion. Si Frédéric cessait de soupirer après Élise, ce serait sûrement la fin de leurs ennuis.

— Pourquoi on se ferait pas un ciné ce soir, tous les trois ? proposa-t-il, désinvolte.

Les deux autres, qui continuaient de s'observer, répondirent oui en même temps.

— Comment ça s'est passé pour toi avec Mme Capelan ? demanda alors Richard.

Bien que dévoré de curiosité, il n'avait pas osé téléphoner à Frédéric, de peur de tomber sur Louis. Ce genre d'incident pouvait rendre les parents très désagréables et, pour sa part, il n'avait rien raconté aux siens.

— Je ne l'ai vue que le surlendemain, avoua Frédéric, et elle ne m'a pas fait la moindre allusion.

Ce qui ne constituait pas une victoire. France n'avait pas changé d'attitude à son égard, sans doute pour ne pas contrarier Louis ni envenimer le conflit, mais il trouvait son silence gênant et il aurait préféré une explication, même orageuse.

— Mon père a été assez cool, juste un petit discours... Évidemment, tout ça ne lui facilite pas la vie !

— À Romain non plus, fit remarquer Nadège. Tu aurais vu sa tête, deux heures après !

Le souvenir la faisait rire, elle ne manifestait aucune compassion, au contraire, elle adressa un clin d'œil complice à Frédéric.

— Tu n'y es pas allé de main morte ! Mieux vaut ne pas te monter sur les pieds, à toi... Tu y tiens tant que ça, à cette gourde ?

— Non, répondit-il avec aplomb, d'ailleurs c'est une girouette.

Richard leva les yeux au ciel devant une telle mauvaise foi. Son amitié pour Romain et pour Frédéric le mettait dans une situation intenable depuis trop longtemps.

— Aristote affirmait : « Ce n'est pas un ami que l'ami de tout le monde », soupira-t-il. Pourtant je ne veux pas choisir entre vous deux. Je ne veux pas non plus écouter les horreurs que vous débitez l'un sur l'autre.

— Je n'ai rien dit ! protesta Frédéric.

— Pas aujourd'hui, non, c'est vrai.

— Et tu sais pourquoi ? En ce qui me concerne, j'ai liquidé le contentieux. Il a eu mon poing dans la gueule, ça me démangeait trop, et il peut se garder Élise, je m'en fous pas mal.

Il le pensait sincèrement et il en fut le premier surpris. La présence de Nadège l'égayait, le stimulait, changeait soudain ses perspectives. Peut-être l'été ne serait-il pas sinistre, après tout.

— C'est pas un peu curieux, pour toi, de cohabiter avec un de tes profs ? demanda Nadège.

— Elle n'est pas encore installée ici, Dieu merci !

— Remarque, dit la jeune fille avec un sourire malicieux, vous avez de la place...

Du coin de l'œil, Frédéric la détailla encore une fois. Petit nez, jolie bouche, quelques mèches de frange auburn pour ombrer le regard gris, et les dents du bonheur, un peu écartées. Une très jolie fille, qu'il avait dû croiser cent fois au lycée, sans la remarquer parce qu'il était obnubilé depuis des mois par Élise.

— On pourrait descendre en ville maintenant, et manger un hamburger avant le film ? proposa-t-il. Je vais prévenir mon père.

D'un bond, il quitta sa chaise et s'élança vers la maison. D'abord il grimpa jusqu'à sa chambre, où il troqua son tee-shirt pour une chemise propre, puis il fila en vitesse jusqu'à l'auditorium.

— Papa, je peux sortir ce soir ? s'écria-t-il en ouvrant la seconde porte.

Louis s'interrompit, les mains au-dessus du clavier. Il était tellement immergé dans sa musique que Frédéric dut répéter la question.

— Oui, si tu veux...

L'adolescent s'approcha, lui posa sa main sur l'épaule.

— Je t'ai dérangé, excuse-moi.

— Aucune importance, mon grand. Il y a des heures que je suis là-dessus, j'en ai marre. Où vas-tu ?

— Au ciné, avec Richard et une copine.

— Voir quoi ?

— Je ne sais pas.

— La copine en question, ce n'est pas...

— Elle s'appelle Nadège et elle est sur la terrasse, s'empressa de préciser Frédéric.

Louis se leva, fit quelques pas pour se détendre. Il paraissait fatigué et son fils eut un brusque élan de tendresse.

— Tu es tout seul, ce soir ? France ne vient pas ?

— Tu voudrais qu'elle soit là seulement quand ça t'arrange ?

Même s'il l'avait formulée sur le ton de la plaisanterie, la réflexion était un peu dure.

— Tiens, ajouta-t-il, ton argent de poche.

Il fouilla dans son jean, en sortit quelques billets qu'il tendit au jeune homme.

— Ne rentre pas trop tard, je n'aime pas te savoir sur les routes la nuit.

Comme Frédéric restait figé, il le poussa vers l'une des portes-fenêtres.

— Amuse-toi, tu es en vacances, dit-il gentiment.

— Mais qu'est-ce que tu vas faire, toi ?

— Continuer à travailler, je n'ai pas fini. Rassure-toi, je ne m'ennuie pas, j'ai de quoi dîner...

Son sourire acheva de convaincre Frédéric, qui en profita pour filer, et il revint vers le Steinway qu'il considéra, perplexe. Avait-il vraiment envie de continuer à s'acharner sur ce morceau qui lui échappait ? Debout, il pianota quelques mesures d'une seule main puis s'arrêta pour s'étirer, les vertèbres cervicales douloureuses. France passait la soirée avec Romain, ce qu'elle faisait un jour sur deux. Il aurait pu lui téléphoner ou même passer à l'appartement, mais il préférait ne pas les déranger. D'après elle, Romain en voulait beaucoup à Frédéric, ce qui était compréhensible. Tout comme il était probable que les deux adolescents ne pourraient jamais habiter sous le même toit.

Découragé, Louis sortit dans le parc pour vérifier que le portail était bien fermé. Sur la table de la terrasse, il aperçut les canettes de coca et les verres abandonnés. Le désordre habituel de son fils. Il alluma une cigarette avant d'aller s'asseoir sur la pelouse dont l'herbe, décidément trop haute, commençait à jaunir. Face à lui, la maison lui parut gigantesque dans la lumière orangée du couchant. Lors d'un autre après-midi de juin, dix ans auparavant, il avait demandé à Marianne si elle voulait vivre là. L'idée l'avait enthousiasmée aussitôt et toute la famille s'était réjouie de savoir que Notre-Dame-de-la-Mer ne serait pas vendue. Si elle avait refusé, qu'aurait-il fait ? Il avait aimé Marianne, il en était certain, il aurait peut-être respecté son choix, mais il aurait trouvé une autre solution pour conserver la maison quand même, avec Alix et

Laura. Il s'agissait pour lui d'un lieu fétiche, un endroit où il avait toujours adoré composer, où l'inspiration ne lui avait jamais vraiment fait défaut.

Allongé dans l'herbe, une main en visière, il ne voyait plus que les toitures d'ardoise, étincelantes sous les derniers rayons du soleil. À quarante ans, le bilan de son existence n'était pas mauvais. Certes, il avait perdu sa femme, pas trop bien élevé son fils – avec beaucoup d'amour mais parfois sans discernement –, subi la tyrannie de sa jumelle, par dépendance ou nécessité, pas encore écrit l'opéra dont il rêvait, pour d'obscures raisons qu'il préférait ne pas connaître, et monnayé à contrecœur un réel talent. Mais il vivait très bien de son métier, n'avait jamais failli à son rôle de père, ni de frère, ni de fils, et malgré tout conçu quelques pages de musique dont il était vraiment fier, même si elles étaient condamnées à rester posées sur son piano sans être jamais jouées.

Rien ne lui manquait, hormis France, qui prenait de jour en jour plus d'importance. Une femme qu'il avait à peine remarquée, lorsqu'elle venait donner des cours de français à Frédéric, et qui aujourd'hui le subjuguait totalement. Avec Marianne, il n'avait rien ressenti de comparable. L'amour, la complicité, oui, mais pas le besoin. Or il avait besoin de France, de son équilibre et de sa sérénité, du désir violent qu'elle suscitait. Besoin de la protéger comme de se mettre à sa merci. D'abandonner une à une les défenses qu'elle forçait, de se livrer, pour une fois, au lieu de se réfugier derrière des notes.

La sonnerie du téléphone retentit, lointaine, sans qu'il fasse un geste pour se relever. S'il s'agissait d'Alix, il préférait ne pas répondre. Il avait détesté ses réflexions acerbes. Que France ne soit pas mondaine ne lui posait aucun problème, elle n'était pas censée le mettre en valeur ou lui servir d'attachée de presse. Au contraire, il espérait qu'elle ne changerait jamais quoi que ce soit à sa façon d'être. De toute façon, il était bien dans l'herbe tiède, il ne voulait pas bouger.

Résigné, Romain dut subir le sourire compatissant de la vendeuse. Sous son œil gauche, l'hématome était passé du bleu au jaune, et sa pommette avait désenflé, mais il avait tout de même la tête de quelqu'un qui s'est battu. Frédéric l'avait surpris par sa violence et sa rapidité pourtant, sans l'intervention de leurs copains, il aurait pu avoir le dessus.

Debout devant la glace, sa mère attendait qu'il se prononce. Elle avait insisté pour qu'il l'accompagne, persuadée qu'il serait de bon conseil.

— Je préférais l'autre, décida-t-il. Pas toi ?

— Repassez-le, suggéra la vendeuse dont la patience semblait infinie.

France disparut quelques instants dans la cabine d'essayage et ressortit vêtue d'un élégant tailleur bleu nuit aux reflets moirés, veste longue, cintrée et décolletée, jupe courte et droite.

— Tu es super, approuva Romain.

— Et en dessous ? Un chemisier, un...

— Rien du tout. Tu le portes comme ça, c'est plus joli.

— Le jeune homme a raison, trancha la vendeuse.

Après un dernier regard inquiet vers le miroir, France hocha la tête. Louis n'avait donné aucune précision particulière sur cette soirée à Paris, hormis le fait qu'ils avaient rendez-vous avec l'Américain dans un grand hôtel. Consulté, Romain avait essayé de lui expliquer que Franck James était un réalisateur connu pour ses excès, dont les films provoquaient souvent des polémiques, mais qui avait déjà obtenu des récompenses prestigieuses.

À la caisse, France régla ses achats en espérant qu'elle avait fait le bon choix, puis elle proposa à Romain de déjeuner dans une pizzeria.

— Ton père dirait que je jette l'argent par les

fenêtres, constata-t-elle, une fois qu'ils furent attablés.

Mais aussitôt elle regretta sa réflexion. Elle s'était promis, lorsqu'elle s'était séparée d'Antoine, que jamais elle ne dirait de mal de lui à leur fils, ni délibérément ni même par allusion.

— Je plaisantais, corrigea-t-elle, l'argent n'est pas si facile à gagner, c'est vrai.

Elle était bien placée pour le savoir, elle qui gérait son budget sans états d'âme. Ils commandèrent des tagliatelles au saumon avec une bouteille de rosé de Provence puis Romain demanda :

— Tu ne vas pas chez le coiffeur, j'espère ?

— Non, ce n'était pas prévu...

— Tant mieux. Tu es beaucoup plus mignonne quand tu les laisses sécher tout seuls, sans brushing ridicule, et puis j'aime bien les petites mèches un peu longues, là...

Il tendit la main vers elle, effleura ses cheveux.

— Je suis sûr que tu vas t'amuser ce soir, affirma-t-il. Si tu veux, on peut passer louer un film de James au vidéo-club ? Comme ça, tu sauras quoi dire !

Sa gentillesse était très touchante et elle le remercia d'un sourire attendri. Depuis le début de son aventure avec Louis, il avait été son complice malgré tout, malgré Antoine et malgré Frédéric.

— Et puis tu es complètement bilingue, tu n'as aucun souci à te faire.

Durant des années, elle avait trompé son ennui en se passionnant pour la langue anglaise, un hobby que son ex-mari approuvait sans réserve. Elle lisait et parlait couramment, n'avait jamais cessé de se perfectionner, s'était même abonnée à des quotidiens anglais.

— Dis-moi, maman..., commença Romain d'une voix mal assurée.

Il laissa sa phrase en suspens et se mit à jouer avec son couteau, la tête baissée. Quand il releva enfin les yeux vers sa mère, elle surprit son expression angoissée.

— Tu as un problème, mon chéri ?

— Non... Juste un truc à te demander...

Son embarras avait quelque chose d'inquiétant parce qu'il était toujours très direct, aussi elle attendit patiemment qu'il se décide à finir.

— Comme tu n'es pas là ce soir, j'avais pensé que... Enfin, je suppose que tu resteras dormir chez Louis ?

Avec la pudeur des adolescents, il avait du mal à évoquer le sujet et elle le vit rougir.

— Oui, je ne rentrerai que demain dans la matinée. On risque de se coucher très tard.

Sans le quitter des yeux, elle but une gorgée de rosé. Elle était presque certaine de ce qu'il allait lui annoncer, elle le connaissait trop bien pour ne pas le deviner.

— Est-ce que ça t'ennuie si je reçois une fille chez nous ?

Voilà, il l'avait dit. France ressentit aussitôt un petit pincement au cœur. Romain avait dix-sept ans, c'était un très beau garçon, et d'ici peu un jeune homme qui deviendrait un étranger.

— Recevoir, pour dîner et pour la nuit ? Non, ça ne m'ennuie pas.

— Il s'agit d'Élise, murmura-t-il.

Cette fois il était allé au bout de sa confidence, avec sa franchise habituelle. Il profiterait de l'absence de sa mère pour terminer ce qu'il avait commencé chez Richard. Élise s'était montrée adorable, depuis cette soirée gâchée. Ils s'étaient vus deux fois et ils avaient flirté à en devenir fous, mais il n'avait pas voulu bâcler sa première expérience à elle. Il préférait avoir du temps, du calme, un vrai lit, il était trop amoureux d'elle pour prendre le risque de la décevoir.

— Tu l'as méritée, je suppose, dit France d'un ton calme.

Elle se demanda si elle devait ajouter quelque

chose. Son fils était assez mûr pour qu'elle lui fasse confiance, pourtant elle hésitait à se taire. Antoine n'avait pas dû aborder la question avec Romain, elle l'aurait parié.

— Eh bien, il y a tout ce qu'il faut dans le frigo et dans le congélateur, déclara-t-elle. Et puis, dans la salle de bains, avec les médicaments, tu trouveras une boîte de...

— Oui, je sais, maman.

— Tu sais, parfait, alors n'oublie pas, pour elle comme pour toi.

Soulagée, elle sourit de nouveau. Elle avait une stupide envie de le prendre dans ses bras, le rassurer, le câliner. Mais ce ne serait plus jamais un petit garçon, il y aurait d'autres bras que les siens désormais, ce n'était plus de sa mère qu'il avait besoin.

— À Élise, dit-elle en levant son verre.

Il imita son geste, lui retourna son sourire et déclara, pour lui rendre la politesse :

— À Louis.

— Pourquoi dis-tu ça ? demanda-t-elle, un peu inquiète.

— Parce que je l'aime bien.

Et aussi parce que Louis avait eu le tact de l'appeler directement, le lendemain de la bagarre, juste avant que France ne rentre chez elle. Il lui avait expliqué à quel point il était navré, s'était excusé puis assuré que le jeune homme n'avait pas besoin de voir un médecin, qu'il n'y avait pas eu chez Richard de trop gros dégâts. Il n'avait fait aucune allusion à Frédéric, c'était son fils et il prendrait son parti quoi qu'il arrive, mais sa façon de s'adresser à Romain prouvait bien qu'il le tenait pour un adulte.

Ils vidèrent leurs verres jusqu'à la dernière goutte, comme s'ils scellaient un pacte, et France réclama l'addition.

Vers sept heures du soir, Alix s'aperçut qu'elle n'avait rien de précis à faire, ce qui était rarissime.

Pas de dîner, pas de première, aucun coup de téléphone urgent à donner. La secrétaire était partie, l'agence déserte.

Songeuse, elle baissa les yeux sur son planning, vérifia ses rendez-vous du lendemain. La journée serait chargée, elle pouvait en profiter pour rentrer tôt chez elle et se reposer. Sauf que, chez elle, il n'y avait rien d'autre que du café et des biscottes. Elle ne faisait que passer dans ce duplex un peu à l'abandon, vivant essentiellement à l'agence ou au restaurant.

Le silence lui sembla insupportable et elle ramassa ses affaires qu'elle fourra dans son sac à main. Lorsqu'elle émergea de l'immeuble, elle fut surprise par la chaleur qui régnait encore. L'été allait commencer, on arrivait aux plus longues soirées de l'année, celles qu'on n'a pas envie de passer tout seul. Elle marcha jusqu'à sa voiture, garée deux rues plus loin et gratifiée d'une inévitable contravention. L'idée de gagner Notre-Dame-de-la-Mer l'effleura mais elle se souvint que Louis ne serait pas là, que justement ce soir il voyait Franck James. Sans elle...

Les Champs-Élysées étaient affreusement encombrés et, malgré les vitres baissées, l'air restait étouffant dans la MG. Au lieu de prendre le chemin de son appartement, elle vira vers la Concorde pour rejoindre le boulevard Saint-Germain. Autant aller dîner chez Grégoire, où elle n'avait pas besoin de s'annoncer, plutôt que rester seule. Bien sûr, elle aurait pu faire signe à Tom, mais elle préférait le laisser dans l'incertitude. Chaque fois qu'il appelait, elle trouvait des prétextes pour refuser ses invitations. Elle n'avait accepté qu'un seul déjeuner en huit jours, satisfaite de constater qu'il semblait vraiment souffrir de leur séparation. Lorsqu'il aurait suffisamment payé sa scène de pseudo-rupture, elle ferait la paix avec lui.

Dans le quartier du Luxembourg, elle dut chercher longtemps une place avant de pouvoir s'arrêter, et il était huit heures quand elle sonna enfin chez son père. Ce fut Laura qui lui ouvrit, ébahie de la découvrir sur le palier.

— Qu'est-ce qui se passe ?

— Rien du tout. Les effluves de ta cuisine ont traversé Paris jusqu'à mon bureau et j'ai décidé de m'inviter.

— Tu as bien fait, on allait passer à table. Viens...

Avec Laura, c'était simple, elle ne posait jamais de questions. Moins discret, Grégoire s'étonna de l'arrivée intempestive de sa fille, tandis que Hugues rajoutait en hâte un couvert.

— Jambon en croûte au madère et gratin de brocolis, ça te va ? demanda Laura en posant un plat sur la table.

— C'est magnifique, murmura Alix.

Une soudaine bouffée de tristesse venait de s'abattre sur elle, la laissant désemparée. Pourtant, elle connaissait par cœur cette salle à manger, cet appartement, ses nièces lui souriaient gentiment et personne ne lui avait demandé la raison de sa présence. Pourquoi, à quarante ans, une femme aussi occupée qu'elle éprouvait-elle le besoin de se réfugier dans sa famille au lieu de rentrer chez elle ? Elle leva les yeux vers la suspension en pâte de verre, délicieusement rococo, qui avait éclairé tous les repas de son enfance. Combien de fois s'était-elle assise à cette même table, à côté de Louis, toujours lancés dans une de leurs interminables conversations ? À dix ans, ils étaient bavards comme deux pies, Grégoire en riait, leur mère aussi. L'image de cette dernière s'était complètement estompée. Décédée juste après le mariage de Louis, avant la naissance de Frédéric, alors que les jumeaux avaient vingt-trois ans et Laura seulement dix-huit.

— Sers-toi, répéta Hugues gentiment.

Tirée de sa rêverie, elle saisit les couverts. Elle n'avait aucune raison précise d'évoquer sa mère, ça ne lui arrivait presque jamais. Elle était très habile pour reléguer toute nostalgie à l'arrière-plan, toujours occupée à penser au lendemain plutôt qu'au passé.

— Tes affaires vont bien ? s'enquit Grégoire qui l'observait du coin de l'œil.

— Trop bien ! J'ai un travail monstre.

— Et Tom, des nouvelles ?

Laura foudroya son père du regard mais il avait un air de parfaite innocence.

— Il est en forme, affirma Alix d'un ton léger.

Ce n'était pas Tom qui la rendait songeuse pour le moment, de ça au moins elle était sûre. Elle avala quelques bouchées du jambon, nappé de sauce aux champignons, qu'elle savoura avec plaisir.

— J'espère que Louis ne commettra pas d'impair avec son Américain et qu'il ne s'engagera pas à la légère, dit-elle soudain.

— Mais non, il s'en sortira très bien, fais-lui confiance, marmonna Grégoire.

Occupée à se resservir, Alix ne vit pas le coup d'œil entendu qu'échangeaient Laura et Hugues. La raison de sa présence parmi eux venait de trouver son explication.

Dans le bar écossais du sous-sol du Plaza-Athénée, Franck James effectua une entrée remarquée. Avec sa dégaine de grand lévrier fatigué, son costume d'alpaga tout chiffonné, ses yeux délavés qui tranchaient sur son visage buriné, il avait vraiment l'air de ce qu'il était : un cinéaste américain de passage à Paris. Billy l'escortait, le crâne toujours rasé, moulé dans un jean blanc, un bloc-notes dépassant de la poche de sa chemise.

— Hello ! hurla Franck dès qu'il aperçut Louis.

Il fonça vers lui, distançant Billy, mais s'arrêta net lorsqu'il découvrit France.

— La vraie blonde ? interrogea-t-il, le doigt pointé sur elle. Ah, Lou-iss, tu as meilleur goût pour les femmes que pour la musique !

Son rire tonitruant dut s'entendre jusque dans le hall du rez-de-chaussée. Sans se laisser impressionner, France lui tendit la main, et il s'inclina, effleura le bout de ses doigts en parfait gentleman. Dès qu'il se redressa, il envoya une bourrade dans le dos de Louis, le dévisageant avec un plaisir évident. Discret, comme à l'accoutumée, Billy se contenta d'un petit signe de tête qui ne s'adressait à personne en particulier.

— Champagne ? proposa Louis.

— Du champagne français ?

— Pas californien, réfléchis...

Louis affichait son irrésistible sourire de gosse, celui qu'il avait quand il était vraiment content.

— D'accord, commande, accepta Franck. Et ensuite, où m'emmènes-tu dîner ? Je ne veux pas d'un truc prétentieux et guindé, j'ai surtout envie de goûter vos abominables fromages. Après, on fera la tournée des bars, si madame est d'accord...

Son regard glissa sur France, comme pour s'assurer qu'elle comprenait l'anglais.

— La soirée est à nous ! répondit-elle, sans la moindre trace d'accent.

— Vous parlez mieux que lui, il massacre tout.

Louis se leva et alla demander au barman de lui réserver une table pour quatre chez Androuët. Quand il revint, il avait une cigarette entre les doigts et Billy lui offrit du feu tandis que Franck continuait de bavarder avec France.

— Alors, figurez-vous que je l'emmène dans le bar le plus secret de Los Angeles, le plus cher aussi, parce qu'on peut y fumer et qu'il est incapable de s'abstenir. Je ne sais pas si vous avez une idée de ce que ça coûte en pots-de-vin au patron pour que les flics acceptent d'ignorer l'endroit et ne se pointent jamais par surprise au milieu d'un nuage de tabac blond qui est, chez nous, plus prohibé que la marijuana. Et là, qu'est-ce qu'il fait, votre petit copain ? Un scandale ! Tout ça parce qu'un superbe athlète de deux mètres de haut sur zéro quatre-vingts de large lui pose la main sur l'épaule. Pas ailleurs, vous voyez, juste sur l'épaule. Alors Lou-iss sort une petite phrase de cinq mots, pour une fois en vrai américain, mais avec trois grossièretés dedans !

Il avait raconté l'anecdote très vite, décidé à tester France sans laisser à Louis le temps d'intervenir, et il parut ravi qu'elle se mette à rire aux éclats.

— Comment a-t-il pris ça, l'athlète ? lui demanda-t-elle.

— Oh, on n'est pas restés pour le voir !

Il saisit sa coupe de champagne, la vida en trois gorgées puis se tourna vers Louis qu'il observa quelques instants d'un air amusé.

— J'en veux une autre, déclara-t-il, vous buvez dans des dés à coudre. Est-ce que ça te fait plaisir de retravailler avec moi ?

— Je ne t'ai pas dit oui.

— Je savais bien que ça t'emballerait !

Louis adressa un signe au barman tout en protestant :

— Ce sera forcément un cauchemar...

— D'autant plus que je sais exactement ce que je veux.

— Pas possible ?

— Un truc à peu près aussi léger que du Wagner !

De nouveau, son rire fit cesser toutes les conversations autour d'eux. Louis se pencha un peu en avant pour demander, à mi-voix :

— C'est quoi, ton film romantique ?

— Une histoire de vampires.

— De vampires ?

Il regarda France, puis Billy, enfin le verre à nouveau vide de Franck.

— Je m'attendais à *Autant en emporte le vent*, pas à *Dracula* !

— Eh bien quoi, Lou-iss ? Coppola en a fait un superbe, sans parler de celui où Tom Cruise et Brad Pitt sont fantastiques ! *Mon* vampire est un type remarquable, très triste parce qu'il s'emmerde dans les siècles des siècles.

— *Amen*, soupira Louis.

— Et j'ai trouvé un château médiéval, en Dordogne, c'est là qu'on va tourner.

— Pourquoi Wagner, alors ? Pourquoi pas le *Requiem* de Mozart, c'est davantage « Debout les morts » !

— Oui, tout ça et quelque chose d'autre, que tu vas m'inventer. Plus... dérangeant, plus angoissant. Il s'agit quand même d'un héros affreusement cruel.

— Franck...

— Ne commence pas à discuter maintenant, on aura tout le loisir de s'engueuler quand tu seras au piano. Bon, on va dîner ou on passe la nuit ici ?

Il s'était levé, démesurément grand, l'air las mais les yeux brillants. Il tendit la main à France et, quand elle se retrouva debout à côté de lui, elle s'aperçut qu'elle ne lui arrivait même pas à l'épaule.

— Les Françaises s'habillent toutes aussi bien ? interrogea-t-il avec curiosité.

— Question de mode, de goût, et de budget, répondit-elle.

— De silhouette, aussi. Vous êtes ravissante, il ne vous manque qu'un petit chapeau.

— Nous n'en portons plus depuis la Libération, vous avez cinquante ans de retard.

— Impossible, nous avons toujours dix ans d'avance sur vous !

Il la laissa passer, Billy s'intercala, et il resta un peu en arrière avec Louis qu'il prit par l'épaule.

— Je l'aime beaucoup, elle est gaie, positive, tout le contraire de toi. Elle te rend heureux ?

— Très heureux, et très inquiet.

— Alors tu vas *très* bien travailler. Prévois un bon mois sur place, je veux que tu assistes au tournage de certaines scènes.

Louis ne chercha même pas à protester, il savait qu'il ferait le film de toute façon, que Franck allait lui mener la vie dure, mais qu'au bout du compte il y aurait une musique dont ils seraient fiers tous les deux.

De l'avenue Montaigne, ils se rendirent à pied rue Arsène-Houssaye. La soirée était douce, il faisait encore jour et il y avait beaucoup de monde sur les trottoirs. Chez Androuët, la lecture du menu donna lieu à une discussion animée dont France se tira sans difficulté en expliquant aux deux Américains les principales différences entre les grandes familles de fromages. Son vocabulaire semblait illimité et Louis ne comprenait qu'un mot sur trois, amusé de la voir bavarder avec une telle assurance. Il ne s'était fait aucun souci à son sujet, satisfait par sa seule présence, mais il était agréablement surpris. Billy lui-même, taciturne par principe, semblait conquis.

Un subtil assortiment de pains et de salades accompagnait les plateaux de fromages, mais Franck se contentait de grignoter, plus occupé à déguster le château Lalande-Pomerol choisi par Louis. Quand il en arriva à un munster au goût prononcé, il repoussa son assiette avec dégoût.

— Franchement, ce truc, on croirait qu'il est pourri depuis six mois.

— C'est délicieux, murmura Billy qui mangeait pour deux.

Franck l'observa une seconde, sans indulgence, puis haussa les épaules.

— Où nous emmènes-tu maintenant, Lou-iss ?

— Je ne connais pas vraiment les bars gay, mais si tu veux, je vais me renseigner.

— Non, non, France n'a rien à faire dans des endroits comme ça, ce serait trop ennuyeux pour elle.

— Alors, laisse-moi choisir. Si c'est juste pour te saouler, on y arrivera toujours.

Quand le maître d'hôtel apporta l'addition à Louis, Franck se pencha pour lire le chiffre.

— Tout ça pour du fromage ? s'esclaffa-t-il.

Mais tu peux payer, tu as écrit cet horrible *Pacific*, grâce à moi ! J'espère que tu n'en as pas profité pour augmenter tes tarifs ?

— Comment oses-tu parler d'argent à table ? répliqua Louis. Ton producteur verra ça avec mon agent.

Il se leva le premier et demanda à un serveur qu'on leur appelle un taxi. Toujours très à l'aise, France continuait à bavarder avec Billy qui s'était lancé dans un discours sur la mode. Non seulement elle ne s'ennuyait pas, mais elle animait la soirée, ce qu'Alix aurait fait de manière beaucoup plus artificielle si elle avait été là. Louis avait vécu des dîners professionnels assez difficiles en sa compagnie, avec l'impression pénible d'être un produit de consommation. Alix le vendait bien, le vendait cher, sans jamais se demander s'il pourrait honorer ce à quoi elle l'engageait. Confiance aveugle dans ses capacités de musicien ou simple goût des affaires ?

Quand France monta dans le taxi, sa jupe se releva sur ses cuisses et Louis éprouva une irrésistible envie de l'embrasser, ou au moins de la toucher, mais Franck les sépara en s'asseyant au milieu tandis que Billy prenait place à côté du chauffeur. Ils se firent déposer à Saint-Germain, devant la discothèque de Tom où le portier commençait à refouler certains clients. À l'intérieur, le bruit était tel qu'ils allèrent directement au premier étage, dans une salle un peu plus calme qui surplombait la piste de danse.

— Je veux du whisky ! cria Franck dans l'oreille de Louis.

— Pas d'alcool à brûler, ce soir, ni d'absinthe ?

Il quitta leur table pour partir à la recherche de Tom, et Franck le regarda s'éloigner avec un sourire ironique.

— On va bien s'amuser sur ce tournage, dit-il à France. Quand il saura ce que j'attends de lui, il va piquer une crise !

— Il s'agit vraiment de vampires ?

— Encore plus abominable que ça.

— Décidément, vous aimez les sujets très...

— Peu importe le sujet, c'est la manière de se servir de la caméra qui compte.

Avec Romain, elle avait regardé en début d'après-midi un film de Franck, âpre et violent, comme tout ce qu'il faisait, mais qui l'avait tenue en haleine jusqu'à la dernière image.

— Pourquoi avez-vous choisi Louis ? demanda-t-elle avec une soudaine curiosité.

— Parce que c'est l'un des musiciens les plus doués que je connaisse. Et aussi parce qu'il est relativement malléable. Comme il n'est pas certain de son talent, on peut encore l'obliger à se sortir les tripes.

Franck parlait avec cynisme, pourtant son regard pâle restait malicieux.

— Au cinéma, la musique a une importance capitale, poursuivit-il. On arrive même à sauver un film médiocre avec une bonne musique. La bande originale de *Soleil couchant* est bourrée de trouvailles, il faut être idiot pour ne pas s'en apercevoir. La première fois que je l'ai entendue, j'ai su que je voulais travailler avec le type qui avait composé ça. Je me suis fait envoyer les disques de Louis mais la plupart de ses thèmes sont trop classiques, il ne prend pas de risques, il ronronne tranquillement dans ce qu'il connaît à fond. Moi, je le bouscule, je le force à oser.

Il sortit un petit tube d'aluminium de la poche de son veston et en extirpa un cigare qu'il contempla un moment.

— Je peux ?

— Bien sûr.

— Est-ce que vous voulez que Billy vous fasse danser ?

— Tout à l'heure, volontiers, mais je vais boire un verre d'abord.

— Oui, ce foutu fromage, ça donne soif !

Il avait compris qu'elle ne voulait pas le laisser

tout seul, et cet excès de politesse l'amusa. Il se pencha un peu vers elle, la fixant avec une telle insistance qu'elle se sentit gênée.

— France, vous savez quoi ? Je vais être honnête avec vous. Si Louis avait vingt ans de moins... Ou même dix...

Délibérément, il laissait sa phrase inachevée, sans la quitter des yeux. Billy avait réagi, tournant la tête vers eux, mais elle l'ignora.

— Et vous croyez que je vous laisserais faire ?

L'énorme rire de Franck surprit Tom qui arrivait avec Louis et un serveur. Hilare, l'Américain tenait la main de France dans les siennes, comme s'il la congratulait pour une victoire, et Louis se demanda ce qu'ils avaient bien pu se raconter pour avoir l'air si contents l'un de l'autre. Une fois les présentations faites, Franck engloutit d'un trait le whisky qu'on venait de déposer devant lui.

— En perfusion, tu gagnerais du temps, fit remarquer Louis.

La bouteille était sur la table, et il le resservit tandis que Billy quittait son fauteuil pour s'incliner devant France.

— Tu es jaloux s'ils vont danser ? interrogea Franck.

Louis se contenta de sourire, en suivant des yeux le couple qui s'éloignait vers l'escalier.

— Elle est superbe, constata Tom.

Le tailleur bleu nuit avait des reflets chatoyants sous les lumières de la discothèque et mettait en valeur sa silhouette menue, ses longues jambes, son teint clair. Il ne l'avait vue qu'en jean jusque-là, lors des dimanches à Notre-Dame-de-la-Mer, et il la découvrait très différente, capable d'une élégance inattendue qui lui allait bien.

— Est-ce que vos affaires s'arrangent un peu ? dit-il à Louis, en français.

— Non, ça se déglingue, Fred et Romain en sont venus aux mains, tu imagines ? Et toi, avec Alix ?

— Point mort. J'en ai vraiment bavé mais je

commence à m'y faire. Je m'aperçois que je peux vivre sans elle, et je n'aurais pas parié cinq francs là-dessus le mois dernier !

Il énonçait cela de façon sinistre, avec une nuance de regret qui prouvait sa sincérité. Franck s'était retourné pour regarder la piste, en contrebas, où une quarantaine de personnes se déchaînaient sur du reggae. Billy et France paraissaient s'amuser, indifférents à l'atmosphère d'hystérie autour d'eux.

— Je ne l'imaginais pas comme ça, ton copain américain, chuchota Tom.

— C'est autre chose qu'un copain, répondit Louis sur le même ton.

Depuis le début de la soirée, il faisait attention à ce qu'il buvait, incapable de suivre le rythme de Franck, mais il commençait à se sentir fatigué. Il pensa à certaines aubes, à Los Angeles, où il s'était endormi sans avoir le courage de se déshabiller.

— Où pouvons-nous aller, en sortant de chez toi ? Il n'est que deux heures du matin, il ne voudra jamais rentrer à son hôtel maintenant.

— Va au Petit Journal, c'est moins bruyant qu'ici, suggéra Tom.

Franck s'était désintéressé des danseurs et leur faisait de nouveau face. Au moment où il tendait la main vers la bouteille, la musique de *Pacific* éclata dans les haut-parleurs. De sa cabine en verre, le disc-jockey agita la main en direction de Louis, qu'il venait de reconnaître.

— C'est pour te faire plaisir qu'ils ont mis ça ? demanda Franck.

— On le passe au moins dix fois par nuit, précisa Tom en anglais.

L'Américain secoua la tête d'un air dégoûté.

— Tu n'aurais jamais dû signer ce truc de ton nom. Tu finiras par composer de la musique d'ambiance si tu continues ! Ton agent n'a pas eu l'idée de te faire prendre un pseudonyme ? Alors, c'est un mauvais agent, changes-en ou tu vas bousiller ta carrière.

Interloqué, Louis chercha en vain une réponse. Franck avait parlé sérieusement, du ton professionnel et sans réplique qu'il utilisait sur un plateau de tournage. Pour sa part, il n'avait fait aucune concession dans son métier. À travers ses films, il se montrait volontiers provocateur, marginal, amoral ou même malsain, mais sans jamais céder à la facilité, ce qui l'avait propulsé dans le cercle restreint des réalisateurs à qui on accordait n'importe quel budget.

Tom restait figé, aussi surpris que Louis par la sévérité du jugement, et très heureux qu'Alix n'ait pas été là pour l'entendre. Franck esquissa un petit sourire narquois.

— Lou-iss, ne prends pas ça au tragique ! Tu y avais pensé tout seul, non ? Il ne faut jamais écouter personne, tu sais bien, et surtout pas les gens qui font du fric sur ton dos. Allez, trinque avec moi.

Il remplit les trois verres, prit le sien d'une main qui ne tremblait pas. L'alcool semblait n'avoir aucun effet sur lui, il restait lucide, moqueur, égal à lui-même. À contrecœur, Louis but une gorgée puis se pencha un peu au-dessus de la table.

— Mon agent, dit-il posément, est ma sœur jumelle. C'est aussi la petite amie de Tom.

S'il avait cru embarrasser Franck, il comprit tout de suite qu'il s'était trompé.

— Mon Dieu que c'est petit, la France ! s'esclaffa l'Américain. Vous êtes vraiment obligés de travailler en famille ? Comment veux-tu que ça marche ?

Il riait encore lorsque Billy et France les rejoignirent, assoiffés et à bout de souffle. Elle se laissa tomber sur la banquette, près de Louis qui paraissait gai, décidément heureux de sa soirée malgré toutes les vérités que Franck lui assenait. D'un geste spontané, très tendre, il la prit par la taille pour l'attirer contre lui. À travers le tissu du tailleur, il sentit qu'elle avait chaud, que son cœur battait vite. De sa main libre, il versa du Perrier dans un grand verre qu'il lui tendit, puis il la regarda boire jusqu'à ce qu'elle relève les yeux vers lui.

— Et avec moi, tu veux bien danser ? lui demanda-t-il gravement.

Personne, même Marianne, ne lui avait fait éprouver d'émotions aussi intenses que celles que France suscitait. Elle mettait sa sensibilité à vif, le bouleversait au moment le plus inattendu. Il la lâcha pour se mettre debout, lui tendit la main, mais la voix moqueuse de Franck l'arrêta.

— Eh, non ! Celle-là, elle est pour moi. Tu permets ?

L'Américain fit signe à France de passer la première et il lança, sans se retourner :

— Tu es vraiment trop romantique, Lou-iss !

13

Romain passa un dernier coup de torchon sur la table de la cuisine avant de vérifier, d'un regard circulaire, que tout était en ordre. Impossible de deviner qu'ils avaient dîné là aux chandelles, Élise et lui. Quant au petit déjeuner, il le lui avait porté au lit.

Il prit une tasse propre sur le bord de l'évier et se servit un peu de café. Elle était partie depuis une heure, censée rentrer de chez sa meilleure amie où elle prétendrait avoir passé la nuit. Sa première nuit de toute jeune femme. Pour laquelle il avait le sentiment de s'être bien comporté, avec toute la patience possible malgré son manque d'expérience.

La machine à laver ronronnait doucement. Il l'avait mise en route quelques minutes plus tôt, après y avoir enfourné ses draps. Songeur, il observa un moment la mousse qui s'accumulait contre le hublot. Ce qu'il avait préféré, de tous les instants vécus à deux depuis la veille, c'était l'intonation extasiée d'Élise pour prononcer son prénom. Pendant l'amour, mais aussi juste avant qu'elle ne s'endorme.

— Romain ! Tu es là ?

Sa mère, qu'il n'avait pas entendue rentrer, fit irruption dans la cuisine et se précipita sur lui.

— Tout va bien ? demanda-t-elle en lui passant la main dans les cheveux.

C'était une question pudique, inquiète, qui le fit sourire malgré lui.

— Très, très bien, dit-il lentement.

Il soutint son regard et elle s'écarta un peu pour le détailler des pieds à la tête. Son grand fils amoureux.

— Il te reste du café ?

Elle ne voulait rien demander de précis, il parlerait s'il en avait envie.

— Tu t'es couchée tard, non ?

Un tee-shirt de Louis, qu'elle avait enfilé sur la jupe du tailleur, la faisait paraître toute menue, espiègle, presque étrange. Elle se débarrassa de ses escarpins, fit quelques pas pieds nus sur le carrelage frais.

— À cinq heures. Ça ne m'était pas arrivé depuis des années !

— Et Franck James, comment est-il ?

— Indescriptible. Caustique, autoritaire, affreusement américain, mais avec un tel charisme qu'il subjugue tout le monde. Il va tourner en France, en Dordogne, une histoire de vampires dont Louis doit faire la musique. Si ça t'amuse de descendre là-bas un week-end, nous serons invités.

— Tu plaisantes ?

Ébahi, il s'assura qu'elle était sérieuse puis il éclata de rire.

— Mais c'est fabuleux, maman !

Il lui mit une tasse dans la main, la poussa vers un tabouret.

— Tu devrais faire un somme, suggéra-t-il.

— Toi aussi, non ?

Ils se dévisagèrent avec une tendresse complice et elle finit par proposer :

— On dort un peu d'abord, ensuite on pensera à déjeuner, même s'il est très tard. À quelle heure installez-vous le podium ?

Pour la fête de la Musique, Romain avait obtenu le droit de jouer avec son groupe dans le centre ville. Encore une nuit blanche en perspective, mais qui le réjouissait beaucoup, d'autant plus qu'Élise avait promis d'être là tôt et de ne pas le quitter.

— Tu viendras nous écouter, ce soir ?

— Oui, bien sûr.

— Et Louis ?

Il avait pris un ton dégagé, peut-être pour lui faire plaisir à elle, peut-être parce que l'opinion de Louis comptait bien plus qu'il ne voulait l'avouer.

— Il doit me retrouver vers onze heures.

Rien n'était simple, dès qu'il s'agissait de leurs deux fils. Frédéric comptait se rendre lui aussi à la fête, comme tous les jeunes, et Louis avait promis de le conduire, puis de revenir le chercher.

— Nous irons te voir ensemble, il veut savoir de quelle façon vous allez vous en tirer, tes copains et toi. Mais il faudra aussi qu'il s'occupe de son fils...

Prudente, elle guettait sa réaction et n'eut droit qu'à une moue dédaigneuse.

— Normal. C'est le fils de son papa !

L'esclandre de Frédéric ne l'avait finalement pas empêché de devenir l'amant d'Élise, toutefois il ne pardonnait pas ce bleu qui s'étalait encore sous son œil. Un jour ou l'autre, il réglerait ce compte-là, loin de sa mère et de Louis, il avait tout son temps.

— C'est toujours le grand amour, maman ? interrogea-t-il, les yeux fixés sur elle.

Qu'elle soit heureuse ne faisait aucun doute, elle rayonnait. En conséquence, il pouvait se laisser aller à son propre bonheur sans arrière-pensée.

— Oh oui, vraiment..., murmura-t-elle d'un ton grave.

— Je suis content pour toi.

Il avait le droit de le dire, il le pensait sincèrement, même si la vision fugitive d'Antoine, seul chez lui, venait de l'effleurer.

— Va dormir, insista-t-il.

Elle s'abstint de rire devant cette sollicitude de jeune homme responsable et sûr de lui. Élise avait de la chance, elle était bien tombée, peu de garçons possédaient la délicatesse de Romain. Même en se sachant partiale, France eut la certitude qu'elle avait bien élevé son fils.

Tom faillit faire demi-tour lorsqu'il découvrit la voiture d'Alix garée dans l'allée. Louis avait beaucoup insisté, la veille, pour qu'il vienne dîner à Notre-Dame-de-la-Mer, et il s'y était résolu avec le secret espoir qu'il s'agirait d'un bon test. Mais la simple vue de la MG suffisait à le troubler, ce qui réduisait à néant toutes ses illusions.

— Tom ! s'écria Hugues qui venait de surgir à côté de la portière. Eh bien, ça fait plaisir de te voir !

Juché sur l'ancien vélo de Frédéric, il était en train d'organiser une chasse au trésor pour ses filles.

— Tu bouches le chemin, va là-bas avec les autres. Laura a prévu un gigot en ton honneur, et elle est partie chercher des haricots verts frais.

La gentillesse d'Hugues était si spontanée que Tom se sentit soudain beaucoup mieux.

— Où est Louis ?

— Couché sur son Steinway, lessivé, il fait semblant de composer mais je suis sûr qu'il dort.

Dans cette maison, depuis tant d'années, Tom était comme chez lui. Il alla se ranger derrière l'Alfa, finalement ravi d'être venu. Tant pis si Alix le prenait mal, il était l'invité de Louis. D'un pas décidé, il longea la façade jusqu'aux dernières portes-fenêtres.

— Tiens, Tom !

Assis sur un rocking-chair, au bout de la galerie extérieure, Grégoire le regardait arriver d'un air réjoui, son journal sur les genoux et un chapeau colonial sur la tête.

— Tu nous boudais ou quoi ? Il y a mille ans que tu ne nous as pas fait l'honneur d'une visite.

— Comment allez-vous ? demanda Tom en s'arrêtant devant lui.

— Très bien, c'est l'été, c'est formidable. On va rester quelques jours ici, c'est plus agréable que Paris quand il fait chaud...

Grégoire l'observait sans oser lui poser de questions trop directes. Tom lui était toujours apparu comme un gendre idéal, un des rares hommes capables de mater Alix, et il s'inquiétait beaucoup de leur rupture.

— Si tu cherches les jumeaux, ils sont là, dit-il avec un geste vers l'auditorium.

Alors que Tom allait s'éloigner, le vieil homme leva la main pour le retenir.

— Attends une seconde. Tu vas me dire que ça ne me regarde pas, mais je crois que vous devriez vous réconcilier.

— Oh, je ne...

— Laisse-moi finir ! C'est déjà pénible d'être indiscret alors, si tu m'interromps... Bon, écoute, ma fille a ses défauts, Dieu sait, pourtant, même si elle te tient la dragée haute, elle est comme une âme en peine en ce moment, mieux vaut que tu le saches.

À peine sa phrase terminée, il reprit son journal et se replongea dans ses mots croisés. Tom resta quelques instants à côté de lui, indécis, puis il s'éloigna en silence. Alix, une « âme en peine » ? Certes, elle avait été capable de pleurer, certaine nuit, de là à être inconsolable, ça ne lui ressemblait vraiment pas.

Quand il entra dans l'auditorium, il vit Louis assis par terre, le dos appuyé au mur, et Alix qui faisait les cent pas autour du piano.

— Bonsoir, vous deux, dit-il tranquillement.

Alix sursauta tandis que Louis se levait, souriant.

— Pas trop de monde sur la route ? Je suis content que tu sois là.

Ils échangèrent une poignée de main et un regard rapide.

— La fin de la nuit a été pénible, on dirait, remarqua Tom.

— Je suis mort, Franck est infatigable. Tu connais ma sœur ?

La plaisanterie fit sourire Alix alors que Tom répliquait :

— De vue...

— Je vais prendre une douche, peut-être que ça me réveillera, il y a la fête de la Musique, ce soir !

En quelques enjambées, Louis gagna la porte de l'escalier et disparut.

— Comme traquenard, c'est cousu de fil blanc ! persifla Alix.

— Si ça t'ennuie, je peux m'en aller.

— Ne sois pas susceptible, c'est normal que tu viennes ici de temps en temps, Louis t'adore. En ce qui me concerne, ça ne pose aucun problème.

— Tant mieux.

Elle ne faisait pas un pas dans sa direction, toujours debout près du piano : il eut la sensation qu'elle était en train de devenir une étrangère pour lui. Belle, hiératique, mais si distante qu'il finirait bien par l'oublier.

— Alors, même toi, tu as rencontré cet Américain ? Il n'y a vraiment que moi qui ai été écartée ! dit-elle d'un ton acide.

Une fois encore, c'était la vie de son frère qui la préoccupait. Il pensa que, de toute façon, il valait mieux qu'elle n'ait pas entendu les propos de Franck James.

— Et notre *chère* Mme Capelan, comment s'est-elle comportée ?

Louis n'avait pas dû raconter grand-chose et elle était dévorée de curiosité.

— Très élégante, très à l'aise, elle a beaucoup dansé avec l'assistant de James, et elle a surtout servi d'interprète parce qu'elle est complètement bilingue.

Stupéfaite, Alix resta muette un instant. Si c'était vrai, pourquoi le lui disait-il ? Pour la provoquer ? Elle avait clamé partout que France se ridiculiserait dans cette soirée, or il prétendait le contraire avec une sorte de satisfaction perverse qui lui parut suspecte.

— Je ne te crois pas, répondit-elle enfin. D'ailleurs, les hommes sont tellement indulgents avec les blondes... Je devrais me décolorer, tu serais plus aimable !

— Moi ? s'étonna-t-il. Tu m'as posé une question, je t'ai répondu, c'est tout. Je n'y suis pour rien si elle parle anglais, si elle sait s'habiller quand elle sort, si Louis est heureux avec elle ! Je constate, c'est tout.

Sa froideur avait quelque chose de très désagréable. Il s'était détourné et regardait vers le parc, comme s'il se désintéressait d'elle.

— Tom, qu'est-ce que tu as ? demanda-t-elle à mi-voix. Nous étions d'accord pour rester amis, non ?

— Amis ! s'indigna-t-il. J'aimerais pouvoir, je te jure, mais tu es tellement...

Toujours de dos, il cherchait ses mots et ne la vit pas approcher. Lorsqu'elle lui mit ses mains sur les épaules, il se raidit. Il sentit d'abord son parfum, ensuite sa chaleur, puis son souffle contre sa joue quand elle chuchota :

— La prochaine fois que tu m'invites à dîner, j'accepte.

Les yeux fermés, il dut lutter pour ne pas se retourner mais il parvint à rester immobile, silencieux. S'il avait assez de volonté, il n'y aurait jamais de prochaine fois.

Sur la place du marché, déjà noire de monde à neuf heures, les jeunes du lycée s'étaient agglutinés près du podium où Richard exécutait un impressionnant numéro à la batterie. La soirée ne faisait que commencer et, déjà, l'ambiance était électrique. Partout en ville, le long des rues et dans les bars, les groupes locaux avaient pris place pour jouer du folk, du rap, du rock et même du jazz.

Frédéric s'était promené, les mains dans les poches, s'arrêtant cinq minutes ici ou là pour écouter une formation, mais surtout anxieux de repérer Nadège dans la foule. Ils avaient rendez-vous devant leur bistro favori, où il repassa dix fois sans la trouver, et finalement il fut intercepté par des copains qui l'entraînèrent avec eux. Bien qu'il n'eût aucune envie d'entendre Romain, il dut rester quelques minutes au pied de son podium, agacé par l'admiration des autres pour chaque solo de guitare. D'un coup d'œil, il avait tout de même constaté que le visage de Romain portait encore la marque de leur bagarre et il s'était senti réconforté. En ce qui le concernait, la plaie de sa tempe, due au verre brisé et non pas aux poings de son adversaire, n'avait laissé qu'une trace insignifiante.

— Je t'ai cherché partout ! s'écria Nadège en glissant soudain sa main dans la sienne.

Ce simple contact le fit tressaillir et il referma ses doigts sur ceux de la jeune fille. Elle portait un minuscule débardeur à fines bretelles, si court qu'il pouvait voir sa peau bronzée, au-dessus de la ceinture du pantalon de toile. Quand elle comprit ce qu'il regardait, elle se mit à rire.

— Viens à la piscine avec moi, un de ces jours, j'y suis tous les matins !

— Pourquoi pas ?

Le hâle faisait paraître ses yeux gris encore plus clairs, plus grands. Le moment n'était pas très bien choisi, au milieu de toute cette agitation, mais sur une impulsion il approcha son visage du sien, lui effleura les lèvres d'un baiser léger qu'elle ne chercha pas à éviter.

— On va voir ailleurs ce qui se passe ? proposa-t-il alors d'une voix rauque.

Ils s'éloignèrent du podium sans se lâcher la main, sous le regard intrigué de Romain qui venait de les apercevoir. Nadège était dans sa classe, il l'avait jugée jusqu'ici comme une fille intelligente, sensible, et il ne comprenait pas ce qu'elle faisait avec Frédéric. Puis il se souvint, amer, qu'Élise elle-même avait hésité entre eux deux ; ce fils à papa querelleur devait donc plaire aux filles.

Damien venait de prendre le relais, au synthé, et Romain en profita pour se reposer une seconde. Cette deuxième occasion de jouer en public confirmait son goût de la scène. L'année précédente, il s'était cantonné à une animation spontanée, dans une petite rue où il avait tout de même connu un certain succès, seul avec sa guitare. Mais depuis qu'il avait formé « son » groupe, depuis qu'il obligeait Damien et Richard à répéter régulièrement, et surtout depuis leur exhibition à Bonnières, il avait pris confiance en lui. Louis avait agi comme un véritable détonateur en l'encourageant. Face à l'intransigeance de son père, la gentillesse ou la patience de sa mère n'avaient jamais suffi à le rassurer, alors que l'avis d'un professionnel de l'envergure de Louis s'était avéré déterminant. Il savait désormais qu'il ferait de la musique son métier, quitte à n'avouer ses intentions qu'à la fin de sa terminale. À ce moment-là, il serait majeur, personne ne pourrait plus l'en empêcher, pas même Antoine.

Parmi les spectateurs massés devant eux, il y avait beaucoup de visages familiers, des copains ou même des professeurs, mais il ne vit pas sa mère. En revanche, Élise était là, comme promis, entourée de quelques filles, et elles saluèrent la fin du morceau avec un enthousiasme communicatif, décidées à mettre de l'ambiance.

Sur la terrasse, le dîner s'était prolongé, et il avait fallu toute l'autorité de Hugues pour convaincre Sabine et Tiphaine d'aller enfin se coucher. C'était la nuit la plus courte de l'année, suivie du premier jour de l'été, un moment privilégié dont ils avaient tous voulu profiter.

Tom s'était arrangé pour ne bavarder qu'avec Louis ou Laura, sans s'intéresser à Alix. Il était vraiment à l'aise au milieu de la famille Neuville, une sensation paradoxale qui l'amusait. Toutefois, il avait refusé de rester dormir, s'imaginant mal dans une chambre d'ami, et tout à fait incapable de résister aux avances d'Alix si elle s'y risquait. Il n'était pas guéri, juste en rémission, il devait rester prudent.

Peu avant le dessert, Alix s'était lassée de l'indifférence affichée par Tom. Pour manifester sa mauvaise humeur, elle avait proposé de conduire Frédéric en ville et, malgré la superbe tarte aux framboises que Laura venait d'apporter, elle était partie avec son neveu sans donner aucune précision sur l'heure de son retour.

— Je le dépose où il veut et j'irai me balader toute seule, le nez au vent, à la recherche de nouveaux talents ! avait-elle lancé d'un ton provocateur.

Presque soulagé par son départ, Tom avait pu se détendre, plaisanter, reprendre du café. Vers dix heures et demie, Grégoire avait allumé les photophores sur lesquels les papillons de nuit et les moustiques étaient venus se brûler aussitôt. Un peu plus tard, alors que la conversation commençait à languir, Louis avait insisté pour que Tom l'accompagne.

— Avant de rentrer à Paris, tu peux bien faire un tour avec moi à cette fête de la Musique ! Allez, s'il y a bien quelqu'un qui n'aime pas se coucher tôt...

— Tu n'en as jamais marre de la musique ? bougonna Grégoire qui n'avait pas envie de les voir partir.

— Pas du tout ! Et je suis curieux de savoir ce que font tous ces jeunes, c'est très instructif. J'ai quarante ans, papa, alors si je ne veux pas me laisser distancer...

— Romain joue ? demanda Tom.

— Oui, d'ailleurs j'ai promis à France de l'écouter.

— Il vaudra mieux qu'on fasse ça avant de mettre la main sur Frédéric, je suppose...

— Ça veut dire que tu viens ?

— Uniquement pour te faire plaisir.

Pour cette raison-là, mais aussi pour essayer de faire la paix avec Alix, s'il la trouvait dans la foule. Il l'avait trop ignorée, ce soir, il en était conscient, et il ne supportait pas l'idée qu'elle soit réellement peinée. Il était peut-être capable de la quitter, mais en aucun cas de lui faire du mal.

Ils descendirent en ville avec la voiture de Louis, qu'ils durent abandonner loin du centre rendu inaccessible par une série de barrières. Des centaines de gens déambulaient dans les rues ou stationnaient au pied des podiums, criaient pour se faire entendre, interpellaient les musiciens ou se mettaient même à danser. L'ambiance était survoltée, presque inquiétante à cause des sonos poussées à la limite du tolérable. Un peu mal à l'aise, Louis se demanda comment il allait pouvoir rejoindre France. Elle avait parlé d'un bar, Le Batracien, où elle devait prendre un verre avec quelques collègues du lycée, et il espéra qu'elle y serait encore.

Richard avait le premier repéré une bande louche qui tournait sur la place du marché. Surexcités, agressifs, cherchant visiblement la bagarre, ils étaient au moins une quinzaine dont le signe distinctif semblait être un anneau dans l'oreille gauche.

Entre deux morceaux, il les avait désignés à Romain et à Damien, avec la consigne de ne répondre à aucune provocation. Chaque année ou presque, la fête de la Musique se terminait par des incidents auxquels la police ne voulait pas se mêler. Règlements de comptes entre bandes rivales venues d'autres villes ou d'autres banlieues, jeunes défoncés par la drogue, l'alcool et les décibels ; à moins d'envoyer une compagnie de CRS, il n'y avait pas moyen de faire respecter l'ordre, aussi les autorités préféraient-elles rester à distance et compter les points.

— On n'y coupe pas, c'est à nous qu'ils vont faire des emmerdes ! dit soudain Richard.

Du coin de l'œil, il les voyait venir dans leur direction. Au pied du podium, les copains étaient toujours là, qui formaient sans le savoir une cible de choix. Trop jeunes, trop sages, trop mignons dans leurs vêtements à la mode. Les autres avaient vingt ou vingt-cinq ans en moyenne, et l'air de vraies têtes brûlées. Shootés à l'ecstasy ou à quelque chose de plus fort. Rien à voir avec les gentils débordements des lycéens.

— Ne vous en occupez pas, surtout ne leur répondez pas, murmura Damien, la main sur son micro.

Mais quatre des types venaient de grimper à côté d'eux et commençaient déjà à les interpeller d'un ton violent.

Frédéric et Nadège avaient fait lentement le tour de la ville, s'arrêtant presque partout. Ils comparaient leurs préférences avec un malin plaisir, sans se lâcher la main, heureux de se découvrir mutuellement. À plusieurs reprises, Frédéric s'était penché vers elle afin de l'embrasser au coin des lèvres, mais il n'avait pas cherché à aller plus loin, émerveillé qu'elle le laisse faire, qu'elle en profite même pour s'appuyer contre lui. C'était peut-être la plus belle soirée de sa vie, il ne se souvenait pas de s'être jamais senti aussi léger.

Indifférent à l'heure qu'il pouvait bien être, il savait que son père ne se ferait aucun souci. Quand elle l'avait déposé, Alix lui avait recommandé de bien s'amuser, d'en profiter. Si Louis était fatigué, elle reviendrait le chercher elle-même, à moins qu'elle ne reste jusqu'à l'aube, elle aussi. De toute façon, elle avait son portable avec elle, il suffisait de l'appeler.

Un peu assommés par toute cette musique, les deux jeunes gens n'avaient bu jusque-là que du coca. Chaque fois qu'ils croisaient des copains, ils bavardaient quelques instants mais repartaient ensemble, attentifs à ne pas se laisser séparer.

— Tu n'as pas faim, toi ? demanda Nadège d'un air gourmand. Il y a une baraque de hot-dogs, place du Marché...

— Alors on y va, je t'invite !

Le gigot de Laura était loin, et il avait envie d'une bière. De plus en plus euphorique, il l'entraîna à travers les rues encombrées. Quand ils arrivèrent sur la place, il y avait toujours autant de bruit, autant de monde, pourtant on entendait moins nettement le son des instruments, car l'un des groupes semblait avoir cessé de jouer. L'odeur des saucisses grillées leur parvenait déjà mais un brusque mouvement de foule les éloigna de l'endroit où ils voulaient aller, et Frédéric devina qu'il se passait quelque chose d'anormal. Vaguement inquiet, il leva les yeux vers le podium de Richard qui lui parut dévasté. Des gens riaient, près d'eux, toutefois il crut discerner des cris de terreur au milieu du chahut. En alerte, il lâcha la main de Nadège pour la prendre fermement par la taille.

— Viens, je veux vérifier un truc bizarre...

Ils avaient du mal à avancer, se faisaient bousculer, mais ils finirent par se rapprocher du podium devant lequel régnait une totale confusion. La batterie de Richard gisait sur le trottoir, éventrée, piétinée par ceux qui se battaient comme par ceux qui cherchaient à s'échapper. Au milieu d'une mêlée indescriptible, des filles hurlaient, hystériques. Frédéric reconnut Damien, le visage en sang, et il comprit immédiatement qu'il s'agissait d'une véritable rixe.

— Ne reste pas là ! cria-t-il à Nadège.

Il la repoussa loin de lui, incapable de savoir ce qu'il devait faire. Il la vit reculer, emportée par le flot des gens en fuite. Quelqu'un avait bien dû penser à appeler les flics, mais il y aurait des blessés avant qu'ils arrivent. À quelques mètres de là, la foule restait indifférente, rendue sourde par la musique, inconsciente du danger. Les choses allaient beaucoup trop vite, Frédéric se sentit complètement dépassé quand il découvrit Richard, à genoux dans le caniveau, qui se tenait la tête à deux mains. Il voulut se précipiter vers lui mais au même instant il sentit qu'on s'accrochait à son bras. Alors qu'il se dégageait, d'un geste brutal de défense, il reconnut Élise juste à temps pour la rattraper avant qu'elle ne tombe.

— Fais quelque chose ! hurla-t-elle, au bord de la crise de nerfs. Ils sont trois après lui, ils l'ont traîné là-bas, ils vont le tuer !

Elle était en larmes, échevelée, et elle le secouait à nouveau comme une folle. Un bruit de sirènes, au loin, provoqua un début de panique parmi les assaillants. Frédéric faillit se faire renverser par un type qui s'était mis à courir et qui taillait son chemin à coups de poing. Élise continuait de crier, toujours suspendue à son bras, lorsque Damien surgit entre eux, à bout de souffle, les yeux exorbités.

— Viens avec moi, vite !

Sans réfléchir, Frédéric détala derrière lui en direction de la contre-allée. Crier ou réclamer de l'aide ne servirait à rien dans une telle pagaille, ils ne pouvaient compter que sur eux-mêmes. À peine cinquante mètres plus loin, à l'abri d'une rangée de voitures, ils tombèrent sur les trois types qui s'acharnaient à tabasser Romain. Frédéric eut juste le temps d'entendre le bruit mat des coups, les grognements rauques des brutes, et il se jeta sur la silhouette la plus proche de lui. Il ne savait pas se battre, rien ne l'avait préparé à une telle violence, sa tête était vide, mais la décharge d'adrénaline provoquée par la peur et la colère suffisait à le soulever. Il ne sentit pas le choc, ni la douleur, seulement l'odeur de sueur de son adversaire. Damien devait être aux prises avec l'un d'eux, pourtant le troisième restait près de Romain qui ne bougeait plus. Projeté contre le trottoir, Frédéric roula sur lui-même et, juste au moment où il se relevait, il distingua un reflet argenté sur la lame d'un couteau.

Louis et Tom s'étaient frayé un chemin le long de l'avenue et arrivaient à proximité du Batracien quand les voitures de police les dépassèrent.

— Il doit y avoir de la castagne quelque part, constata Tom.

Un peu nerveux, Louis suivit des yeux les gyrophares. L'idée que France, Frédéric, et même Alix, se trouvaient au milieu de toute cette agitation lui était désagréable. Il n'appréciait pas la foule, les ambiances de foire, le bruit et l'excitation qu'il sentait partout.

Alors qu'ils parvenaient enfin à la porte du bar, son téléphone portable se mit à vibrer, au fond de la poche de son jean. Il prit la communication, mais le chahut était tel autour de lui qu'il eut beaucoup de mal à comprendre la voix hystérique d'Alix. Se bouchant l'oreille d'une main, il la fit répéter plusieurs fois. Tom, qui l'observait, le vit se décomposer et demanda aussitôt :

— Qu'est-ce qui se passe ?

D'un geste machinal, il posa sa main sur le bras de Louis, comme pour le retenir. À l'intérieur du bistro, France venait de les apercevoir et leur adressait de grands signes.

— Viens ! cria Louis qui avait fait volte-face.

Parti comme une flèche, il se mit à zigzaguer entre les badauds pour remonter vers la contre-allée de l'avenue. Cent mètres plus haut, les véhicules de police et deux ambulances étaient arrêtés, barrant l'accès d'un périmètre envahi par des silhouettes en uniforme. Quelques curieux se tenaient à bonne distance, immobiles et étrangement silencieux. Tom, qui avait quelques foulées de retard sur Louis, fut arrêté net par Alix. Elle s'écroula contre son épaule, hagarde, incapable de lui donner des explications cohérentes.

Intercepté par deux policiers, Louis ne pouvait pas approcher davantage. Fou d'inquiétude en voyant les civières entourées d'hommes en blouses blanches, il voulut forcer le passage mais les flics le rattrapèrent avec une certaine brutalité. Comme il continuait à se débattre pour leur échapper, il sentit qu'on lui ramenait un bras dans le dos et une douleur insupportable l'immobilisa. Il comprit que, s'il insistait encore, l'autre allait lui déboîter l'épaule.

— Laissez-le, vous êtes fous ! cria la voix de Tom. Son fils est quelque part là-bas !

La pression se relâcha un peu et Louis put reprendre sa respiration mais il était livide.

— Ça va ? lui demanda quelqu'un. Tenez-vous tranquille, vous ne pouvez pas passer.

Tom et Alix à côté de lui, toujours tenu par les policiers, malade d'angoisse, il regardait approcher un brancard sans parvenir à distinguer le visage du blessé. À la seconde où il reconnut les cheveux blonds de Romain, il réussit à se libérer.

Les formulaires étaient remplis, les dépositions signées. Le commissaire observa alternativement Louis puis Frédéric, assis côte à côte devant lui.

— Jeune homme, vous avez eu de la chance. Beaucoup de chance ! Ces types-là ne sont pas des amateurs, des petits délinquants, c'est du sérieux. Ils ont déjà créé des incidents de ce genre à Évreux, à Mantes... On les connaît, ils ont des casiers judiciaires pour violences, coups et blessures, bref, la racaille. J'espère que le juge aura la main lourde, cette fois... Mais vous, vous êtes un rescapé !

Sans répondre, Frédéric esquissa une grimace. Il n'était resté que deux heures à l'hôpital, le temps de faire des radios et d'être examiné. Les médecins voulaient le garder en observation au moins une journée, mais il avait supplié son père de l'emmener.

— Je ne retiens aucune charge contre vous, déclara le commissaire à Louis.

Celui-ci avait pourtant donné du fil à retordre à ses hommes. Lorsqu'ils l'avaient rattrapé, les policiers étaient décidés à lui administrer une leçon. Les choses auraient pu mal tourner mais, après avoir vu Frédéric tomber dans les bras de son père, en larmes, ils s'étaient calmés et les avaient laissés tranquilles.

— Monsieur Neuville, la loi s'applique à tout le monde. Dans le feu de l'action, il faut laisser la police faire son travail, sinon comment voulez-vous qu'on reconnaisse les bons des méchants et...

— Vous en avez arrêté trois, coupa Louis, et les autres ?

— Les témoins seront convoqués ultérieurement pour essayer de procéder à une identification, à partir des photos que nous possédons dans nos fichiers. En attendant, c'est fini pour aujourd'hui, on a tous besoin de repos !

Il se leva, avec un petit sourire de connivence.

— Votre fils a du courage, des tripes, quoi ! J'espère que son ami se rétablira. Les parents portent plainte, bien entendu.

Louis se contenta de hocher la tête avant d'entraîner Frédéric hors du bureau. Une fois dehors, ils furent un peu surpris par le soleil et la chaleur. Il était neuf heures du matin, les rues étaient calmes, la ville semblait dormir encore.

— Tu veux prendre un petit déjeuner ici ou rentrer à la maison ?

Épuisé, l'adolescent désigna la terrasse d'un bistrot où ils allèrent s'attabler. Une fois la commande passée, Louis sortit de sa poche un paquet de cigarettes tout chiffonné avec lequel il se mit à jouer.

— J'ai eu la peur de ma vie, Fred, dit-il au bout d'un moment.

Jusque-là, il n'avait fait aucun commentaire de ce genre, juste l'essentiel de ce qu'il devait répondre aux médecins, aux policiers. Quand son fils s'était effondré, il l'avait serré contre lui sans lui poser une seule question.

— Moi aussi, murmura le jeune homme.

La surexcitation était remplacée par une immense lassitude, un sentiment de dégoût que Louis devina. Il déclara, d'une voix un peu hésitante :

— Tu t'es conduit d'une façon... formidable. Je ne sais pas quoi te dire de plus, mon grand, sauf que j'aurais voulu être avec toi. Je suis très, très fier de toi.

Un serveur déposa une corbeille de croissants et deux tasses de café devant eux, leur souhaita bon appétit.

— Tu sais, les flics, marmonna Frédéric, la bouche pleine, ils ne sont pas si mal que ça... Je n'ai jamais été aussi content de les voir arriver ! Deux minutes de plus et je n'étais plus là pour te le raconter.

Louis tendit la main, effleura les cheveux de son fils, puis regarda le jean, fendu tout le long de la cuisse. La lame n'avait fait qu'effleurer la peau, un vrai miracle. Il détourna les yeux, le temps de retrouver son calme. Même rétrospective, l'angoisse restait odieuse, sans limites.

— Oui, dit-il, si tu veux bien, raconte.

Frédéric reprit un croissant qu'il agita dans la direction de Louis.

— Ne fais pas de moi un héros, sois gentil ! J'ai suivi Damien parce que... eh bien, je ne sais pas pourquoi. Je crois qu'il est impossible de rester sans rien faire quand les gens se battent. Enfin, moi, je n'ai pas pu. Tous ceux qui étaient dans la mêlée, je les connaissais. Et ils en prenaient plein la gueule... Mais Romain, c'était vraiment dégueulasse, ils étaient trois et ils s'étaient planqués pour le massacrer. Alors, Romain ou un autre... Je te jure, rien que le bruit des coups, ça te donne envie de dégueuler...

Il marqua une hésitation mais termina son croissant. La main au-dessus de la corbeille, il avait l'air de réfléchir, les yeux noyés dans le vague, encore traumatisé par ce qu'il avait vécu.

— Continue, dit posément son père.

— Un couteau, ça fout une trouille bleue. L'escrime m'a servi, tu vois, au moins à esquiver ! Ce type, j'aurais pu le tuer si j'avais eu une arme, je ne pensais qu'à ça... C'est pas l'instinct de survie, c'est la volonté de meurtre... Maintenant, je comprends très bien comment ça dégénère, tu as un voile rouge devant les yeux, il n'y a plus que la rage, pas la peur.

Le souvenir de ces quelques minutes était très net. Pourtant, sur le moment, tout s'était embrouillé. Frédéric secoua la tête comme pour se débarrasser d'images trop violentes, et saisit un troisième croissant. Louis l'observait en silence, complètement bouleversé.

— Tu savais qu'il s'agissait de Romain ? demanda-t-il enfin.

— Oui, Élise les avait vus le traîner plus loin, Damien aussi.

— Pourquoi s'en sont-ils pris à lui en particulier ?

— D'après ce que j'ai compris, Romain les a bien allumés quand ils sont montés sur le podium et qu'ils se sont mis à bousiller les instruments. La guitare, le synthé, la batterie, la sono, ils en ont fait des miettes et il a dû péter un plomb. Heureusement pour lui, ils n'ont pas sorti les couteaux à ce moment-là, ils ont préféré prendre leur temps.

Louis se laissa aller contre le dossier de sa chaise, avec un profond soupir.

— Tu manges rien, papa ? s'étonna Frédéric.

— Non, je n'ai pas faim.

Regarder son fils lui suffisait pour l'instant. Le regarder manger, respirer, vivre.

— Comment tu as fait pour arriver aussi vite ? demanda l'adolescent.

— Un hasard. Alix n'était pas très loin de la bagarre et quand elle a réussi à approcher, elle a interrogé des filles qui se trouvaient là. Elle pensait à Romain, pas à toi, mais ton nom a été prononcé alors elle a paniqué et elle est allée voir. Elle m'a joint sur mon portable, on était en ville, Tom et moi.

Frédéric acheva son café avant de prendre une cigarette dans le paquet de son père. Il aurait voulu ne plus penser à la scène de la veille, mais il en était encore incapable. Quand il s'était approché de Romain, avant l'arrivée des médecins du SAMU, il l'avait vu vomir des flots de sang, recroquevillé sur le sol, secoué de spasmes, et il ne parvenait pas à se débarrasser de cette vision de cauchemar.

— Tu vas retourner à l'hôpital ? demanda-t-il, presque à voix basse.

— Oui, bien sûr.

— Moi aussi, alors. Il paraît que Richard a une fracture de la mâchoire.

— Je préférerais te ramener. Que tu te reposes et que tu te changes.

— S'il te plaît, papa...

Louis n'avait pas l'intention de refuser quoi que ce soit à son fils et il s'inclina, à regret. Il aurait aimé le savoir à l'abri, dans son lit, mais ce n'était plus un petit garçon, il l'avait suffisamment prouvé.

France dut s'asseoir, les jambes coupées. D'un coup d'œil, le médecin s'assura qu'elle n'allait pas s'évanouir, puis il répéta les mêmes phrases apaisantes.

— Est-ce que tu veux un verre d'eau ? proposa Antoine, compatissant.

Ils étaient aussi soulagés l'un que l'autre, une sensation qui les rapprochait soudain alors qu'ils n'avaient fait que se disputer jusque-là.

Pour Antoine, ce qui était arrivé n'était que la conséquence logique de « toute cette connerie de foutue musique ». Réveillé en pleine nuit, il avait connu de tels instants de panique qu'il avait eu besoin de se défouler avec des grossièretés, de trouver des boucs émissaires. À bout de nerfs, France avait défendu Romain bec et ongles, la musique avec, et toute la jeunesse en prime. Finalement, la surveillante de l'étage était venue leur demander de se taire.

Quelques heures plus tard, alors que le jour se levait, ils avaient enfin eu des nouvelles rassurantes. L'hémorragie interne était maîtrisée, aucun organe vital ne semblait lésé. Leur fils avait repris connaissance juste avant d'entrer au bloc opératoire, et ils avaient pu l'embrasser. À présent, ils avaient l'autorisation d'aller quelques minutes dans sa chambre.

— Allez, viens, on y va, dit-il en l'aidant à se lever.

Le médecin les précéda le long du couloir avant de s'arrêter devant une porte grande ouverte pour permettre la surveillance du malade.

— Ne restez pas longtemps et ne le faites pas parler, recommanda-t-il.

France et Antoine entrèrent ensemble et marquèrent la même hésitation pour s'approcher de leur fils. Au-dessus du drap, le visage de Romain semblait décoloré, méconnaissable. Il était relié à une perfusion et à un moniteur qui enregistrait son rythme cardiaque. France avança la première, avec un sourire crispé. La main déjà tendue, elle se demanda où elle pouvait le toucher sans lui faire mal et, maladroite, elle se pencha pour l'embrasser doucement sur la tempe.

— Toi, tu ne dis rien, chuchota-t-elle, et nous, on est là pour te dire qu'on t'aime, que tu vas bien, que c'est fini.

— Maman, murmura-t-il, d'une voix pâteuse.

— Non, pas un mot, s'il te plaît...

Elle savait qu'il avait des côtes cassées, des hématomes et des points de suture un peu partout, qu'il allait forcément souffrir dès que l'effet de l'anesthésie se serait dissipé, mais c'était sans importance, il était vivant.

— Eh bien, mon garçon..., souffla Antoine qui était passé de l'autre côté du lit. Si je retrouve le mec qui t'a arrangé comme ça, je le bute !

France releva la tête vers lui, stupéfaite. Antoine était pacifiste, il ne tolérait pas qu'on réponde à la violence par la violence. Et voilà qu'il reniait toutes ses grandes idées parce qu'on s'en était pris à son fils. Il rabattit le drap qu'il avait à peine soulevé, regarda ailleurs.

Romain remua un peu, comme s'il voulait se redresser, ce qui lui arracha un gémissement pitoyable. Sous le coup de la douleur, il eut soudain les yeux pleins de larmes et sa mère faillit craquer, elle aussi.

— Reste tranquille, mon chéri, ne bouge pas. Ils vont te donner des calmants... On ne peut pas rester, c'est interdit, alors on reviendra dans l'après-midi, d'accord ? Ne te fais aucun souci, les autres n'ont rien, et toi, tu iras mieux dans quelques jours.

Impuissant, il tenta un sourire raté puis, au bout d'un instant il parut se rendormir tandis que ses parents restaient figés à côté de lui. L'arrivée d'une infirmière, avec un chariot, les obligea à s'écarter puis à sortir. France avait réussi à maîtriser le tremblement de son menton, Antoine semblait calme bien qu'un peu pâle. Ils se dirigèrent en silence vers les ascenseurs, sonnés par ce qu'ils venaient de subir.

Quand les portes s'ouvrirent devant eux, au rez-de-chaussée, la première personne qu'ils aperçurent fut Louis qui attendait, près de la cafétéria. Les mains enfouies dans les poches de son jean noir, il s'était appuyé à un des piliers du hall pour guetter France. Il n'avait pas le droit de monter jusqu'à la chambre de Romain et, de toute façon, c'était la place d'Antoine, pas la sienne. Dès qu'il les vit sortir de l'ascenseur, il les dévisagea l'un après l'autre avant de s'approcher.

— Alors ? Comment va-t-il ? demanda-t-il d'une voix tendue.

Incapable de se dominer plus longtemps, il mit sa main sur l'épaule de France. Il avait un tel besoin de l'aider, de lui faire savoir qu'il l'aimait, que la présence d'Antoine n'avait pas suffi à arrêter son geste.

— Les médecins pensent qu'il s'en sortira sans séquelles, dit-elle seulement.

Elle devinait son désarroi, comprenant à quel point il avait dû s'angoisser pour elle tout au long de la nuit et de la matinée. Elle le sentit se détendre, passer carrément son bras autour d'elle. Antoine se détourna pour regarder dans la direction de la cafétéria, où un groupe de jeunes bavardaient avec animation. Sans plus s'occuper de France, il partit vers eux à grandes enjambées.

— Vous êtes Damien, je crois ? lança-t-il au jeune homme qu'il avait reconnu pour l'avoir vu sur scène, à Bonnières, derrière son synthétiseur.

L'adolescent était vêtu d'un pyjama de l'hôpital, et son bras gauche, en écharpe, était protégé par un pansement, du poignet au coude. À côté de lui, un garçon brun aux yeux cernés portait un jean complètement déchiré.

— Et vous, Frédéric Neuville ? ajouta Antoine.

Malgré lui, il avait pris son ton de prof, celui qu'il utilisait depuis des années avec les jeunes. Il s'en rendit compte, se mit à sourire puis déclara, d'une voix plus basse :

— Moi, je suis le père de Romain, et je vous remercie, tous les deux. Vraiment, chapeau, vous avez des... Enfin, c'est bien, très bien !

Solennel, il leur serra la main l'un après l'autre. Lorsqu'il recula, il heurta France qui était juste derrière lui. Une seconde, il croisa le regard de Louis, faillit dire quelque chose mais préféra s'éloigner vers la sortie de l'hôpital.

— Est-ce que vous avez des nouvelles de Richard ? demanda France.

— Il est dans une chambre au premier étage, il a l'air d'un œuf de Pâques et il boit avec une paille !

répondit Frédéric. Il a voulu nous faire une citation de circonstance, mais on n'a rien compris !

À côté de lui, Nadège et Élise se tenaient silencieuses, intimidées. France s'adressa directement à Élise :

— Les visites sont interdites pour le moment, mais dès que ce sera possible, je te le dirai si tu veux ?

La jeune fille hocha la tête gravement, l'air reconnaissant. Elle serait sans doute la personne que Romain préférerait voir lorsqu'il irait mieux, France en était consciente. Son fils n'était plus un bébé, c'était un homme et il était amoureux, elle ne devait pas chercher à le préserver ou à l'isoler. La seule chose qu'elle pouvait faire était de ménager sa dignité tant qu'il souffrirait, ensuite elle serait bien obligée de céder la place.

— Frédéric, dit-elle, tu veux bien venir avec moi une minute ?

Elle leva la tête vers Louis pour qu'il la libère, puis elle entraîna Frédéric vers un distributeur de boissons.

— Tu as soif ?

— Non, merci.

— Alors, allons dehors en fumer une, comme dirait ton père.

Il la suivit à l'extérieur, perplexe, jusqu'à un muret sur lequel elle s'assit. Là, il lui offrit une cigarette et du feu, la regarda inspirer profondément et attendit qu'elle se décide à parler.

— J'ai une dette envers toi, commença-t-elle, son regard planté dans le sien.

— Mais non, pas du tout...

— Oh, si ! Je ne sais pas si ces ordures voulaient vraiment le tuer, mais ils y seraient arrivés. Ce n'est pas comme au cinéma, un coup c'est vite mortel. Ils ont touché la rate, ça aurait pu être le foie.

La tête baissée, il l'écoutait sans plaisir. Ce qu'elle disait le ramenait aux images de la veille, qu'il désirait à tout prix effacer.

— J'ai vu Damien cette nuit aux urgences, pendant qu'on lui recousait le bras, poursuivit-elle. Je l'ai remercié de mon mieux mais les mots sont dérisoires, n'est-ce pas ? Seulement lui, au moins, je sais pourquoi il y est allé. Romain, Richard et lui, ils se sont fait attaquer ensemble, ils étaient solidaires pour se défendre, c'est légitime. Ça n'enlève rien au courage qu'il lui a fallu, bien sûr...

— Surtout qu'il n'est pas gaulé comme un catcheur ! souligna Frédéric qui souriait.

Elle voulut lui rendre son sourire, sans y parvenir tout à fait.

— Mais toi, reprit-elle, je sais que tu le détestes. Tu n'avais aucune raison de faire ça.

Redevenu sérieux, Frédéric semblait très embarrassé, pourtant elle n'en tint pas compte.

— Tu aurais pu te contenter d'appeler la police, de rameuter des copains, de...

— Je n'ai pas réfléchi. J'ai suivi Damien, c'est tout. Le courageux, c'est lui.

Il avait le même air buté que lorsqu'il avait orchestré tous ces chahuts dans sa classe. Le même regard sombre que son père. La même jeunesse que ces générations d'élèves qu'elle était toujours triste de quitter à la fin de l'année scolaire.

— Lui et toi, dit-elle d'une voix douce. C'est grâce à vous deux que mon fils n'a pas fini handicapé ou à la morgue. Tu n'auras jamais aucune idée de ce que ça représente pour moi ! Alors maintenant, j'ai un gros problème avec toi.

— Ben, quoi ?

Comme il ne comprenait pas où elle voulait en venir, elle dut préciser, très calme :

— Je complique ta vie, tu es plutôt... mal dans ta peau depuis que j'ai fait irruption entre ton père et toi. Je ne veux pas être la bonne femme que tu maudis tous les matins, celle à cause de qui tu fugues chez ton grand-père, celle qui usurpe la place de ta mère. C'était déjà pénible avant, mais depuis hier je considère que ce n'est plus possible.

Il ne savait pas de quelle façon il devait interpréter ses paroles, toutefois il sentit le danger et il préféra l'interrompre.

— N'y pensez même pas, dit-il très vite. Papa serait fou s'il entendait ça ! Je n'ai pas trois ans, vous savez, et puis c'est beaucoup moins compliqué que ce que vous croyez. Vous ne me devez rien et moi non plus.

Un peu interloquée, elle hésitait sur l'attitude à adopter quand elle vit Louis qui sortait de l'hôpital à son tour. Il s'arrêta une seconde en haut des marches du perron, puis descendit vers eux à pas lents, pour leur laisser le temps de finir. Deux femmes qui venaient de le croiser se retournèrent sur lui avant d'échanger un petit clin d'œil. Malgré son air las, sa barbe de la veille, France le trouva incroyablement séduisant.

— Est-ce que j'arrive trop tôt ? demanda-t-il avec ce sourire qui n'appartenait qu'à lui.

— Non, non ! s'empressa de répondre son fils.

— Alors je te ramène à la maison, mon grand.

France était en train d'écraser sa cigarette sous son pied, et Frédéric éprouva une sorte d'élan envers elle, peut-être parce que son père ne regardait que lui, peut-être parce que l'idée de la laisser seule dans cette cour d'hôpital lui était soudain désagréable.

— Vous venez avec nous ? demanda-t-il spontanément.

14

Louis se pencha vers Alix pour chuchoter :

— C'est l'une de ses mélodies les plus inspirées...

D'un clin d'œil, elle lui fit comprendre qu'elle avait entendu et il se recula, de nouveau très attentif. Bien qu'il le connaisse par cœur, le dernier acte de *La Bohème* le faisait toujours autant frémir. Désespoir infini des violoncelles, accents lugubres, gamme diatonique descendante, ligne vocale pathétique qui s'étirait jusqu'à la transparence. La cantatrice s'en sortait correctement, sans plus, un peu perdue dans un décor baroque qui n'évoquait en rien la mansarde de Mimì.

La tête baissée, pour ne plus voir ce qui se passait sur la scène de l'Opéra-Comique, Louis savourait chaque détail de la musique de Puccini et la sonorité du moindre instrument. Il eut le temps de juger que le chef d'orchestre ne suivait pas tout à fait le tempo idéal, avant qu'éclatent les premiers accords des cuivres, clouant les spectateurs dans leurs fauteuils.

Quand le public se mit debout, Louis trouva l'ovation excessive mais il joignit ses applaudissements aux autres, incapable de bouder son plaisir.

— Je ne connais pas de compositeur aussi doué que lui pour l'émotion ! dit-il à Alix. C'est raffiné, complexe, et ça te tape directement sur les nerfs.

— Je savais que tu serais content.

Elle en était tellement persuadée qu'elle lui avait ménagé la surprise jusqu'au bout, sans autre précision qu'un rendez-vous à dix-neuf heures au Café de la Paix, en tenue de soirée. Il était arrivé avec quelques minutes de retard, costume bleu nuit et chemise blanche, la cravate dans sa poche, de mauvaise humeur à l'idée d'une quelconque mondanité obligatoire.

— C'est adorable de ta part, Al, j'ai passé une soirée merveilleuse.

Détendu, souriant, il la prit par le bras pour la guider vers la sortie de la salle.

— Tu vois, ce glissement d'un demi-ton, c'est génial. Il passe d'*ut* majeur à *ut* dièse mineur, il a fait la même chose dans *Tosca*, en *mi*, et...

— Je ne comprends pas un mot de ce que tu racontes, Louis ! Arrête de disséquer, je trouve ça beau sans me poser de questions. Dis-moi plutôt comment était le chef, en termes simples, si possible.

— Lui ? Un peu en avance. Pressé d'aller se coucher.

Elle se mit à rire et s'arrêta une seconde en haut des marches du monumental perron.

— Et toi ? Tu as le temps de m'offrir un verre ?

— Tout ce que tu veux, ma belle, je suis sur un nuage ! Et aussi malade de jalousie, d'impuissance, il a vraiment tout écrit...

Attendrie, Alix l'observa pendant qu'il allumait une cigarette. Il était radieux, elle trouva qu'il vieillissait bien, peut-être mieux qu'elle.

— France doit t'attendre ? s'enquit-elle prudemment.

— Non, elle doit dormir, du moins j'espère.

Il n'ajouta pas qu'il déplorait son absence, c'était évident. Mais il se chargerait tout seul de lui faire découvrir la musique lyrique, ce soir il s'était fait piéger par sa sœur et il ne pouvait que s'incliner, beau joueur. À l'entracte, elle l'avait traîné au bar pour le présenter à des tas de gens dont il avait serré la main sans retenir leurs noms. Mondaine, Alix effectuait son travail d'agent avec brio, reprochait à Louis son indifférence et l'exhibait sans scrupules comme le meilleur poulain de son écurie, il en avait l'habitude.

Sur le boulevard des Italiens, ils trouvèrent une brasserie où Alix commanda d'autorité des huîtres et du champagne.

— Je crois que je vais te suivre jusqu'à Notre-Dame-de-la-Mer, déclara-t-elle, une nuit à la campagne me fera du bien. La famille est toujours là-bas ?

— Oui, au grand complet. Ils ne partiront qu'après le 14 Juillet.

— Heureusement que tu as le sens de l'hospitalité !

Cette réflexion servait de test, il le comprit tout de suite. Sans poser la question directement, elle cherchait à savoir si France, de plus en plus présente aux côtés de Louis, allait changer quelque chose à leur façon de vivre, allait peser sur l'existence des Neuville.

— Vous êtes tous chez vous à la maison, répondit-il d'une voix posée.

— Tu l'as quand même achetée, nous sommes tes invités.

— Ah bon ? ironisa-t-il. C'est aujourd'hui que tu t'en souviens ?

— Sois sérieux, Louis. Est-ce que tu vas l'épouser ?

— Pas dans l'immédiat, non. D'ailleurs, je ne suis pas sûr qu'elle le souhaite.

— Tu veux rire ! jeta Alix, les yeux levés au ciel.

— Oh, je sais ce que tu vas dire, alors ne te donne pas cette peine ! Tu es persuadée que je suis une aubaine pour n'importe quelle femme, un type qu'elles désirent pour son argent, sa baraque ou sa bagnole. Ce n'est pas très flatteur...

Choquée par le ton qu'il venait d'employer, elle le dévisagea.

— Je n'ai jamais prétendu qu'il n'y avait que ça.

Tu as aussi ta gueule pour toi. Mais le reste existe, ne le nie pas.

En signe de paix, elle mit sa main sur la sienne, navrée de l'avoir rendu nerveux.

— Comment va Romain ? demanda-t-elle.

— Bien. Il est sorti de l'hôpital avant-hier et, pour le moment, il est chez son père.

Si elle rejetait toujours France, elle s'était prise de compassion pour son fils depuis cette horrible soirée et elle était même allée lui rendre visite, avec une énorme boîte de chocolats.

— Tu sais, s'il a vraiment autant de talent que tu le prétends, je pourrais m'occuper de lui un de ces jours, proposa-t-elle. C'est difficile de débuter dans ce métier.

— Seigneur, Alix, laisse-le finir ses études ! Sa mère sauterait au plafond si elle nous entendait.

— Pourquoi ? Elle a les idées aussi étroites que ça ?

Malgré ses élans de générosité, elle ne pouvait s'empêcher d'être méchante et il haussa les épaules, agacé.

— J'ai reçu le fax de la Warner aujourd'hui, dit-elle pour changer de sujet, la proposition de contrat est très correcte, je les croyais moins tendres !

Le visage de Louis s'éclaira d'un sourire dès qu'elle fit allusion à Franck James et à ses vampires.

— Le tournage aura lieu en France, comme prévu, mais l'enregistrement se fera là-bas, je te préviens, ajouta-t-elle.

Il était en train de régler l'addition à une serveuse qui ne le quittait pas des yeux et à qui il n'accordait aucune attention. Dès qu'elle se fut éloignée, Alix soupira :

— Tu ne t'aperçois jamais de rien, toi...

Amusée, elle le précéda jusqu'à la porte qu'il lui ouvrit. Une fois dehors, ils descendirent lentement le boulevard côte à côte, leurs pas accordés puisqu'ils avaient la même démarche depuis toujours.

Quand elle s'arrêta devant sa MG, il lui posa la question qu'il retenait depuis un moment.

— Ce verre, Alix, tu es sûre que ce n'est pas chez Tom que tu voulais le boire ?

— Non.

— Promis ?

— Eh bien... j'ai l'impression qu'il n'a pas très envie de me voir.

Un aveu difficile pour elle, qui le désola. D'un geste tendre, il la prit par le cou, la secoua un peu.

— Appelle-le, suggéra-t-il.

— Inutile.

— Tu as beaucoup trop d'orgueil.

— C'est possible, mais je ne vais pas changer à mon âge.

Elle déverrouilla sa serrure tandis qu'il demandait :

— On se retrouve à la maison ?

— Oui, mais je te préviens, on fait la course. Le premier arrivé a gagné.

— Tu triches, je suis garé à trois rues d'ici !

— Tant pis pour toi, le chrono est lancé.

Déjà, elle faisait hurler son moteur, et il n'hésita qu'une seconde avant d'accepter le défi et de se mettre à courir. Le temps de récupérer l'Alfa, il avait cinq minutes de retard sur elle, un sérieux handicap car elle conduisait aussi bien que lui. La circulation était assez fluide pour qu'il puisse rouler vite le long du boulevard Haussmann puis de l'avenue de Villiers, mais quand il s'engagea sur le périphérique, il supposa qu'elle était toujours devant lui.

Le pont sur la Seine et le tunnel de Saint-Cloud le contraignirent à modérer un peu son allure, et il attendit d'être sur l'autoroute pour solliciter vraiment sa voiture. Il serait obligé de ralentir en forêt de Marly, où il n'y avait plus que deux voies, aussi il comptait profiter des premiers kilomètres afin de réduire l'écart qui devait encore les séparer.

Seul un véhicule, qu'il finit par doubler à droite,

refusa de lui céder le passage. En théorie, l'Alfa était plus rapide que la MG, le six cylindres en V italien possédant un peu plus de tempérament que le moteur transversal de la petite anglaise. Seulement Alix était capable de prendre davantage de risques. Lui avait cessé d'avoir une conduite suicidaire dès la naissance de Frédéric.

Stimulé par le jeu, il constata qu'il fonçait tout de même à près de deux cents et il leva le pied. Il pouvait la laisser gagner, pour le plaisir de la satisfaire ou simplement pour la remercier de cette soirée à l'Opéra-Comique, mais il ne devait pas lui donner l'impression de l'avoir fait exprès.

Au péage de Mantes, abordé sagement à cause du poste de gendarmerie, il n'avait toujours pas repéré les feux arrière du roadster. Agacé malgré ses bonnes résolutions, il couvrit si rapidement la dernière portion d'autoroute qu'il faillit rater la bretelle de sortie. Il était presque arrivé à l'embranchement de la nationale lorsqu'il l'aperçut enfin, à deux cents mètres devant lui.

Elle avait dû repérer ses phares halogènes, dans ses rétroviseurs, pourtant elle paraissait l'attendre, comme pour mieux le distancer dès qu'il se rapprocherait. Cette course-là, ils l'avaient faite souvent dans leur jeunesse. Entre la route du haut, qui montait vers Jeufosse et le plateau, ou celle du bas, qui longeait la Seine, ils s'étaient amusés durant des années à battre leurs propres records.

Il la vit plonger vers la voie ferrée et il choisit de la suivre, sachant qu'il n'y avait que deux endroits possibles pour la doubler. Sur la première ligne droite, dès qu'il réussit à venir à sa hauteur, elle n'hésita pas à se déporter légèrement vers le milieu de la chaussée et il fut contraint de se rabattre derrière elle avant la courbe. Il ne lui restait plus qu'une seule chance, qu'il prépara soigneusement, mais qu'il n'eut pas l'occasion d'exploiter à cause d'une voiture qui arrivait en sens inverse.

Après Port-Villez, il ne pouvait plus rien faire, le

départ de la petite route qui montait vers Notre-Dame-de-la-Mer allait les obliger à couper la nationale et à virer en épingle à cheveux. De loin, il discerna les phares d'un camion et commença à rétrograder, résigné à sa défaite, ravi pour sa sœur.

Il était tellement persuadé qu'elle laisserait passer le camion avant de tourner qu'il avait déjà beaucoup ralenti. Pas elle. Sans aucune marge de sécurité, elle passa sous le nez du semi-remorque qui faillit l'accrocher et dont le chauffeur se mit à klaxonner furieusement.

Abasourdi par ce qu'elle venait de faire, Louis eut besoin de quelques secondes pour retrouver son souffle et s'apercevoir qu'il avait calé. Quand il s'engagea à son tour sur la départementale, il sentit que sa chemise s'était plaquée dans son dos, qu'il était couvert de sueur. En arrivant, il constata qu'elle avait ouvert le portail avec sa propre télécommande, qu'elle s'était garée à sa place habituelle, devant la maison, et qu'elle l'attendait, debout sur la terrasse. Il vint se ranger à son tour, descendit de l'Alfa, marcha droit sur elle.

— Qu'est-ce que tu as, Al ? Tu as décidé d'en finir, la vie t'emmerde ?

— J'ai gagné...

— Tu avais *déjà* gagné ! À cet endroit-là, la course est finie, et tu le sais. J'ai toujours cru que tu conduisais très bien, mais ce que tu viens de faire est irresponsable ! Ce camion aurait dû te monter dessus, tu n'avais pas le temps, le type a eu des réflexes. S'il avait fait un seul écart, c'est moi qu'il percutait. Tu es folle ou quoi ? Ça va si mal que ça ?

Il en avait bafouillé tellement il était furieux. Lorsqu'il voulut la saisir, elle lui tomba dans les bras, s'accrocha à lui comme une noyée.

— Mais, ma chérie..., dit-il, beaucoup plus bas.

Dans l'obscurité, il ne voyait pas son visage, l'entendait seulement respirer vite. Combien de fois s'étaient-ils réfugiés ainsi, l'un contre l'autre et sans parler, chaque fois qu'ils s'étaient sentis à la dérive ? De combien de chagrins s'étaient-ils mutuellement consolés ? Du plus loin qu'il se souvienne, elle avait toujours été son rempart, son double. Pourtant, à cet instant, il mourait d'envie de rejoindre enfin France, et si Alix le devinait, ce serait pour elle la pire des trahisons.

La nuit était fraîche, avec un petit vent qui la fit frissonner sous sa robe de soie. Elle s'écarta brusquement de lui.

— C'était juste une erreur d'estimation, Louis, affirma-t-elle d'un ton calme.

— Alors, achète-toi des lunettes !

Elle avait trouvé la force de se reprendre, et d'ailleurs elle avait toujours considéré que c'était elle la plus forte des deux.

— Allons nous coucher, décida-t-elle.

Ses talons martelèrent les dalles de la terrasse jusqu'à la porte. Il la suivit dans le hall, puis dans l'escalier, l'embrassa avant de filer le long du couloir avec un sentiment de libération qui aurait dû le culpabiliser mais qui ne fit que l'égayer.

Ce que Louis, plus faible avec son fils, n'aurait sans doute pas demandé à Frédéric dans les mêmes circonstances, France l'exigea de Romain.

Il était parfaitement rétabli, il avait retrouvé toute sa gaieté et il ne quittait plus Élise. Antoine, qui le laissait passer ses journées à la piscine ou à voir des films avec ses copains, avait même donné son accord de principe à France pour l'achat d'une nouvelle guitare. Qu'elle s'en occupe, puisqu'elle avait un « conseiller technique » sous la main, et il partagerait la facture, à condition qu'elle soit raisonnable.

Le matin où Romain se décida à faire ce que sa mère attendait de lui, il avait d'abord prévu d'aller nager, comme chaque jour depuis sa sortie de l'hôpital, avant de se mettre en quête de Frédéric. Pour peu qu'il le cherche, il pouvait le rencontrer dans n'importe quel endroit de prédilection des jeunes, MacDo, bar, hall du cinéma, sinon il se résoudrait à monter jusqu'à Notre-Dame-de-la-Mer. La corvée ne l'amusait pas, lui aurait presque fait grincer des dents s'il n'avait pas eu un réel sentiment de gratitude. Après tout, il n'en aurait peut-être pas fait autant dans les mêmes circonstances, en tout cas, rien ne lui permettait d'en être certain.

Il commença par couvrir une vingtaine de longueurs, en dos crawlé, avant d'aller rejoindre Élise et de s'allonger près d'elle, dans l'herbe. Elle avait passé de longues heures à son chevet, à lui sourire sans rien dire, et ces moments leur avaient apporté une intimité inattendue. Une tendresse inquiète s'était ajoutée à l'attirance qu'elle éprouvait pour lui, ce qui l'avait rendue plus amoureuse qu'elle n'aurait jamais pu l'imaginer.

— On peut vous déranger, les tourtereaux ? claironna Richard qui venait de s'arrêter à côté de leurs serviettes.

Derrière lui, Nadège et Frédéric, main dans la main, les observaient en silence. Romain fut le premier à se lever, surpris par la coïncidence qui mettait Frédéric face à lui.

— Salut, dit-il, tu tombes bien, justement je voulais te voir aujourd'hui.

— Ah bon ? Ben voilà, c'est fait ! Nous, on va s'installer là-bas...

— Non, attends deux secondes ! J'ai des trucs à te dire.

Les mots avaient du mal à sortir, surtout devant les autres.

— Je crois que le moins que je puisse faire, c'est de te remercier, finit-il par déclarer.

— D'accord. De rien.

Frédéric cherchait à entraîner Nadège qui résistait mais Romain s'interposa, conscient qu'il ne pouvait pas s'acquitter de cette façon.

— J'étais un peu dans les vapes à la fin de l'épisode, mais d'après ce qu'on m'a raconté, sans toi ça finissait mal.

— Garde ton speech pour Damien, l'initiative vient de lui.

— Tu n'étais pas obligé de l'aider.

— C'est mon naturel bagarreur, tu sais bien !

Frédéric conservait un air goguenard qui ne facilitait pas la tâche de Romain. Celui-ci cherchait encore ce qu'il pouvait ajouter quand Élise quitta sa serviette et s'approcha d'eux. C'était à cause d'elle que les deux garçons s'étaient haïs depuis six mois, elle le savait, à cause de ses hésitations, d'un stupide besoin de plaire à tout le monde qu'elle n'éprouvait plus. Elle s'en était déjà expliquée avec Frédéric, dès le lendemain de la fête de la Musique, mais là elle sentait qu'elle devait aider Romain, qu'il ne s'en sortirait pas dans ces conditions.

— Tu viens te baigner ? dit-elle à Nadège.

Elles échangèrent un rapide coup d'œil puis s'éloignèrent ensemble vers le plongeoir, emmenant Richard avec elles. Un peu moins crispé, Romain en profita pour déclarer, d'une traite :

— Je ne pensais pas que je te devrais jamais quelque chose, mais là j'ai une sacrée ardoise.

— Oh, arrête ! Tu sais pourquoi j'y suis allé ? Parce qu'Élise me l'avait demandé !

C'était une ultime provocation, que Frédéric regretta aussitôt.

— Je plaisante, bien sûr, ajouta-t-il. Mais j'en ai marre des mercis, remballe les tiens, on ne va pas passer l'été là-dessus. Et puis, franchement, j'ai rien contre toi...

Il était trop jeune pour savoir que c'était précisément parce qu'il avait aidé Romain qu'il pouvait se montrer altruiste, et il fut le premier surpris par ce qu'il venait de dire. Tout aussi étonné, Romain le dévisageait sans comprendre.

— Je sors avec Nadège, ajouta encore Frédéric, comme si ça expliquait tout.

— Tant mieux...

Soudain aussi embarrassés l'un que l'autre, ils jetèrent en même temps un coup d'œil vers la piscine. Les deux jeunes filles riaient, leurs mains plaquées dans le dos de Richard qu'elles cherchaient à pousser à l'eau et qui se débattait.

— Bon, salut, dit Frédéric.

Il fit quelques pas mais se ravisa, revint vers Romain qui n'avait pas bougé.

— Pas la peine de jouer les sourds-muets, ta mère passe pas mal de temps avec mon père, à la maison, alors si tu veux venir aussi, j'en ferai pas un drame.

Très content de son initiative, il s'éloigna à grandes enjambées vers les filles.

À bout de souffle, Louis ferma les yeux, essaya de résister encore mais se laissa emporter quand même. Il tenait toujours France par la taille et il sentit qu'elle s'inclinait vers lui. Quand elle l'embrassa, il referma ses bras autour d'elle.

— Je suis épuisé, chuchota-t-il. Je pense que tu me rendras parfaitement fou. Ou obsédé sexuel. Ou sénile avant l'heure.

Par jeu, elle se mit à mordiller son épaule sans qu'il accepte de la lâcher.

— Reste là, tu es légère comme une plume...

Elle s'allongea carrément sur lui, la tête dans son cou, et il demeura silencieux quelques instants avant d'ajouter, d'une voix grave :

— Je t'aime, France.

— Tu le dis comme un ultimatum.

— Non, non, il s'agit d'un aveu.

Du bout des doigts, il caressait sa nuque, son dos.

— Tu fais de moi un drogué. Accro et dépendant.

— Tant que ça ne t'empêche pas de composer !

— Au contraire.

— Je sais. Tu te relèves la nuit, je n'ai pas le sommeil si lourd que ça. Parfois, j'ai envie d'aller m'asseoir dans l'escalier pour t'écouter sans que tu le saches, comme les enfants.

— S'il te plaît, ne le fais pas.

— Évidemment.

— Et puis, si tu descends, aie au moins le courage d'entrer, je te ferai l'amour sur le piano.

— C'est bon pour l'inspiration ?

— Aucune idée, ça ne m'est jamais arrivé.

— Alors, comme dirait Franck, tu es vraiment trop classique !

— Il dit ça ?

— Et bien d'autres choses...

Elle le considéra, songeuse, puis se redressa, se sépara de lui.

— Où vas-tu ? protesta-t-il.

— Me rafraîchir un peu. Tu veux venir ?

Dans la salle de bains, elle remarqua tout de suite un peignoir bleu pâle qu'elle ne connaissait pas, en éponge velours, pendu à côté de celui de Louis.

— C'est à toi ? demanda-t-elle.

— Non, c'est pour toi, et ça ne t'engage à rien d'autre qu'à me laisser le mien quand tu viens ici.

Il avait déjà ouvert la porte de la douche et s'était réfugié sous le jet pour l'empêcher de répondre. Attendrie, elle le regarda tandis qu'il se savonnait. Depuis qu'elle le connaissait, elle l'avait toujours vu commencer par le visage, ensuite les cheveux, et le reste du corps, méthodiquement. Une de ses rares habitudes.

Décidée à prendre son temps, elle choisit d'ouvrir les robinets de la baignoire. Les vacances commençaient à peine, elle voulait profiter de chacun des moments qu'elle passerait ici, avec lui. La rentrée était loin, inutile d'y songer pour l'instant. De toute façon, elle se l'était promis, elle n'enseignerait pas le français toute sa vie, elle avait d'autres projets, et Louis lui donnait tous les courages.

Elle vérifia la température avant de s'allonger dans l'eau tiède, ajouta un peu d'huile parfumée. Ça aussi, il en avait acheté, les étagères étaient remplies d'acquisitions. Mais il faisait les courses, elle aurait dû s'en souvenir. Est-ce que ce n'était pas dans un supermarché qu'il l'avait invitée à déjeuner, pas très convaincu, la toute première fois ? Les yeux fermés, elle laissa dériver ses pensées. Louis... Louis Neuville, compositeur à succès. Et elle, quoi ? À la dernière réunion de professeurs, elle s'était vu attribuer pour septembre la classe de terminale littéraire où seraient Frédéric, Élise, Richard et les autres. Une situation ahurissante puisqu'elle aurait donc pour élèves le fils de son amant, et la maîtresse de son propre fils.

— Tu crois qu'ils sont réconciliés pour de bon ? Je le voudrais tellement...

Il venait de s'agenouiller sur le tapis de bain, son visage à la hauteur du sien, et il la scrutait d'un air inquiet.

— Impossible de savoir ce qui se passe dans la tête des adolescents, répondit-elle. Ils se sont expliqués, c'est beaucoup. Tu veux tout, trop vite. Mais ne t'inquiète pas, on y arrivera.

La main tendue vers lui, elle lissa ses cheveux mouillés, suivit la courbe de ses pommettes saillantes, de sa mâchoire. Cet homme était en train de tout lui offrir, des bonheurs et des espoirs auxquels elle n'aurait même pas rêvé quelques mois plus tôt, et pourtant c'était lui qui posait sur elle un regard plein de gratitude.

— N'attends pas que je m'endorme, dit-elle avec douceur, vas-y maintenant, va.

Parce qu'elle l'avait deviné, il eut un de ces sourires irrésistibles qui la faisaient craquer, et elle étouffa un petit soupir quand il se releva. Il enfila son propre peignoir, quitta la salle de bains pieds nus. La mélodie qu'il avait en tête devenait obsédante et il se mit à la fredonner tandis qu'il dégringolait l'escalier jusqu'à l'auditorium.

Une fois les doubles portes closes, il chercha d'abord un paquet de cigarettes, sifflotant entre ses dents. Dès qu'il en eut allumé une, il prit une feuille et un stylo, sur le Steinway, griffonna vite une série de portées. Debout à côté du clavier, un œil fermé à cause de la fumée, il joua quelques notes de la main droite. Pour respecter la dramaturgie de ce maudit opéra, il en était arrivé à un trio, ténor, soprano, baryton. Et déjà le thème de la menace à introduire.

Il éteignit sa cigarette, s'assit sur le tabouret où il passait la plus intéressante partie de sa vie. Il pouvait interpréter, improviser, créer ce qu'il voulait sur son piano, et le reste du monde s'effaçait, c'était tout simple ! Même dans ses pires crises d'angoisse, et même si la cause de son exaspération était justement la musique, le pouvoir se trouvait dans ses doigts, dans sa tête, illimité.

Durant un long moment il travailla à ses lignes de chant, sans avoir conscience du ciel qui commençait à pâlir, dehors. Puccini, les flocons de neige de *La Bohème,* et la façon dont le compositeur italien avait su personnifier les objets ou les atmosphères par le choix de ses instruments, il y arriverait bien un jour ou l'autre, à force de chercher.

Ce ne fut qu'une douleur diffuse, le long de sa colonne vertébrale, qui finit par le faire changer de position. Il s'étira, voulut prendre ses cigarettes et découvrit Laura, assise par terre près d'une fenêtre ouverte. Le jour était levé, elle avait une tasse vide à la main.

— Qu'est-ce que tu fais là ? s'étonna-t-il.

— Je prenais mon café dehors, je t'écoutais, et j'ai fini par entrer.

L'insonorisation de l'auditorium ne pouvait pas s'étendre au jardin, bien sûr, et l'un des plaisirs de la famille avait toujours été de s'attarder là, plus ou moins discrètement, quand Louis jouait, l'été. Grégoire s'installait carrément dans son rocking-chair, Sabine et Tiphaine épiaient leur oncle à travers les vitres, comme deux petites chattes, Hugues restait appuyé à l'un des piliers de la galerie extérieure. Seul Frédéric n'hésitait jamais à déranger son père, à l'interrompre sans pitié au milieu de sa composition la plus inspirée, certain d'être bien accueilli.

— De quelle planète es-tu tombé, Louis ? dit-elle d'un ton rêveur.

Depuis qu'elle était là, muette, à l'observer, elle l'avait vu vingt fois changer d'expression, et bien que ce soit son métier de traduire les sentiments des autres, elle s'était trouvée incapable de deviner ce qui l'habitait. Enfant, elle avait déjà beaucoup d'admiration pour lui, mais Alix montrait les dents, tel un chien de garde. C'était son frère *à elle*, au clavier ou à table, de jour comme de nuit, et Laura avait remisé ses sentiments avec fatalisme. Plus tard, Hugues et ses filles lui avaient donné tout ce qu'elle attendait de la vie, elle n'avait aucune revanche à prendre, elle se sentait sereine.

— J'adore ce que tu jouais, là...

— Quoi, ça ? Tu aimes ? interrogea-t-il, presque fébrile.

La tête un peu penchée, attentif à y mettre l'émotion voulue, il reprit pour elle ce qui serait un jour l'ouverture de son deuxième acte. Après le dernier accord, elle laissa mourir l'écho du son puis murmura :

— Ça me rappelle...

— Et merde ! s'écria-t-il en rabattant brutalement le couvercle du Steinway.

Interloquée, elle le vit se lever, refermer son peignoir, hausser les épaules.

— Très bien, d'accord, je fais fausse route ! maugréa-t-il, hors de lui.

— Louis...

— Je ne veux pas que ça évoque quelque chose ou quelqu'un ! Il faut que ce soit nouveau. Tu comprends ?

— Pas du tout... Tu sais, j'allais seulement dire que ça me rappelle les nuits d'orage.

L'air navré, il esquissa une grimace puis s'approcha d'elle, lui tendit la main pour qu'elle se mette debout.

— Excuse-moi, Laura. Qu'est-ce que tu dirais d'une balade au belvédère, avant que les autres se réveillent ? Je crois que j'ai besoin de marcher, je suis plein de courbatures.

Sa bonne volonté la fit rire.

— Va enfiler un jean, je te prépare une tasse de café.

Elle se dirigea vers la porte-fenêtre restée ouverte tandis qu'il relevait, avec d'inutiles précautions, le couvercle du piano qu'il regrettait d'avoir malmené. Ses gestes d'humeur étaient plutôt rares, il fut désolé que sa petite sœur en ait été la victime.

Machinalement, il effleura les touches d'ivoire. Un contact familier, d'une douceur sensuelle, sur lequel il s'attarda. S'il parvenait un jour au bout de cet opéra, même dans vingt ans, il le dédierait à France. Qui serait encore là, bien sûr, il avait tout son temps. Pensif, il essaya d'imaginer l'héroïne sous ses traits à elle. Mais non, depuis le début c'était à Marianne qu'il avait songé en s'acharnant à composer ce drame lyrique, peut-être comme unique moyen de l'exorciser. La facilité n'avait aucune place dans son travail, il connaîtrait d'autres nuits de doute et de rage, il l'acceptait d'avance ; il aimait cet enfer-là.

Quand Laura revint, cinq minutes plus tard, il n'était toujours pas habillé, écrivant nerveusement la suite de sa partition, de nouveau inaccessible, tout à fait submergé par la musique qu'il entendait dans sa tête, et plus rien d'autre n'avait d'importance.

"La vie à tout prix"

Une femme en blanc
Janine Boissard

Margaux Lespoir... Un beau nom pour un médecin qui se bat contre la mort, contre la maladie et pour sauver son hôpital. Sa force ? Elle aime la vie, espère tout de la vie. Alors elle est partout, sur tous les fronts. Elle, la petite paysanne devenue chirurgien contre la volonté paternelle, elle, la mère qui élève un enfant infirme, la femme qui lutte pour s'affirmer dans un monde d'hommes et, parmi eux, conquérir celui qu'elle aime...

(Pocket n° 10203)

"Les enfants d'abord"

La Maison des enfants

Janine Boissard

Margaux Lespoir, l'héroïne de *La femme en blanc*, a quitté après la mort de son mari son métier de chirurgien et la Bourgogne pour Paris et un poste au ministère de la Santé. Une nouvelle mission l'attend : élucider le suicide d'une petite fille de onze ans à la Maison des enfants, une association qui aide les enfants à problèmes et qui se trouve... en Bourgogne. De retour sur les lieux de ses souffrances, Margaux rencontre cependant une équipe d'encadrement formidable. Et pourtant, l'orage gronde autour de la Maison des enfants...

(Pocket n° 11179)

Il y a toujours un Pocket à découvrir

"La jeune femme et la mer"

Marie-Tempête
Janine Boissard

Elle est femme de pêcheur. Ou plutôt, elle était. Après la mort tragique de son mari en mer, elle a décidé de prendre sa relève sur le chalutier qu'il commandait. Résolue à sauver le bateau des mains des banquiers, elle s'est lancé un défi : devenir elle-même pêcheur, en dépit des obstacles tendus par le monde masculin, hostile et fermé, des marins bretons. Marie Delaunay ? Une vraie tempête.

(Pocket n° 10659)